LA MAISON SU[R

Née à Londres en 1907, la ro[man...]
Maurier grandit dans une famill[...]
Son grand-père, George, était [...]
acteur. Elle devait leur consac[...]
Gerald *(1934),* Les Du Maurier *([...]*
un roman : Les Souffleurs de verre.
Au cours de sa carrière commencée en 1931, elle a écrit une
quinzaine de romans, mais c'est L'Auberge de la Jamaïque *(1936)*
et surtout Rebecca *(1938) qui feront sa réputation dans le monde*
entier.
Elle publie de nombreuses nouvelles où se mêlent subtilement
*psychologie et fantastique (*Les Oiseaux, Le Point de rupture,
Pas après minuit), *etc. Elle est aussi l'auteur de pièces de*
théâtre et d'un essai : Le Monde infernal de Branwell Brontë.
Ses derniers romans, La Maison sur le rivage *et* Mad *ont paru*
en 1971 et 1972.

Dick Young passe ses vacances à Kilmarth, une maison de
Cornouailles que lui a prêtée son ami Magnus Lane, professeur
de biophysique. Il a accepté de faire office de cobaye en expé-
rimentant une nouvelle drogue découverte par Magnus. Il absorbe
donc la dose prescrite et, sans qu'il y soit préparé, est ramené
six siècles en arrière.
Au cours des jours suivants, il entreprend plusieurs autres
« voyages » qui s'échelonnent dans le temps mais se déroulent
toujours en compagnie des mêmes gens. Ainsi Dick s'aperçoit
qu'il est une sorte d'*alter ego* de Roger Kylmerth, intendant de
Sir Henry Champernoune, seigneur de Tywardreath. Il est ainsi
le témoin d'événements dramatiques, allant jusqu'au meurtre,
auxquels il se sent intimement mêlé.
S'agit-il d'hallucinations où son subconscient cherche un déri-
vatif à sa peu satisfaisante vie conjugale ? Ou a-t-il réellement
voyagé dans le temps ? Telle est la question que se pose
Dick, mais il lui en coûte chaque fois davantage de devoir
quitter ces gens du XIVᵉ siècle pour se retrouver avec sa femme,
aimante autant que soupçonneuse, et ses deux beaux-fils qui
font tous figure d'intrus dans sa vie secrète.
Avec son immense talent de narratrice, Daphné Du Maurier réussit
à faire croître la tension aussi bien dans le passé que dans le présent. L'obsession de Dick, de plus en plus troublé par ces voyages,
gagne insidieusement le lecteur jusqu'au moment où le passé
et le présent s'emmêlent inextricablement en un dénouement
inattendu et des plus saisissants.

DAPHNÉ DU MAURIER

La maison
sur le rivage

ou
L'élixir de double vie

ROMAN

TRADUIT DE L'ANGLAIS
PAR MAURICE BERNARD ENDRÈBE

ALBIN MICHEL

Édition originale anglaise
THE HOUSE ON THE STRAND
publiée chez Victor Gollanez Ltd., Londres.
© Daphné du Maurier, 1969.

*Pour mes prédécesseurs
à Kilmarth*

CHAPITRE PREMIER

JE fus tout d'abord frappé par la limpidité de l'air et puis aussi par le vert intense du paysage, où il n'y avait aucune douceur. Au loin, les collines ne se fondaient pas dans le ciel mais se détachaient comme des rochers, si proches que j'aurais presque pu les toucher; leur proximité me causait le même choc de surprise émerveillée qu'éprouve un enfant lorsqu'il regarde pour la première fois à travers une longue-vue. Dans mon entourage immédiat, chaque chose avait aussi cette sorte de dureté, l'herbe même semblant se diviser en brins jaillissant, comme individuellement, d'un sol plus jeune et plus rude que celui que je connaissais.

Je m'étais attendu — si tant était que je me fusse attendu à quelque chose — à une transformation d'un autre ordre, qui eût été une tranquille sensation de bien-être, le flou grisant du rêve où tout est brumeux, mal défini; mais certainement pas à la découverte bouleversante d'une réalité beaucoup plus intense que tout ce que j'avais pu connaître jusqu'alors, aussi bien dans mes rêves qu'à l'état de veille. A présent, chaque impression s'accentuait et mes sens en prenaient conscience : que ce fût la vue, l'ouïe ou l'odorat, ils semblaient tous comme aiguisés.

Tous, sauf le toucher. Je ne sentais pas le sol sous mes pieds. Magnus m'en avait d'ailleurs averti. « Tu ne sentiras pas ton corps entrer en contact avec les objets inanimés. Tu marcheras, tu t'assiéras, tu frôleras des meubles, des arbres ou des murs sans rien sentir. Ne t'en inquiète pas. Le fait même de pouvoir te déplacer sans éprouver aucune sensation constitue une partie de l'émerveillement. »

Bien entendu, je n'en avais rien cru, pensant que Magnus voulait simplement aiguillonner ma curiosité pour me pousser à tenter l'expérience. Mais je constatais maintenant qu'il avait dit vrai. Je me mis en marche et ce fut délicieusement troublant, car je semblais me déplacer sans effort, sans avoir contact avec le sol.

Je descendais vers la mer, à travers ces champs d'une herbe acérée qui brillait comme de l'argent sous le soleil, car le ciel qui, un moment auparavant apparaissait morne et terne à mon regard ordinaire, était maintenant d'un bleu éclatant. Je me souvenais qu'on était à marée basse, je me rappelais la large étendue de sable lisse que la mer laissait à découvert, limitée par la rangée de cabines de bain qui lui faisait comme un rempart. Maintenant, elles avaient disparu, et aussi les maisons bordant la route, les quais, Par tout entier avec ses cheminées, ses toits, ses édifices, ainsi que les tentacules de Saint-Austell qui s'étendaient à travers la campagne au-delà de la baie. Il ne restait plus rien, que de l'herbe et des broussailles, avec les lointaines collines qui semblaient à présent si proches; et maintenant la mer roulait au-dessous de moi, comme si un raz de marée avait brusquement recouvert la plage et déferlé voracement sur les terres. Au nord-ouest, les falaises allaient à la rencontre de la mer qui, se rétrécissant graduellement, formait un large estuaire où ses eaux s'engouffraient et qu'une courbe du terrain déroba bientôt à ma vue.

Quand j'atteignis le bord de la falaise et regardai

au-dessous de moi, là où, en bas de la colline de Polmear, il aurait dû y avoir la route, l'auberge, le café, l'aumônerie, je vis que la mer avait également mordu sur les terres, formant une crique qui, à l'est, s'enfonçait dans la vallée. La route et les maisons s'étaient évanouies; il ne subsistait plus qu'un creux entre les deux escarpements de la crique. Là, le chenal était resserré par des bancs de vase et de sable; à marée basse, il ne constituait sans doute plus qu'une sente boueuse qu'on devait pouvoir traverser sinon à pied, du moins à cheval. Je descendis le long de la colline et m'immobilisai au bord de la crique, cherchant à reconstituer par la pensée le tracé de la route que je connaissais; mais déjà je perdais mon vieux sens de l'orientation car je n'avais rien pour me repérer, rien que la vallée et les collines.

L'étroit chenal ondoyait, festonnant le sable de ses eaux bleues et y laissant de chaque côté une frange d'écume. Des bulles s'y formaient, grossissaient, éclataient, cependant que la marée apportait des débris de toute sorte avec de sombres guirlandes d'algues, des plumes et des branchages qui devaient avoir été emportés par quelque bourrasque d'automne. Je savais que, en mon temps, c'était le cœur de l'été, bien que le ciel fût couvert ce jour-là; mais à présent, autour de moi, tout baignait dans cette clarté plus limpide qui marque l'approche de l'hiver; je sentais qu'on devait être au début de l'après-midi, car le soleil incendiait l'occident qui bientôt deviendrait d'un rouge sombre en se laissant gagner par la nuit.

Les premières choses vivantes que je vis furent des mouettes qui suivaient la marée montante en volant au ras de l'eau, tandis que tout en haut de la colline me faisant face, se découpant sur le ciel, un attelage de bœufs poursuivaient leur labour. Je fermai les yeux, puis les rouvris. Les bœufs avaient disparu derrière un renflement de terrain, mais le cri aigu des mouettes me confirma qu'elles étaient bien réelles et n'appartenaient pas au domaine du rêve.

J'aspirai goulûment l'air vif, en remplis mes poumons. Le seul fait de respirer me procurait une joie jusqu'alors inconnue, paraissait relever d'une sorte de magie. Mais il m'était impossible d'analyser ces impressions, impossible de laisser ma raison disséquer ce que je voyais : dans ce monde d'une enivrante nouveauté, je n'avais plus d'autre guide que l'intensité des sensations que j'éprouvais.

J'aurais pu demeurer là indéfiniment, savourant l'extase de flotter entre ciel et terre, loin de tout ce dont j'avais souci. Mais, tournant la tête, je vis que je n'étais pas seul. Sans doute parce que, comme moi, il était venu à travers champs, le poney n'avait fait aucun bruit, mais maintenant qu'il avait atteint les galets, le bruit de ses fers sur la pierre avait frappé mes oreilles, me faisant sursauter, et je sentais la forte odeur de son corps en sueur.

Instinctivement, je me reculai, car le cavalier venait droit sur moi, n'ayant pas conscience de ma présence. Il arrêta sa monture au bord de l'eau et regarda vers le large pour apprécier l'amplitude de la marée. Ce fut alors que, pour la première fois, la peur se mêla à mon excitation, car il ne s'agissait pas là d'un fantôme, mais d'un corps solide et réel, dont je voyais le pied dans l'étrier, la main tenant les rênes, terriblement proches de moi. Je n'avais pas peur d'être renversé par le cheval; ce qui me causait un soudain sentiment de panique, c'était la rencontre en soi, ce pont jeté par-dessus les siècles entre son époque et la mienne. Se détournant de la mer, le cavalier posa son regard sur moi. Il devait me voir et j'allais sûrement lire quelque chose dans ses yeux profondément enfoncés sous l'arcade sourcilière... Il sourit, flatta l'encolure du poney puis, d'une brève pression du talon contre le flanc de l'animal, le poussa vers le gué, afin de gagner l'autre côté de l'étroit chenal.

Il ne m'avait pas vu et ne pouvait me voir, puisqu'il vivait à une autre époque. Pourquoi alors se retournait-il sur sa selle et regardait-il par-dessus son épaule vers l'endroit où je me trouvais ? C'était comme un défi : « Suis-moi si tu l'oses ! », semblait-il me dire. Je pus mesurer la profondeur de l'eau en voyant que le poney en avait jusqu'aux jarrets, mais je m'élançai néanmoins à sa suite sans souci de me mouiller et j'atteignis l'autre rive, en n'ayant rien ressenti, comme si j'avais traversé à pied sec.

Le cavalier gravissait la colline; je suivis la sente boueuse et très raide qu'il avait empruntée, laquelle obliquait brusquement vers la gauche en approchant du sommet. Je me rappelai soudain avec plaisir qu'il en allait toujours de même, car j'avais emprunté ce chemin dans le courant de la matinée. Mais la ressemblance s'arrêtait là; il n'y avait pas, comme de mon temps, des haies bordant ce sentier. A gauche et à droite s'étendaient des terres labourées avec, par endroits, des portions marécageuses où poussaient des ajoncs. Nous arrivâmes à hauteur de l'attelage de bœufs et je vis alors pour la première fois l'homme qui les menait, petite silhouette encapuchonnée se penchant sur la lourde charrue de bois. Il leva le bras pour saluer le cavalier et lui cria quelque chose, puis reprit sa laborieuse progression tandis que des mouettes tournoyaient au-dessus de sa tête en criant.

Cette façon d'échanger un salut était si naturelle que le saisissement qui persistait en moi depuis que j'avais vu le cavalier près du gué, fit insensiblement place à une acceptation émerveillée. Cela me rappelait la première fois où, tout enfant, j'étais allé en France; nous voyagions en wagon-lit, et, le matin venu, en voyant par la fenêtre défiler des champs, des villages, des paysans penchés vers le sol comme l'était maintenant le laboureur, je m'étais demandé avec une surprise ravie : « Sont-ils vivants comme moi, ou font-ils seulement semblant de l'être ? »

Mais mon étonnement était bien plus justifié maintenant qu'alors. Je voyais le cavalier et sa monture presque à portée de ma main, et tous deux exhalaient une odeur si forte qu'elle semblait être l'essence même de la vie. La sueur ruisselant sur les flancs du poney, la crinière emmêlée, l'écume au bord du mors, et le genou qui saillait puissamment sous le bas, le pourpoint de cuir lacé par-dessus la tunique, ces mains tenant les rênes et ce visage même, au menton carré, encadré de cheveux noirs descendant au-dessous des oreilles, tout cela constituait une solide réalité à laquelle moi seul étais étranger.

Je brûlais d'étendre la main pour la poser sur le flanc du poney, mais je me rappelais l'avertissement de Magnus : « Si tu rencontres un être vivant issu du passé, garde-toi surtout de le toucher. Les objets, les choses inanimées, c'est sans importance; mais si tu essaies de toucher une chair vivante, le lien se rompra et tu éprouveras un choc extrêmement pénible. Je t'en parle en connaissance de cause, car je l'ai fait. »

Après avoir traversé les champs labourés, le sentier plongeait de l'autre côté de la colline et tout le paysage modifié s'offrit alors à mes yeux. Le village de Tywardreath avait complètement changé par rapport à ce que j'avais vu quelques heures auparavant. Les cottages et les maisons avaient disparu qui, à partir de l'église, s'étendaient au nord et à l'ouest en formant un dessin en dents de scie; je ne voyais plus là qu'un hameau, me rappelant la ferme-jouet que je disposais sur le plancher de ma chambre lorsque j'étais enfant. De minuscules habitations à toits de chaume se pressaient autour du pré communal où il y avait des porcs, des oies, des poules, deux ou trois poneys entravés et les inévitables chiens errants. De la fumée montait de ces humbles demeures, mais simplement d'un trou dans le chaume, sans aucune cheminée. C'était seulement en atteignant l'église que le regard découvrait grâce et symétrie, mais ce n'était pas celle que j'avais vue là quelques heures plus tôt. Cette église-ci était plus petite et dépourvue de clocher, mais semblait faire corps avec un long bâtiment de pierre. Le tout était entouré de murs et dans cet enclos il y avait des vergers, des jardins, des dépendances, ainsi qu'un petit bois après quoi le terrain formait une vallée où la mer étendait un long bras.

Je me serais volontiers attardé à contempler ce tableau d'une si simple beauté, mais mon cavalier continuait d'avancer et je ne pus me retenir de le suivre. Le chemin aboutissait au pré communal où je fus environné par la vie du village. Des femmes se tenaient près du puits situé au coin du pré le plus proche de nous, leurs longues jupes relevées autour de la taille, leurs visages émergeant de l'étoffe qui enserrait leurs têtes jusqu'au cou. L'arrivée de mon cavalier créa une certaine agitation. Des chiens se mirent à aboyer, faisant surgir d'autres femmes à l'entrée des maisons qui, vues de près, n'étaient guère que des masures; on s'interpella ici et là le long du communal avec des voix où, en dépit de la rudesse avec laquelle s'y heurtaient les consonnes, je reconnaissais l'*r* guttural, si caractéristique, de la Cornouailles.

Le cavalier tourna à gauche, descendit devant le mur de l'enclos, attacha sa monture à un piquet fiché dans le sol, puis franchit un large porche clouté de cuivre, à l'arche surmontée par la statue d'un saint dont la main droite tenait une croix de Saint-André. J'avais été élevé dans la religion catholique et, bien que ne pratiquant plus depuis longtemps, je me signai au passage. Au même instant, une cloche se mit à sonner, réveillant en moi un si lointain souvenir que j'hésitai un instant à poursuivre plus avant, appréhendant de retomber sous l'emprise qui avait marqué mon enfance.

Je n'avais pas lieu de m'inquiéter. Le tableau qui s'offrit à moi n'avait rien à voir avec le calme du cloître, le silence engendré par la prière, ou l'odeur de sainteté. Le porche donnait accès à une cour boueuse autour de laquelle deux hommes pourchassaient un adolescent terrifié, en le gratifiant de temps à autre d'un petit coup de fouet sur ses cuisses nues. Leur tenue et leur tonsure indiquaient clairement qu'il s'agissait de deux moines et d'un novice dont la robe avait été relevée au-dessus de la taille pour donner plus de piquant à la chose.

Le cavalier observa cette pantomime sans sourciller mais, lorsque l'adolescent s'effondra par terre en montrant ses fesses nues, il cria : « Attendez donc pour le faire saigner. Le prieur aime que le cochon de lait lui soit servi sans sauce ! » Pendant ce temps, la cloche continuait d'appeler à la prière sans qu'aucun des deux moines s'en souciât.

Satisfait de voir que sa plaisanterie était appréciée, le cavalier traversa la cour et pénétra dans le bâtiment qui nous faisait face, emprunta un couloir qui semblait séparer les cuisines du réfectoire et où prédominait une odeur de basse-cour, partiellement adoucie par la fumée du feu de tourbe. Dédaignant aussi bien la chaleur de la cuisine à sa droite que le réfectoire aux bancs nus qui était à sa gauche, mon cavalier poussa une porte devant lui et gravit une volée de marches aboutissant à l'étage où il se heurta à une autre porte. Il frappa mais entra aussitôt sans attendre qu'on lui eût répondu.

Avec son plafond de bois et ses murs blanchis à la chaux, la pièce présentait un semblant de confort, mais était totalement dépourvue de cette extrême propreté, empreinte d'austérité, dont je gardais le souvenir depuis mon enfance. Le sol recouvert de paille était jonché d'os à demi rongés par des chiens lit aux courtines moisies placé dans un des angles semblait servir d'entrepôt pour tout ce dont on ne voulait pas ailleurs : une couverture faite d'une peau de mouton, une paire de sandales, un fromage rond posé sur un plat d'étain, une canne à pêche, et un lévrier présentement occupé à se gratter les puces.

« Salut à vous, père prieur », dit mon cavalier.

Quelque chose prit alors sur le lit la position assise, dérangeant le lévrier qui sauta par terre; ce quelque chose était un moine âgé, aux joues roses, qui venait d'être tiré de son sommeil.

« J'avais donné ordre qu'on ne me dérange pas », dit-il.

Mon cavalier eut un haussement d'épaules.

« Pas même pour l'office ? » s'enquit-il en tendant sa main au chien qui rampa près de lui en agitant la queue.

Le sarcasme demeura sans réponse. Le prieur releva les genoux en serrant plus étroitement les couvertures autour de lui.

« J'ai besoin de repos, déclara-t-il, du plus de repos possible afin d'être en état de recevoir l'évêque. Vous êtes au courant ?

— Il y a toujours des bruits qui courent, répondit le cavalier.

— Il ne s'agit pas d'un simple bruit. Sir John m'a fait prévenir hier. L'évêque est déjà parti d'Exeter et sera lundi ici, où il compte passer la nuit avec nous, après s'être arrêté à Launceston. »

Le cavalier sourit :

« L'évêque a bien calculé sa visite. C'est la Saint-Martin et il aura de la viande fraîche pour dîner. Avec le ventre plein, il dormira bien. Vous n'avez pas à vous faire de souci.

— Pas à me faire de souci ? rétorqua le prieur dont la voix se fit soudain plus aiguë. Vous imaginez-

sse me faire obéir par tous ces indisci-
e impression vont-ils donner à ce nouvel
est résolu à mettre de l'ordre dans tout le

s se mettront au pas et feront mine de se bien
ire, si vous leur promettez de les en récompen-
ser. L'essentiel est que vous demeuriez dans les bonnes grâces de Sir John Carminowe. »

Le prieur continuait de s'agiter sous ses couvertures :

« Sir John ne se laisse pas facilement abuser et,
ayant un pied dans chaque camp, il doit d'abord penser à lui. Il a beau être notre protecteur, il ne me
soutiendra que si cela sert ses intérêts. »

Le cavalier ramassa un os dans la paille et le donna
au chien.

« En la circonstance, étant le châtelain, Sir Henry
aura le pas sur Sir John, remarqua-t-il. Et vêtu
comme un pénitent, il ne peut que vous faire honneur. Je suis sûr qu'il est actuellement à genoux dans
la chapelle. »

Le prieur ne sourit pas.

« Etant l'intendant du châtelain, vous devriez en
parler avec plus de respect, déclara-t-il avant d'ajouter
d'un air pensif : Henry Champernoune est un plus fidèle serviteur de Dieu que moi. »

Le cavalier éclata de rire :

« L'esprit est prompt, père prieur, mais la chair ?
Mieux vaut ne point parler de chair avant la visite de
l'évêque », ajouta-t-il en jouant avec l'oreille du lévrier. Puis, se redressant, il s'approcha du lit : « Le
bateau français est au large de Kylmerth. Il y restera
encore le temps de deux marées. Alors, si vous avez
des lettres à m'y faire porter ? »

Le prieur rejeta les couvertures et s'extirpa péniblement du lit :

« Au nom de saint Antoine, pourquoi ne pas l'avoir

dit tout de suite ? » s'écria-t-il en se mettant
ger parmi les papiers entassés sur un banc proc..
lit.

Avec ses jambes maigres couvertes de varices et ses
pieds sales, il offrait ainsi un triste spectacle.

« Je ne retrouve rien dans ce fouillis ! se plaignit-il.
Pourquoi mes papiers ne sont-ils jamais en ordre ?
Pourquoi frère Jean n'est-il jamais là quand j'ai be-
soin de lui ? »

Saisissant une cloche posée sur le banc, il se mit à
l'agiter tout en rabrouant le cavalier qui riait de nouveau. Un moine entra presque aussitôt dans la pièce,
se manifestant avec une telle promptitude qu'il devait
sans doute écouter à la porte. Il était jeune et brun,
avec de très beaux yeux.

« A votre service, mon père, dit-il en français et il
échangea un clin d'œil avec le cavalier avant de traverser la pièce pour rejoindre le prieur.

— Allons, dépêchez-vous ! » s'impatienta celui-ci en
se retournant vers le banc.

En passant près du cavalier, le moine lui chuchota
à l'oreille :

« Je vous apporterai les lettres ce soir et en profite-
rai pour vous instruire davantage dans les sciences
que vous souhaitez connaître. »

Le cavalier marqua son acquiescement en s'incli-
nant d'un air ironique et se dirigea vers la porte :

« Bonsoir, père prieur. Et que la visite de l'évêque
ne vous empêche plus de dormir.

— Bonne nuit, Roger, bonne nuit. Que Dieu vous
accompagne. »

Tandis que nous quittions la pièce, le cavalier
huma l'air en esquissant une grimace. Une nouvelle
épice venait de s'ajouter aux relents de la chambre :
le parfum dont était imprégnée la robe du moine
français.

Nous redescendîmes l'escalier mais, avant de s'enga-

dans le couloir, le cavalier marqua un
...nt une porte, passa la tête dans l'entre-
...'était la porte de la chapelle et les moi-
...vais vus donner la chasse au novice s'y
...maintenant en prière. Plus exactement, les
...ssés, ils faisaient semblant de prier en re-
...es lèvres. En plus de ceux que j'avais vus
dans la cour, il y en avait quatre autres, dont deux
profondément endormis dans leurs stalles. A genoux
et tassé sur lui-même, le novice pleurait amèrement
mais en silence. Le seul à témoigner une certaine dignité était un homme d'âge moyen, vêtu d'un long
manteau, dont les boucles grises encadraient le visage
à l'expression bienveillante. Les mains jointes, il gardait son regard rivé sur l'autel. Je pensai que ce devait être Sir Henry Champernoune, le châtelain du
pays et le maître de mon cavalier, dont j'avais entendu le prieur louer la piété.

Le cavalier referma la porte et, sortant du bâtiment, traversa la cour maintenant vide pour gagner le
porche. Le communal aussi était désert, car les femmes avaient quitté le puits; des nuages avaient envahi
le ciel, amorçant le déclin du jour. Le cavalier remonta sur son poney et fit demi-tour vers les champs
labourés.

Je n'avais aucune idée de l'heure, que ce fût la
sienne ou la mienne. Le toucher continuait à me faire
défaut et je me maintenais sans effort à la hauteur du
cavalier. Nous rejoignîmes le gué que, cette fois, il
emprunta sans que l'eau atteignît les jarrets de sa
monture, car la marée descendait. Ensuite, il coupa à
travers champs.

Lorsque nous atteignîmes le sommet de la colline,
je me rendis compte avec excitation et surprise qu'il
me ramenait à domicile car Kilmarth, la maison que
Magnus m'avait prêtée pour la durée des vacances
d'été, se trouvait au-delà du petit bois que je voyais

devant nous. Six ou sept poneys paissaient à proximité; à la vue du cavalier, l'un d'eux leva la tête et hennit puis, d'un commun accord, tous décampèrent. Après avoir traversé une clairière dans le bois, le chemin que nous suivions se mit à descendre et je vis dans le creux au-dessous de nous une maison de pierre à toit de chaume, entourée d'une cour qui tenait du bourbier. La porcherie et l'étable faisaient corps avec cette habitation et, par un trou ménagé dans le chaume, une fumée bleue montait vers le ciel. Je ne reconnus que la configuration du terrain où se dressait cette maison.

Le cavalier entra dans la cour, descendit de cheval et, à son appel, un garçon surgit de l'étable pour prendre le poney. Il était plus jeune et plus mince que mon cavalier, mais ce devait être son frère, car ils avaient tous deux les mêmes yeux enfoncés. L'adolescent emmena le poney et le cavalier pénétra dans la maison dont la porte était ouverte. A première vue, elle semblait ne comporter qu'une seule pièce et, étant entré derrière lui, je n'y distinguai pas grand-chose à travers la fumée, sinon que les murs étaient faits de ce mélange de foin et d'argile que l'on appelle torchis; quant au sol, il était de terre battue sans même un peu de paille pour le recouvrir.

Au fond de la salle, une échelle donnait accès à une soupente qui n'était guère qu'à deux mètres du sol et où j'apercevais des paillasses. Un feu d'ajoncs et de tourbe brûlait dans un renfoncement du mur; au-dessus de lui, accrochée à deux barres de fer piquées dans le sol, une bouilloire chantonnait doucement. Une fille, aux cheveux plats épars sur les épaules, était agenouillée près du feu; quand le cavalier l'interpella, elle tourna la tête vers lui et sourit.

J'étais presque sur les talons de mon guide quand il se retourna brusquement vers moi, semblant me regarder dans les yeux. Je sentis son souffle sur ma

joue, et instinctivement, j'étendis la main pour le repousser. Je ressentis aussitôt une vive douleur dans
les doigts et, dans le même temps que j'entendais un
bruit de verre brisé, je vis qu'ils saignaient. Il n'y
avait plus là ni le cavalier, ni la fille, ni l'âtre enfumé;
ma main droite venait de briser une vitre de la fenêtre qui éclairait la cuisine désaffectée occupant le
sous-sol de Kilmarth et je me trouvais dans
la vieille cour en contrebas qui la précédait.

D'un pas chancelant, je franchis le seuil de la
chaufferie dont la porte était ouverte et j'eus un violent haut-le-cœur, dû non point à la vue du sang, mais
à une intolérable nausée qui me secouait des pieds à
la tête. Tremblant de tous mes membres, je m'appuyai d'une main au mur de pierre tandis que le sang
de mes coupures coulait le long de mon poignet.

Dans la bibliothèque, au-dessus de ma tête, le téléphone se mit à sonner. Son insistance me fit penser à
un appel émanant d'un monde avec lequel je ne souhaitais pas renouer. Je le laissai sonner.

II

Dix bonnes minutes s'écoulèrent avant que la nausée passât. Je m'étais assis sur une pile de bûches, dans la chaufferie. Le plus pénible, c'était le vertige; je n'osais pas me remettre debout. Ma main n'était entaillée que de façon superficielle et j'eus vite étanché le sang avec mon mouchoir. D'où j'étais assis, je pouvais voir la fenêtre à la vitre brisée et les morceaux de verre dans la cour. Plus tard, il me serait sans doute possible de reconstituer la scène, de déterminer l'endroit où se trouvait mon cavalier et, ainsi, de mesurer l'emplacement qu'occupait cette maison depuis longtemps disparue, à la place de laquelle il y avait maintenant ce sous-sol et la cour attenante. Plus tard, oui, mais pour l'instant, j'étais trop exténué.

Je me demandai l'impression que j'avais pu faire, si quelqu'un m'avait vu aller à travers champs vers le bas de la colline, puis gravir ensuite le chemin qui menait à Tywardreath. Car je ne doutais pas d'avoir fait ce trajet. Ce n'était certainement pas en me promenant tranquillement en haut de la falaise que j'avais mis mes chaussures dans un tel état, déchiré une des jambes de mon pantalon et transpiré au point de tremper ma chemise.

Quand la nausée et le vertige se furent dissipés, je montai très lentement le petit escalier donnant accès au hall du rez-de-chaussée. Il y avait là un vestiaire où Magnus gardait ses bottes, son ciré et autres choses du même genre; je me regardai dans le miroir surmontant le lavabo. J'avais l'air assez normal; un peu pâle et les narines pincées, mais c'était tout. J'éprouvais le besoin d'un whisky bien tassé, lorsque je me rappelai ce que Magnus m'avait dit : « Quand tu auras pris la drogue, attends au moins trois heures avant de boire de l'alcool, et vas-y mou. » Du thé constituait un pauvre substitut, mais ce serait mieux que rien; j'allai dans la cuisine m'en préparer une tasse.

Quand Magnus était enfant, cette cuisine constituait la salle à manger familiale; il l'avait transformée quelques années auparavant. En attendant que l'eau chauffe, je regardai par la fenêtre la cour située en contrebas. C'était une cour pavée, cernée par de vieux murs moussus. A une certaine époque, un accès d'enthousiasme avait poussé Magnus à en faire une sorte de patio, où il pourrait circuler nu si jamais une vague de chaleur survenait. Sa mère n'avait jamais rien tenté en ce sens, m'expliqua-t-il, parce que la cour desservait ce qui était alors la cuisine.

C'était avec d'autres yeux que je considérais maintenant cette cour. Mais je n'arrivais pas à reconstituer ce que je venais de voir à la suite de mon cavalier : une cour bourbeuse, avec étable et porcherie, d'où partait le petit chemin menant au bois. Tout cela n'était-il qu'une hallucination due à cette drogue infernale ? Comme, ma tasse à la main, je me dirigeais vers la bibliothèque, le téléphone sonna de nouveau. Je pensai que ce devait être Magnus et je ne me trompais pas. Sa voix, nette et précise comme toujours, me fit plus de bien que ne le pouvait le thé ou même le whisky qui me demeurait interdit. Je me laissai choir dans un fauteuil, me préparant à une longue conversation.

« Cela fait des heures que je t'appelle, me dit-il.

Avais-tu oublié ta promesse de me téléphoner à trois heures et demie ?

— Je ne l'avais pas oubliée, répondis-je, mais je me suis trouvé occupé.

— C'est bien ce que j'ai pensé. Alors ? »

Je savourai l'instant. J'aurais aimé continuer à laisser Magnus dans l'incertitude, car cela me procurait une agréable sensation de puissance. Mais je savais que c'était peine perdue et que je ne me retiendrais pas de tout lui raconter.

« Ça a marché, lui dis-je. Cent pour cent réussi. »

Au silence qui se fit à l'autre bout du fil, je compris que Magnus ne s'attendait pas du tout à ça, qu'il avait prévu un échec. Quand je l'entendis de nouveau, sa voix était devenue plus sourde, presque comme s'il se parlait à lui-même.

« Je peux à peine y croire... C'est absolument magnifique... »

Puis, se ressaisissant vite, comme toujours :

« Tu as fait exactement ce que je t'avais dit ? Tu as bien suivi mes instructions ? Raconte-moi ça depuis le commencement... Non, avant tout, est-ce que tu vas bien ?

— Oui, sauf que je me sens exténué, que je me suis coupé la main, et que j'ai failli vomir dans la chaufferie.

— Détails mineurs, mon cher garçon, détails mineurs. L'expérience est souvent suivie d'une impression de nausée, mais qui se dissipe rapidement. Vas-y, je t'écoute. »

Son impatience ajoutait à mon excitation, et j'aurais voulu qu'il fût dans la pièce, alors qu'il se trouvait à cinq cents kilomètres de moi.

« Laisse-moi te dire tout d'abord, déclarai-je en prenant plaisir à le faire languir, que j'ai rarement vu quelque chose d'aussi macabre que ton prétendu laboratoire. On croirait plutôt que c'est la chambre de

Barbe-Bleue. Tous ces embryons dans des bocaux et cette hideuse tête de singe...

— D'excellents et très précieux spécimens, m'interrompit-il, mais ne t'égare pas dans cette direction. Je sais à quoi ils servent et toi, non. Raconte-moi ce qui s'est passé. »

Je bus une gorgée de mon thé presque froid et posai la tasse.

« Comme tu me l'avais dit, repris-je, j'ai trouvé la rangée de flacons dans le placard fermé à clef. Chacun avec son étiquette : A, B, ou C. J'ai versé trois mesurés de A dans le verre gradué et j'ai bu ça jusqu'à la dernière goutte. J'ai remis le flacon et le verre dans le placard; j'ai fermé le placard à clef, puis le laboratoire, et j'ai attendu que quelque chose arrive. Il ne s'est rien produit. »

Je pris un temps, mais Magnus ne fit aucun commentaire.

« Alors, je suis sorti dans le jardin. Toujours rien. Tu m'avais dit que le délai variait, qu'il pouvait s'écouler trois, cinq, dix minutes avant que quelque chose se produise. Je m'attendais à éprouver une somnolence, bien que tu ne m'aies rien annoncé de semblable, mais me sentant aussi gaillard qu'avant, je décidai de sortir faire un tour. J'ai donc escaladé le mur près de la tonnelle et m'en suis allé vers la falaise à travers champs.

— Idiot que tu es ! Je t'avais dit de rester dans la maison, tout au moins la première fois.

— Je le sais mais, franchement, je ne m'attendais pas à ce que ça réussisse. Au cas où il se produirait quelque chose, mon intention était de m'asseoir aussitôt afin de m'abandonner complètement à quelque beau rêve...

— Idiot ! répéta-t-il. Ça ne se produit pas de cette façon.

— Oui, maintenant je le sais. »

Je lui relatai alors toute mon aventure, depuis l'instant où la drogue avait commencé d'agir jusqu'à celui où j'avais brisé la vitre dans l'ancienne cuisine. Il ne m'interrompit pas une seule fois; lorsque je m'arrêtais pour reprendre mon souffle en buvant une gorgée de thé, il me pressait : « Vas-y... continue ! »

Quand j'eus terminé, sans avoir omis de lui décrire mon malaise dans la chaufferie, ce fut un silence total, et je crus que la communication avait été coupée.

« Allô... Magnus... Tu es là ? »

Sa voix s'éleva de nouveau, claire et forte, répétant ce qu'il avait dit au début de l'entretien :

« C'est magnifique... Absolument magnifique ! »

Peut-être, oui... Mais je me sentais complètement vidé, à bout de force, d'avoir revécu ainsi tout ce qui m'était arrivé.

Magnus se mit à me parler rapidement et je l'imaginai à Londres, assis à son bureau, tenant le récepteur d'une main tandis que l'autre, armée d'un crayon, dessinait des gribouillis sur le bloc-notes.

« Te rends-tu compte, me dit-il, que c'est la chose la plus importante qui se soit produite depuis qu'on a approfondi l'étude des hallucinogènes ? Ces derniers poussent simplement le cerveau dans différentes directions; leur effet est désordonné, chaotique. Alors que ceci est net et précis. J'avais bien conscience d'être au bord d'une découverte prodigieuse, mais ne l'ayant essayée que sur moi-même, je ne pouvais avoir la certitude qu'elle n'était pas hallucinogène. Si ç'avait été le cas, toi et moi aurions eu des réactions physiques similaires : perte du toucher, intensification de la vision, etc... Mais nous n'aurions pas vécu cette même expérience en un autre temps. C'est ça l'important... la chose absolument formidable !

— Tu veux dire que lorsque tu as pris de cette drogue, tu es aussi remonté dans le temps ? Tu as vu ce que j'ai vu ?

— Oui, et je ne m'y attendais pas plus que toi... Non, ce n'est pas tout à fait vrai car je travaillais sur quelque chose qui laissait entrevoir une possibilité de ce genre. Cela se rattachait à l'A.D.N., aux enzymes catalases, et procédait de l'équilibre moléculaire, mais je n'insiste pas sur ce point, mon cher garçon, car tout cela passe bien au-dessus de ta tête. Ce qui m'intéresse, pour l'instant, c'est que toi et moi avons apparemment été transportés à la même époque... Le XIIIe ou XIVe siècle, n'est-ce pas, à en juger par leurs vêtements ? Moi aussi j'ai vu cet homme que tu appelles ton cavalier — et qui doit se nommer Roger s'il faut en croire le prieur ? —, la fille quelque peu souillon agenouillée près du feu, et puis aussi un moine, ce qui suggère immédiatement un lien avec le couvent médiéval qui fit jadis partie de Tywardreath. Est-ce que la drogue provoque une sorte de renversement dans le mécanisme de la mémoire et y rétablit des conditions thermodynamiques ayant existé dans le passé, si bien que toutes les autres sensations se répètent aussi à l'intérieur du cerveau ? Si c'est le cas, pourquoi ce brassage moléculaire ramène-t-il précisément à cette époque ? Pourquoi n'est-ce pas hier, voici cinq ans ou un siècle ? Il se pourrait — et c'est la chose qui m'excite tout particulièrement — qu'un lien existe entre la personne absorbant la drogue et le premier être humain dont le cerveau lui restitue l'image sous l'influence de celle-ci. Dans ton cas comme dans le mien, nous avons vu ce cavalier et avons été poussés à le suivre. Tout comme moi, tu as ressenti très nettement cette impulsion. Ce que je ne sais pas encore, c'est pourquoi il joue les Virgile auprès des Dante que nous sommes dans cet Enfer; mais c'est son rôle, incontestablement. Pour reprendre le terme à la mode, j'ai effectué le « voyage » plusieurs fois et toujours il était présent. Tu feras sûrement la même constatation lors de ta prochaine expérience. C'est lui qui nous prend en charge. »

Je ne fus pas surpris d'entendre Magnus tenir pour acquis que je renouvellerais l'expérience. C'était une des caractéristiques de notre amitié, qui s'était nouée bien des années auparavant, à Cambridge. Je faisais toujours ce qu'il disait et Dieu sait dans combien d'escapades cela m'avait entraîné lorsque nous étions étudiants. Par la suite, nos routes avaient divergé, lui se consacrant à la biophysique et devenant professeur à l'université de Londres, alors que j'entrais chez un éditeur. Mais c'était mon mariage avec Vita, trois ans auparavant, qui avait provoqué la première rupture entre nous, laquelle avait probablement été un bien pour lui comme pour moi. Je découvrais soudain un mobile au geste soudain qui lui avait fait m'offrir de passer les vacances dans sa maison de Cornouailles. J'avais accepté sa proposition avec d'autant plus de gratitude que je me trouvais un peu entre deux chaises. Vita me pressait d'accepter un poste important dans la florissante maison d'édition que son frère dirigeait à New York et j'avais besoin d'un peu de temps pour prendre une décision. Magnus m'avait appâté en faisant miroiter à mes yeux de longues journées passées à me reposer dans le jardin ou à faire du bateau, mais cela commençait à prendre une tournure complètement différente.

« Ecoute, Magnus, lui dis-je, j'ai fait ça pour toi, aujourd'hui, parce que j'étais curieux de voir ce que cela donnerait, mais aussi parce que j'étais seul ici et qu'il était donc sans conséquence que la drogue eût ou non de l'effet. Mais il n'est pas question que je continue, car lorsque Vita et ses enfants seront là, je n'aurai plus ma liberté d'action.

— Quand arrivent-ils ?

— Les garçons seront en vacances dans une semaine environ. Vita revient de New York par avion pour passer les prendre au collège et les amener ici.

— Alors c'est parfait. On peut faire beaucoup de

choses en une semaine. Ecoute, il faut que je te quitte... Je te rappellerai demain à la même heure. Au revoir ! »

Il avait raccroché, me laissant avec le récepteur à la main et cent questions que j'aurais voulu lui poser. Rien n'avait été résolu. Avec Magnus, c'était toujours comme ça. Il ne m'avait même pas dit si je devais m'attendre encore à quelque réaction due à son infernale concoction de moisissures synthétiques et de cervelle de singe ou de je ne sais quoi, qu'il avait tirée de ses flacons. Le vertige pouvait me reprendre, et la nausée aussi. Je pouvais devenir subitement aveugle ou fou, ou les deux. Que le diable emporte Magnus et ses expériences !

Je décidai de monter à l'étage prendre un bain. Ce me serait soulagement de retirer ma chemise trempée de sueur, mon pantalon déchiré, pour me détendre dans un bon bain chaud où j'aurais versé de l'huile parfumée. Magnus avait en matière de confort des goûts extrêmement raffinés. Vita ne pourrait certainement qu'approuver la chambre mise à notre disposition — celle qu'il occupait habituellement — et qui avait une vue splendide sur la baie.

Etendu dans mon bain, je laissai l'eau couler jusqu'à ce qu'elle eut atteint mon menton, et je repensai à la dernière soirée passée à Londres avec Magnus, au cours de laquelle il m'avait proposé d'entreprendre cette douteuse expérience. Auparavant, il s'était contenté de me dire que, si je cherchais un endroit où aller pendant les vacances scolaires des garçons, Kilmarth était à ma disposition. J'avais aussitôt téléphoné à New York, pressant Vita d'accepter. Elle n'avait manifesté aucun enthousiasme. Etant, comme beaucoup d'Américaines, une plante de serre, elle préférait prendre ses vacances sous le ciel méditerranéen et à proximité d'un casino. Elle éleva toutes sortes d'objections. En Cornouailles, il pleuvait tout le temps... Est-ce que la maison serait suffisamment chauffée ? Et pour le ravitaillement, comment ferions-nous ? Je la rassurai à tous égards. Quand elle sut qu'une femme de ménage viendrait du village tous les matins, elle finit par accepter, mais surtout, je crois, parce que je lui avais précisé qu'il y avait dans la nouvelle cuisine une machine à laver la vaisselle et un réfrigérateur de grande taille. Magnus fut très amusé quand je lui rapportai ça.

« Trois ans de mariage, remarqua-t-il, et le lave-vaisselle a plus d'importance dans votre vie conjugale que le grand lit mis par moi à votre disposition ! Je te l'avais dit, qu'il ne durerait pas. Je parle du mariage, bien sûr, pas du lit. »

Je préférai glisser sur ce sujet car mon mariage, après douze mois passionnés, était entré dans une phase délicate parce que je voulais rester en Angleterre alors que Vita souhaitait me voir m'installer aux Etats-Unis. De toute façon, ni mon mariage ni ma situation future ne concernaient Magnus. Il n'insista donc pas et se mit à me parler de la maison, des changements qu'il y avait apportés depuis la mort de ses parents — j'y avais séjourné à plusieurs reprises lorsque nous étions à Cambridge — et me raconta comment il avait transformé la vieille buanderie du sous-sol en un laboratoire, juste pour le plaisir d'en avoir un sous la main quand l'envie le prenait de se livrer à des expériences n'ayant rien à voir avec ses recherches de Londres.

Lors de cette dernière soirée, il avait préparé le terrain en me faisant faire un excellent dîner et, comme toujours, je me trouvais sous le charme de sa personnalité, lorsqu'il me dit tout à coup :

« Je viens d'arriver à ce que j'estime être un succès dans un domaine très particulier. J'ai composé une drogue, à base de plantes et de produits chimiques, qui a un effet extraordinaire sur le cerveau. »

Il avait dit cela d'un ton détaché, mais Magnus affectait toujours cet air-là lorsqu'il parlait de choses ayant beaucoup d'importance pour lui.

« N'est-ce pas le cas de tout ce qu'on appelle les hallucinogènes ? rétorquai-je. Les gens qui prennent de la mescaline, du L.S.D. ou autres, sont transportés dans un monde imaginaire, plein de fleurs exotiques, et il leur semble être au Paradis. »

Magnus me servit à nouveau de cognac :

« Le monde où j'ai eu accès n'avait rien d'imaginaire. Il était on ne peut plus réel. »

Cela piqua ma curiosité. Un monde autre que celui dont il s'était fait le centre devait vraiment avoir quelque chose de très spécial pour présenter de l'attrait aux yeux de Magnus.

« Quel genre de monde était-ce ? questionnai-je.

— Le passé », me répondit-il.

Je me rappelle avoir éclaté de rire, en chauffant le cognac au creux de ma main :

« Oh ! tu t'es retrouvé plongé dans tous tes péchés de jeunesse ?

— Non, non, fit-il en secouant la tête avec impatience, cela n'avait absolument rien de personnel. J'étais là simplement en observateur. A la vérité, non, je... »

Il s'interrompit et haussa les épaules :

« Je ne veux pas te raconter ce que j'ai vu, car cela te gâcherait l'expérience.

— Me gâcherait l'expérience ?

— Oui. Je veux que tu essaies toi aussi cette drogue, pour voir si elle aura le même effet. »

Je secouai la tête :

« Oh ! non, mon vieux, nous ne sommes plus à Cambridge ! Voici vingt ans, je n'aurais pas hésité à avaler une de tes mixtures et risquer la mort. Mais plus maintenant.

— Je ne te demande pas de risquer la mort, me répliqua-t-il d'un ton agacé, mais simplement de me donner vingt minutes ou peut-être une heure d'un de tes après-midi oisifs, avant que Vita et les enfants ne t'aient rejoint. En faisant cette expérience sur toi-même, tu peux contribuer à changer tout le concept actuel de l'écoulement du temps. »

A n'en pas douter, il était sincère. Le Magnus léger et désinvolte de Cambridge appartenait au passé. C'était maintenant un professeur de biophysique qui faisait déjà autorité et, bien que j'eusse peu de clartés sur ses travaux, je me rendais compte que s'il avait découvert quelque drogue remarquable, il pouvait se tromper sur son importance, mais ne m'aurait pas menti quant à ses effets probables.

« Pourquoi moi ? lui demandai-je. Pourquoi ne pas essayer ça sur tes disciples de l'université, dans des conditions optimales ?

— Parce que ce serait prématuré et que je ne suis pas encore prêt à en parler à quelqu'un d'autre, pas même à mes « disciples », comme tu te plais à les appeler. Tu es le seul à savoir que j'ai entrepris des recherches dans ce domaine, lequel est tout à fait en dehors de ce dont je m'occupe habituellement. C'est absolument par hasard que j'ai fait cette découverte et il me faut en savoir davantage avant de pouvoir, même vaguement, apprécier ses possibilités. Je compte y travailler lorsque j'irai à Kilmarth en septembre. En attendant, tu vas être seul là-bas. Alors, tu pourrais bien essayer, ne fût-ce qu'une fois, et me faire un rapport. Peut-être me suis-je complètement trompé et la drogue n'aura-t-elle d'autre effet sur toi que de t'engourdir momentanément les mains et les pieds, tout en donnant au peu de cervelle que tu possèdes beaucoup plus d'activité qu'il ne s'en manifeste pour l'instant. »

Bien entendu, après un autre verre de cognac, il finit par me convaincre. Il me donna des instructions détaillées concernant le laboratoire, me remit les clefs tant du laboratoire que du placard où il gardait la drogue. Il me décrivit l'effet soudain qu'elle avait sur lui — sans transition aucune, on passait d'un état dans l'autre — et me toucha deux mots des suites que pouvait avoir l'absorption de cette drogue, telles que vertiges et nausées. Ce fut seulement lorsque je lui demandai ce que j'étais susceptible de voir, qu'il devint évasif.

« Non, dit-il, cela pourrait te prédisposer, inconsciemment, à voir ce que j'ai vu. Il te faut aborder cette expérience avec un esprit entièrement libre, sans aucune idée préconçue. »

Quelques jours plus tard, je quittai Londres pour la Cornouailles. Magnus ayant donné des instructions à Mrs. Collins, qui habitait Polkerris, le petit village situé au-dessous de Kilmarth, je trouvai la maison aérée et toute prête, avec des vases garnis de fleurs, des provisions dans le réfrigérateur, et, bien qu'on fût à la mi-juillet, un bon feu allumé tant dans la salle de musique que dans la bibliothèque. Vita elle-même n'aurait pu mieux faire. Je passai les deux premiers jours à savourer la tranquillité de la maison et aussi son confort qui, si je me rappelais bien, était plutôt absent du temps où les parents de Magnus, aussi charmants qu'excentriques, régnaient sur la maison. Son père, le capitaine de frégate Lane, officier de marine en retraite, adorait naviguer sur un yacht de dix tonneaux à bord duquel nous étions invariablement malades; coiffée, quel que fût le temps, d'un grand chapeau de toile, la mère de Magnus était une femme charmante mais souvent un peu dans les nuages, qui s'employait avec autant de passion que d'insuccès à la culture des roses. Je riais d'eux mais je les aimais beaucoup; lorsqu'ils étaient morts, à moins d'un an l'un de l'autre, j'avais eu presque autant de chagrin que Magnus.

Tout cela semblait loin maintenant. La maison avait beaucoup changé et s'était modernisée, mais au cours des premiers jours j'y sentais encore les Lane comme présents. Maintenant, après l'expérience que je venais de vivre, j'en étais moins sûr. Cela tenait peut-être au fait que, étant rarement descendu au sous-sol à leur époque, je n'y rattachais aucun souvenir d'eux.

Je sortis de la baignoire, me séchai, changeai de vêtements et, après avoir allumé une cigarette, je descendis dans la salle de musique. Il s'agissait tout bonnement du salon, que l'on avait toujours appelé ainsi parce que les parents de Magnus aimaient à y faire de la musique ou y chanter en duo. Je me demandai s'il était encore trop tôt pour m'administrer la rasade d'alcool dont j'éprouvais tant le besoin. Mieux valait ne pas courir de risques et attendre une heure de plus.

J'allumai l'électrophone et pris un disque au hasard, sur le dessus de la pile. Le *Concerto brandebourgeois n° 3* de Bach contribuerait peut-être à me rendre mon équilibre et ma tranquillité d'esprit.

Magnus avait dû intervertir les enveloppes des disques la dernière fois qu'il était venu, car ce ne furent pas les accords mesurés de Bach que perçurent mes oreilles tandis que je m'étendais sur le canapé devant le feu de bois, mais l'insidieux et troublant murmure de *La Mer* de Debussy. Curieux choix de la part de Magnus; je croyais me souvenir qu'il trouvait Debussy trop « romantique ». Je m'étais peut-être trompé, ou bien ses goûts avaient changé au long des années... A moins que son incursion dans l'inconnu n'eût éveillé en lui le désir d'entendre cette harmonie mystique, cette magique incantation de la mer sur le rivage ? Comme moi cet après-midi, Magnus avait-il vu l'estuaire s'enfoncer dans les terres ? Avait-il vu ces champs au vert intense, l'eau bleue aiguillonnant la vallée, les murs de pierre du couvent comme échoppés au flanc de la colline ? Je l'ignorais : il ne m'en avait rien dit. Au cours de cette conversation téléphonique écourtée, il y avait beaucoup de questions que je ne lui avais pas posées et beaucoup de choses qu'il m'avait tues.

Je laissai le disque aller jusqu'à sa fin, mais loin de me calmer, il eut l'effet opposé. Et maintenant que la musique avait cessé, la maison me paraissait étrangement silencieuse. Tandis que le flux et le reflux de *La Mer* persistaient dans ma tête, je traversai le hall et gagnai la bibliothèque pour regarder celle qu'on voyait par la large baie. Elle était d'un gris ardoisé, qu'un vent d'ouest fonçait par endroits, mais cependant calme, avec peu de houle. Très différente de la mer bleue, beaucoup plus turbulente, que j'avais aperçue tantôt dans cet autre monde.

A Kilmarth, pour descendre au sous-sol, on dispose de deux escaliers. Le premier, qui part du hall, mène directement à la cave et la chaufferie, d'où l'on accède au patio. Pour atteindre l'autre, on doit traverser la cuisine, et il débouche près de l'ancienne cuisine et de la buanderie. C'est cette dernière que Magnus avait transformée en laboratoire.

Ayant emprunté ce second escalier, je tournai la clef dans la serrure et pénétrai de nouveau dans le laboratoire, qui n'avait vraiment rien de médical. Le sol était dallé de pierre. Le vieil évier subsistait toujours au-dessous de la petite fenêtre garnie de barreaux. Et près de lui, il y avait un âtre aménagé dans l'épaisseur du mur, où se trouvait un four à bois que l'on utilisait autrefois pour cuire le pain. Au plafond, des crochets rouillés où, en d'autres temps, devaient être accrochés des jambons et des quartiers de viande salée.

Magnus avait disposé ses étranges spécimens sur des étagères fixées aux murs. Certains n'étaient plus que des squelettes, mais d'autres demeuraient intacts dans des solutions chimiques qui avaient décoloré les chairs. La plupart d'entre eux étaient difficilement identifiables; pour ce que j'en savais, ce pouvaient être des embryons de chats ou même de rats. Les deux seuls spécimens que je pouvais reconnaître étaient la tête de singe, parfaitement conservée, dont le crâne chauve et lisse faisait penser à celui d'un fœtus, et une autre tête de singe dont on avait retiré le cerveau qui, tout brun, se trouvait maintenant mariner dans un bocal. Il y avait d'autres bocaux et flacons renfermant des champignons, des plantes ou des herbes, grotesques de forme avec leurs tentacules et leurs feuilles roulées.

Au téléphone, je m'étais moqué de Magnus en assimilant son laboratoire à la chambre de Barbe-Bleue. Maintenant que je la considérais de nouveau, avec le souvenir de l'après-midi encore tout frais dans mon esprit, la petite pièce me semblait différente. Elle me rappelait moins la chambre de Barbe-Bleue qu'une gravure, longtemps oubliée, qui m'effrayait lorsque j'étais enfant. Elle s'intitulait *L'alchimiste*. On y voyait un homme, complètement nu à l'exception d'un pagne, accroupi près d'un four semblable à celui-ci, dont il activait le feu à l'aide d'un soufflet. A sa gauche, il y avait un moine encapuchonné et un prieur tenant une croix. Un quatrième homme, vêtu comme au Moyen Age, conférait avec eux en s'appuyant sur une canne. Il y avait également une table, couverte de flacons et de bocaux ouverts contenant des coquilles d'œufs, des vers et des filaments; au centre de la pièce, se trouvait un trépied supportant un ballon de verre à l'intérieur duquel était enfermé un minuscule lézard à tête de dragon.

Pourquoi était-ce seulement maintenant, après quelque trente-cinq ans, que le souvenir de cette gravure revenait me hanter ? Je quittai le laboratoire de Magnus dont je refermai soigneusement la porte et regagnai le rez-de-chaussée. Je ne pouvais attendre plus longtemps ce whisky tant désiré.

III

Le lendemain il pleuvait; une bruine persistante s'accompagnant d'un brouillard venu de la mer, décourageait toute sortie. Ayant dormi étonnamment bien, je me sentais on ne peut plus normal à mon réveil. Mais lorsque j'eus écarté les rideaux et vu le temps qu'il faisait, je regagnai mon lit, découragé, en me demandant comment j'allais bien pouvoir occuper cette journée.

C'était là le climat de Cornouailles qui inspirait des craintes à Vita, et je n'avais aucune peine à imaginer ses reproches si cela se produisait au beau milieu des vacances. Je me représentais mes jeunes beaux-fils désœuvrés et regardant derrière les carreaux, puis contraints, en dépit de leurs protestations, à enfiler bottes et imperméables pour aller jusqu'à Par en passant par la plage. Vita errerait de la salle de musique à la bibliothèque, modifiant la disposition des meubles, disant qu'elle eût pu arranger tout cela beaucoup mieux si la maison lui avait appartenu; puis lorsqu'elle aurait épuisé tout le sel de cette occupation, elle téléphonerait à l'un de ses nombreux amis de l'ambassade américaine à Londres, qu'elle trouverait sur le point de partir pour la Grèce ou la Sardaigne... Ces symptômes de mécontentement me seraient épargnés encore pendant quelque temps; que les prochains jours fussent beaux ou pluvieux, je serais à tout le moins libre de les employer comme bon me semblerait.

L'obligeante Mrs. Collins m'apporta mon petit déjeuner et le journal du matin, comptait avec moi à propos du temps en disant que le professeur, lui, trouvait toujours beaucoup à s'occuper dans sa drôle de petite pièce là en bas, puis m'informa qu'elle me ferait rôtir un poulet de sa basse-cour pour mon déjeuner et le journal du matin, compatit avec moi à dépliai le journal tout en buvant mon café. Mais l'intérêt de la page sportive s'émoussa vite à mes yeux et mon attention dériva de nouveau vers cette préoccupation dominante : que m'était-il exactement arrivé dans l'après-midi de la veille ?

S'était-il établi entre Magnus et moi une sorte de communication télépathique ? A Cambridge, nous avions fait des tentatives en ce sens, avec des cartes à jouer et des chiffres, mais cela n'avait jamais marché, sauf une ou deux fois par pure coïncidence. Et nous étions alors beaucoup plus intimes que maintenant. Je n'arrivais pas à imaginer par quel moyen, télépathique ou autre, Magnus et moi aurions pu vivre une expérience identique à quelque trois mois de distance — c'était à Pâques, apparemment, qu'il avait essayé la drogue sur lui-même — à moins que cette expérience ne se rattachât directement à des faits ayant eu Kilmarth pour cadre. Magnus m'avait laissé entendre qu'une partie du cerveau était susceptible, sous l'influence de cette drogue, de renverser le processus de la mémoire et de se retrouver à une période antérieure de son histoire. Mais pourquoi précisément à cette époque-là ? Le cavalier avait-il laissé en ces lieux une si forte empreinte qu'elle oblitérait tout ce qui lui était antérieur ou postérieur ?

Je me remémorai les séjours que j'avais faits à Kilmarth lorsque j'étais étudiant. L'atmosphère y était alors insouciante et très à la bonne franquette. Je me rappelais avoir, un jour, demandé à Mrs. Lane si la maison était hantée. Je le lui avais demandé histoire de parler et uniquement parce qu'il s'agissait d'une vieille maison, car celle-ci ne donnait nullement l'impression d'être une demeure hantée.

« Ciel, non ! s'était-elle exclamée. Nous sommes bien trop préoccupés de nous-mêmes pour attirer les fantômes. Les pauvres ! Incapables d'obtenir notre attention, ils sécheraient d'ennui ! Pourquoi me demandez-vous cela ?

— Oh ! comme ça, sans aucune raison, lui avais-je assuré, craignant de lui avoir déplu. Simplement parce que, dans la plupart des vieilles maisons, on aime à pouvoir faire état d'un fantôme.

— Eh bien, s'il y en a un à Kilmarth, nous ne l'avons jamais vu ni entendu. C'est une maison où le bonheur nous a toujours semblé régner. Son histoire n'a rien de particulièrement intéressant, vous savez. Vers 1600 et quelque, elle appartenait à une famille nommée Baker et elle est restée leur propriété jusqu'au XVIIIe siècle, époque où les Rashleigh l'ont fait reconstruire. Je ne saurais vous dire à quand elle remonte exactement; quelqu'un nous a déclaré un jour que les fondations étaient du XIVe siècle. »

Nous n'en avions plus reparlé mais, maintenant, l'allusion faite par Mrs. Lane à des fondations datant du XIVe siècle me revenait à l'esprit. Je repensai aux pièces du sous-sol, à la cour attenante et au choix curieux que Magnus avait fait de la buanderie pour y installer son laboratoire. Il devait très certainement avoir ses raisons. Il se trouvait ainsi loin de la partie habitée de la maison et ne risquait pas d'être dérangé par des visiteurs ou Mrs. Collins.

Je me levai assez tard, écrivis quelques lettres dans la bibliothèque, puis fis honneur au poulet rôti de

Mrs. Collins, en essayant d'orienter mes pensées vers l'avenir et la décision à prendre concernant cette association qu'on m'offrait à New York. Je n'y parvins pas, tant cela me semblait encore lointain. Il serait bien temps d'en discuter lorsque Vita serait là.

Regardant par la fenêtre de la salle de musique, je suivis du regard Mrs. Collins qui s'en retournait chez elle. Il continuait de bruiner et j'avais devant moi la perspective d'un après-midi aussi long que morne. Je ne sais à quel moment l'idée me vint. Peut-être l'avais-je inconsciemment en tête depuis mon réveil. Je voulais établir que, lorsque j'avais pris cette drogue, la veille dans le laboratoire, il n'y avait pas eu de communication télépathique entre Magnus et moi. Il m'avait dit s'être livré là à sa première expérience, et j'avais fait de même. Peut-être cela avait-il suffi à influencer le cours de mes pensées au moment où j'avalais la mixture et, partant, ce que j'avais vu ou cru voir ensuite. Si la drogue était absorbée dans un autre endroit que ce sinistre laboratoire me rappelant l'antre d'un alchimiste, l'effet ne serait-il pas différent ? Pour le savoir, il me fallait faire l'essai.

Dans le placard de l'office, il y avait une petite fiole de poche que j'avais remarquée la veille au soir. Je la pris et la rinçai sous le robinet, puis je descendis au sous-sol et, un peu dans le même état d'esprit que lorsque, enfant, je me préparais à subtiliser une tablette de chocolat pendant le Carême, j'ouvris la porte du laboratoire.

Il était facile d'atteindre la petite rangée de flacons, nettement étiquetés, sans regarder les spécimens dans les bocaux. Comme la veille, je pris le flacon A et y prélevai la dose prescrite, mais la versai cette fois dans la fiole. Après quoi je fermai de nouveau le laboratoire à clef et, traversant la cour, m'en fus chercher ma voiture dans l'écurie convertie en garage.

Je remontai doucement le chemin nous reliant à la

route principale et là, je tournai à gauche, descendant la colline de Polmear. Parvenu en bas, je m'arrêtai pour contempler le paysage. Là, où il y avait maintenant l'aumônerie et l'auberge, se trouvait le gué de la veille. La structure du terrain n'avait pas changé, en dépit de la route récente, mais la vallée où j'avais vu la mer s'insinuer était à présent un marais. Je pris le chemin de Tywardreath tout en pensant avec malaise que si, la veille, j'étais vraiment passé par là sous l'empire de la drogue, j'aurais pu être renversé par une voiture sans même l'avoir entendue venir.

Je roulai jusqu'au village dans ce chemin étroit et abrupt, puis garai ma voiture un peu au-dessus de l'église. Il bruinait toujours et il n'y avait pratiquement personne dehors. Un camion passa sur la route de Par et disparut; une femme, sortant de chez l'épicier, remonta la colline dans la même direction. Je ne vis personne d'autre. Descendant de voiture, je poussai la grille du cimetière pour aller m'abriter sous le porche de l'église. Le cimetière descendait vers le sud en s'étageant jusqu'au mur de clôture, au-delà duquel on apercevait les bâtiments d'une ferme. La veille, dans cet autre monde, il n'y avait pas de bâtiments; la vallée était une crique que la marée montante emplissait de ses eaux bleues, et le couvent occupait l'espace maintenant dévolu au cimetière.

A présent, je connaissais mieux la configuration du terrain. Si la drogue faisait effet, je pouvais laisser la voiture où elle était et regagner la maison à pied. Il n'y avait personne aux alentours. Alors, comme on exécuterait un plongeon dans une eau glacée, je sortis la fiole de ma poche et en absorbai le contenu. A peine l'avais-je bu, que je fus pris de panique. Cette seconde dose pouvait avoir un tout autre effet, me faire dormir pendant des heures. Valait-il mieux rester où j'étais ou retourner dans la voiture ? Eprouvant un sentiment de claustrophobie à demeurer sous

le porche, j'allai m'asseoir sur une des pierres tomba-
les, près de l'allée mais hors de vue de la route. Si je
restais bien tranquille, sans bouger, peut-être ne se
produirait-il rien. Je me mis à prier : « Oh ! mon
Dieu, faites qu'il n'arrive rien ! Faites que la drogue
n'ait pas d'effet ! »

Je demeurai ainsi pendant cinq minutes environ,
trop inquiet des possibles effets de la drogue pour me
soucier de la pluie. Puis j'entendis l'horloge de
l'église sonner trois coups et je regardai ma montre
pour vérifier l'heure. Ma montre retardait de quelques
minutes et j'entrepris d'y remédier. Presque aussitôt
je perçus des cris en provenance du village, à moins
que ce ne fussent des clameurs ou peut-être un curieux mélange des deux, ainsi qu'un craquement de
roues. « Seigneur, qu'est-ce encore ? pensai-je. Un cir-
que ambulant qui traverse le village ? Il me faut déplacer ma voiture. » Me remettant debout, je me dirigeai vers la grille du cimetière. Je ne l'atteignis pas,
car elle avait disparu et j'étais en train de regarder
par une fenêtre ronde, encastrée dans un mur de
pierre, qui avait vue sur une cour pavée rectangulaire.

A l'extrémité opposée de cette cour, sa massive
porte cochère était ouverte à deux battants et me laissait apercevoir une foule de gens, hommes, femmes et
enfants, massés sur le communal. C'étaient eux qui
poussaient des acclamations et le bruit de roues pro-
venait d'un énorme chariot couvert tiré par cinq chevaux, dont deux portaient un cavalier. Le baldaquin
de bois qui surmontait le chariot était richement dé-
coré de pourpre et d'or; comme je regardais, les
lourds rideaux qui fermaient l'avant du véhicule furent tirés de côté cependant que les acclamations et les
applaudissements redoublaient de vigueur. L'homme
qui apparut dans leur encadrement éleva les mains
en un geste de bénédiction. Il portait de somptueux
vêtements ecclésiastiques; je me rappelais alors que

Roger et le prieur avaient parlé d'une imminente visite de l'évêque d'Exeter, et combien le prieur — non sans raison certainement — éprouvait d'appréhension à cet égard. Ce devait donc être Sa Grandeur en personne.

Le silence se fit soudain et tout le monde s'agenouilla. La clarté de ce jour était éblouissante, je ne sentais plus mes jambes mais cela m'était égal. La drogue pouvait agir comme elle voudrait, je n'avais plus qu'un désir : m'intégrer au monde qui m'environnait maintenant.

Je regardai l'évêque descendre de son chariot couvert cependant que la foule se pressait en avant. Puis il entra dans la cour, suivi de son escorte. D'une porte située au-dessous de moi, sortit le prieur à la tête de ses moines, et les battants du portail furent refermés sur la foule.

Regardant par-dessus mon épaule, je vis que j'étais dans une pièce voûtée où, à en juger par leur attitude, une vingtaine de gens, sinon plus, attendaient pour être présentés. Leurs vêtements indiquaient qu'ils appartenaient à la noblesse, et c'était sans doute pour cette raison qu'il leur avait été permis d'entrer dans le couvent.

« Je te parie que, cette fois, elle n'aura rien sur le visage ! » dit une voix à mon oreille.

Mon cavalier, Roger, se tenait près de moi, mais sa remarque s'adressait à un autre, un homme sensiblement de son âge ou un peu plus vieux, qui mit une main devant sa bouche pour étouffer son rire.

« Avec ou sans peinture, Sir John finira par l'avoir, répondit-il. Et quel moment pourrait lui être plus favorable que cette veille de la Saint-Martin, alors que sa noble épouse est sur le point d'accoucher à Bockenod, à quatre lieues d'ici ?

— Oui, ça pourrait se faire, convint Roger, mais

non sans quelque risque, car elle ne peut pas compter sur l'absence de Sir Henry. Avec l'évêque dans la chambre d'honneur, il ne peut guère coucher au couvent. Non, ils vont devoir attendre encore un peu, ce qui ne fera qu'exciter davantage leur appétit ! »

Le scandale n'avait donc guère changé au cours des siècles, et je me demandai pourquoi j'étais intrigué par ces commérages, qui m'eussent fait bâiller si je les avais entendus à quelque réunion mondaine de mes contemporains. Peut-être leur trouvais-je plus de piment parce que je les surprenais à une autre époque que la mienne et à l'intérieur d'un monastère ? Comme mes compagnons, je regardai en direction de la porte, à proximité de laquelle se tenaient sans doute les quelques élus qui allaient être présentés. Lequel était le galant Sir John — qui avait un pied dans chaque camp, si je me rappelais bien le propos du prieur — et quelle dame, au visage aujourd'hui exempt de maquillage, honorait-il de ses faveurs ?

Il y avait là quatre hommes, trois femmes et deux jeunes gens mais, de loin, on distinguait mal les visages des dames, entourés de voiles et de guimpes. Je reconnus le seigneur de l'endroit, Henry Champernoune, cet homme âgé et plein de dignité que j'avais vu, la veille, en prière dans la chapelle. Il était vêtu plus sobrement que ses amis, lesquels portaient des tuniques de différentes couleurs s'arrêtant au mollet, avec des ceintures au-dessous des hanches supportant une bourse et une dague. Tous étaient barbus et avaient les cheveux frisés au point de paraître crêpus, selon ce qui devait être la mode du moment.

Roger et son compagnon furent rejoints par un nouvel arrivant en costume monacal, un rosaire accroché à sa ceinture. Son nez rouge et son élocution pâteuse donnaient à penser qu'il était préalablement passé par le cellier du couvent.

« Quel est l'ordre de préséance ? marmonna-t-il. En

tant que curé de la paroisse et chapelain de Sir Henry, je dois sûrement être près de lui. »

Lui posant une main sur l'épaule, Roger le fit pivoter face à la fenêtre :

« Sir Henry peut se passer de votre haleine et Mgr l'Evêque aussi, à moins que vous ne teniez à perdre votre charge. »

Le nouveau venu protesta, bien qu'il fût obligé de se tenir au mur le long duquel il finit par s'asseoir sur un banc. Roger haussa les épaules en se tournant vers son compagnon.

« Je suis surpris qu'Otto Bodrugan ose se montrer, lui dit celui-ci. Voici deux ans à peine, il était avec Lancastre contre le roi. On raconte qu'il se trouvait à Londres lorsque la populace a traîné l'évêque Stapledon à travers les rues.

— Non, c'est faux, rectifia Roger. Il était à Wallingford, avec les centaines de gens ralliés au parti de la reine.

— Néanmoins, sa position est délicate, persista l'autre. Si j'étais l'évêque, je considérerais sans bienveillance aucune celui qui passe pour avoir trouvé des excuses au meurtre de mon prédécesseur.

— Sa Grandeur n'a pas le temps de s'occuper de politique, rétorqua Roger. Elle a suffisamment à faire avec son diocèse. Le passé ne la concerne pas. Si Bodrugan est ici aujourd'hui, c'est à cause des terres domaniales qu'il partage avec Champernoune, depuis que sa sœur Joanna a épousé ce dernier. Et puis aussi à cause de ses obligations à l'égard de Sir John. Les deux cents marcs qu'il a empruntés ne sont toujours pas remboursés. »

Une soudaine effervescence aux abords de la porte les fit s'avancer pour mieux voir, eux qui se trouvaient constituer le menu fretin de cette assemblée. L'évêque entra avec, à son côté, le prieur, mieux habillé et plus propre que lorsque je l'avais vu au lit avec le lévrier qui se grattait les puces. Les hommes s'inclinèrent, cependant que les dames s'abîmaient dans une révérence, et l'évêque leur donna à chacun sa main à baiser tandis que le prieur, quelque peu dérouté par le cérémonial, faisait les présentations. Ne jouant aucun rôle dans leur monde, je pouvais me déplacer à ma guise aussi longtemps que je ne touchais aucun d'entre eux. Je me rapprochai donc, curieux d'apprendre qui se trouvait là.

« Sir Henry Champernoune, seigneur de Tywardreath, murmurait le prieur, tout récemment rentré d'un pèlerinage à Compostelle. »

Le noble vieillard se détacha du groupe, mit un genou à terre et je fus frappé une fois de plus par l'aisance et la grâce avec lesquelles il savait témoigner de son humilité. Lorsqu'il eut baisé l'anneau épiscopal, il se releva et se tourna vers la dame qui se tenait près de lui :

« Ma femme Joanna, monseigneur », dit-il et elle tomba à genoux pour tenter d'égaler l'humilité de son époux, ce qu'elle fit de façon convaincante. Telle était donc la dame qui se fût maquillée s'il n'y avait eu la visite de l'évêque. J'estimai qu'elle avait bien fait de se passer de fard. La guimpe encadrant son visage contribuait à rehausser le charme d'une femme, qu'elle fût belle ou quelconque. Loin d'être quelconque, Joanna n'était cependant pas d'une grande beauté, mais je n'étais pas surpris que sa fidélité conjugale fût mise en doute. J'avais vu des yeux semblables chez des femmes de mon monde, pleines de sensualité. Elles étaient prêtes à tout pour peu qu'un mâle leur fît signe.

« Mon fils et héritier, William, continuait son mari tandis qu'un jouvenceau s'agenouillait devant l'évêque.

— Sir Otto Bodrugan, poursuivit Sir Henry, et sa femme, qui est ma sœur Margaret. »

De toute évidence, ce petit monde constituait un cercle étroit, car je croyais bien me rappeler avoir entendu Roger dire qu'Otto Bodrugan était le frère de Joanna, la femme de Champernoune. Il se trouvait donc doublement apparenté au seigneur de l'endroit. Margaret était petite, pâle, et si visiblement nerveuse qu'elle trébucha en faisant la révérence à Sa Grandeur, et elle fût tombée si son mari ne l'avait retenue. Je trouvai belle allure à Bodrugan : il avait du panache et j'estimai qu'il était homme à faire un bon allié dans un duel ou quelque escapade. Il devait avoir aussi un certain sens de l'humour car, au lieu de rougir ou paraître vexé de la maladresse de sa femme, il sourit et la rassura. Il avait les mêmes yeux marron que Joanna, moins proéminents que ceux de sa sœur, et j'eus l'impression qu'il devait partager aussi les autres caractéristiques de la jeune femme.

A son tour, Bodrugan présenta son fils aîné Henry, puis s'effaça pour laisser la place à l'homme qui se trouvait après lui, lequel brûlait visiblement de se mettre en avant. Plus richement vêtu que Bodrugan ou Champernoune, il arborait un sourire plein d'assurance.

Cette fois, ce fut le prieur qui fit les présentations :

« Notre cher et vénéré protecteur, Sir John Carminowe de Bockenod, sans qui nous tous qui vivons dans ce couvent nous serions trouvés bien en peine d'argent par ces temps troublés. »

Il s'agissait donc de l'homme qui avait un pied dans chaque camp, une femme plus ou moins recluse à quatre lieues de là, et une autre dans cette pièce même mais dont il n'avait pas encore partagé la couche. Je fus déçu, car je m'attendais à un homme au physique avantageux, avec le regard en coulisse; or il était petit et corpulent, tout gonflé d'importance, tel un dindon. Lady Joanna devait être facile à satisfaire.

« Nous sommes extrêmement honorés d'avoir Votre

Grandeur parmi nous », dit-il d'un ton pompeux et il se pencha avec tant d'affectation pour baiser la main tendue que si je lui avais dû deux cents marcs comme Otto Bodrugan, je l'aurais remboursé en lui envoyant mon pied dans les fesses.

L'évêque avait un regard vif et perçant auquel rien n'échappait. Il me faisait penser à un général qui, prenant un nouveau commandement, passe en revue ses officiers et les fiche mentalement : Champernoune, trop âgé, a besoin d'être remplacé; Bodrugan ardent à l'action mais insubordonné, à en juger par sa récente participation à la rébellion contre le roi; Carminowe, un ambitieux qui fait trop de zèle et risque de causer des ennuis. Quant au prieur... Etait-ce une tache de sauce sur son habit ? J'aurais juré que, tout comme moi, l'évêque avait remarqué la chose. Un moment plus tard, son regard, passant par-dessus les têtes du menu fretin, atteignit le curé de la paroisse qui était maintenant presque couché sur son banc. Pour le bien du prieur, j'espérai que l'inpection de l'évêque ne se poursuivrait pas dans les cuisines du couvent ou, pis encore, dans la chambre même du prieur.

S'étant relevé, Sir John entreprenait à son tour de faire les présentations :

« Monseigneur, voici mon frère, Sir Oliver Carminowe, et sa femme Isolda. »

Il poussa en avant son frère qui, à en juger par son visage congestionné et son regard un peu vague, semblait avoir attendu la venue de l'évêque dans le cellier, en compagnie du curé.

« Monseigneur... », fit-il en ayant soin d'esquisser seulement la génuflexion par crainte de perdre l'équilibre lorsqu'il se relèverait.

En dépit de son ébriété, il présentait mieux que Sir John : plus grand, plus robuste, il avait quelque chose de dur dans la ligne du menton; c'était quelqu'un avec qui mieux valait ne pas être en désaccord.

« Si la fortune m'avait favorisé, c'est elle que j'aurais choisie. »

Ce chuchotement à mon oreille émanait de Roger qui m'avait rejoint de nouveau, mais c'était à son compagnon et non à moi qu'il s'adressait. La façon dont il semblait suivre mes pensées et dont il se trouvait près de moi au moment où je m'y attendais le moins avait quelque chose d'incroyable. En tout cas, il avait bon goût et je me demandai si la jeune femme était consciente de l'attention qu'il lui portait car, après avoir fait la révérence et baisé la main de l'évêque, elle regarda droit vers nous.

Isolda, la femme de Sir Oliver Carminowe, n'avait pas de guimpe encadrant son visage, mais elle portait sa blonde chevelure tressée en deux macarons et une bande d'étoffe ornée de pierres précieuses maintenait un voile court sur sa tête. A la différence des autres femmes, elle n'avait pas non plus de manteau par-dessus sa robe, qui était plus ajustée et dont la jupe était moins ample que celles de ses compagnes, avec de longues manches collantes descendant jusqu'au-dessous du poignet. Comme elle devait avoir vingt-cinq ou vingt-six ans et être plus jeune que les autres dames présentes, peut-être suivait-elle la mode de plus près mais, en tout cas, elle le faisait sans ostentation, avec une grâce pleine de naturel. Jamais encore il ne m'avait été donné de voir une aussi jolie femme qui parût s'ennuyer autant; en passant sur nous — ou plus exactement sur Roger et son compagnon — son regard n'exprima pas le moindre intérêt et l'instant d'après, à un léger mouvement de sa bouche, je devinai qu'elle étouffait un bâillement.

Il est dans le destin de tout homme, je suppose, d'apercevoir un jour ou l'autre, parmi la foule, un visage qu'il ne peut plus oublier et qu'il aura peut-être la chance de retrouver dans un restaurant ou une réception. S'il le revoit trop souvent, l'enchantement sera brisé et engendrera la déception. Mais cela ne risquait pas de se produire en l'occurrence, car c'était par-dessus les siècles que je contemplais ce que Shakespeare appelait « une beauté non pareille » laquelle, hélas, ne me verrait jamais.

« Je me demande, murmura Roger, combien de temps encore elle s'accommodera de devoir rester entre les murs de Carminowe en empêchant ses pensées de s'écarter par trop du droit chemin ? »

J'aurais bien voulu le savoir. Si j'avais été à la place de Roger, j'aurais remis ma démission d'intendant à Sir Henry Champernoune pour aller offrir mes services à Sir Oliver et sa dame.

« Du moins a-t-elle la chance de n'être pas obligée de donner un héritier à son mari, lequel a déjà trois robustes fils de sa première femme pour lui succéder. Elle est entièrement libre de son temps, ayant engendré deux filles dont Sir Oliver pourra certainement tirer profit quand elles seront en âge d'être mariées. »

Voilà qui en disait long sur le cas que l'on faisait des femmes en ce temps-là. On ne les élevait que pour les vendre ou les troquer. Aussi ne fallait-il pas s'étonner que, une fois leur devoir accompli, elles cherchassent consolation en prenant un amant ou jouant un rôle actif dans le maquignonnage de leurs propres enfants.

« Ce que je peux te dire, chuchota Roger en retour, c'est que Bodrugan a l'œil sur elle, mais tant qu'il est l'obligé de Sir John, il fera bien de regarder où il met les pieds.

— Je te parie cinq deniers qu'elle ne lui accordera aucune attention.

— Tenu ! Et si elle le fait, je serai leur intermédiaire. C'est un rôle que je tiens souvent entre ma dame et Sir John. »

Si je me trouvais ainsi à jouer les indiscrets, je n'en éprouvais nul scrupule et cela ne me posait aucun cas de conscience. Je me mouvais dans leur monde en sachant que quoi qu'il dût arriver — comédie, tragédie ou farce —, je ne pouvais l'empêcher, alors qu'en mon existence du xxe siècle, j'avais à me préoccuper de mon avenir et de celui des miens.

La réception semblait terminée, mais une cloche appelait les fidèles aux vêpres et la compagnie se divisa : les plus éminents eurent droit à la chapelle du couvent, tandis que les autres gagnaient l'église, laquelle était d'ailleurs attenante à la chapelle, une arche et une grille les séparant seulement l'une de l'autre.

J'avais peu envie d'assister aux vêpres encore que, en me tenant près de la grille, j'aurais pu observer Isolda. Mais mon inévitable guide, tout en se haussant pour contempler la dame en question, estima qu'il était demeuré suffisamment inactif comme cela. Adressant à son compagnon un rapide signe de tête, il sortit du couvent et traversa la cour en direction de l'entrée dont les portes étaient de nouveau ouvertes en grand. Il y avait là tout un groupe de gens, frères lais et serviteurs, qui riaient des efforts déployés par les domestiques de l'évêque pour faire entrer dans la cour le lourd chariot dont les roues s'embourbaient. Sur le pré communal, il y avait aussi une foule d'hommes, femmes et enfants. Une sorte de foire s'y tenait, car je voyais s'installer de petites échoppes et des étals, tandis qu'un gars battait du tambour et qu'un autre grattait un violon, cependant qu'un troisième me déchirait les oreilles en soufflant dans deux trompettes, aussi grandes que lui, dont il réussissait à jouer simultanément.

Je suivis Roger et son compagnon à travers le communal. Ils s'arrêtaient à tout instant pour saluer des connaissances. Je finis par comprendre qu'il ne s'agissait pas là de réjouissances organisées en l'honneur de l'évêque, mais d'une sorte d'abattoir en plein air, car des moutons et des porcs fraîchement égorgés, encore tout dégouttants de sang, étaient suspendus à des piquets dans chaque échoppe. Et il en allait de même dans les masures entourant le communal, où, couteau en main, on s'affairait à dépouiller de sa peau quelque vieille brebis ou trancher la gorge d'un porc; deux ou trois hommes, occupant peut-être une position plus élevée dans l'échelle féodale, brandissaient des têtes de bœufs à grandes cornes, au milieu des applaudissements et des rires de la foule. Comme le jour déclinait, on alluma des torches dont la clarté conféra quelque chose de démoniaque aux abatteurs et aux bouchers qui s'activaient furieusement pour avoir terminé leur tâche avant la nuit, cependant que l'excitation montait. Une trompette dans chaque main, le musicien circulait parmi la foule; brandissant de temps à autre ses instruments vers le ciel, il en tirait une assourdissante clameur.

« Si Dieu veut, ils auront le ventre plein cet hiver », fit remarquer Roger.

Dans ce tumulte, je l'avais complètement oublié, mais il était toujours là.

« Je suppose que tu as compté toutes ces bêtes ? demanda son compagnon.

— Non seulement comptées, mais examinées avant l'abattage. Il pourrait manquer cent têtes de bétail que Sir Henry ne s'en apercevrait pas, car il est bien trop plongé dans ses prières pour surveiller sa bourse ou ses biens. Mais Milady, c'est autre chose.

— Et elle te fait confiance ? »

Mon cavalier éclata de rire :

« Elle y est bien obligée, étant donné ce que je sais de ses affaires. Plus elle s'en remet à moi, et mieux elle dort la nuit. »

Il tourna la tête en entendant de nouvelles clameurs lesquelles provenaient cette fois de la cour du monastère où l'équipage de l'évêque avait fini par entrer, après qu'on en eut fait sortir de plus petits véhicules, pareillement conformés avec un toit de bois et des rideaux ornés de blasons. Tenant plus du chariot que du carrosse, ils semblaient un bien inconfortable véhicule pour transporter des dames de qualité à travers la campagne, mais telle était indubitablement leur destination et trois d'entre eux attendaient devant l'entrée du couvent.

Les vêpres étaient terminées et les fidèles qui y avaient assisté, sortant de l'église, se mêlaient maintenant à la foule du communal. Roger traversa de nouveau la cour intérieure et pénétra dans le bâtiment même où les hôtes du prieur se préparaient au départ. Sir John Carminowe était au premier rang, légèrement en avant et à côté de Joanna Champernoune, la femme de Sir Henry. Comme nous approchions d'eux, je l'entendis murmurer à l'oreille de la jeune femme :

« Serez-vous seule demain, si je chevauche jusqu'à vous ?

— Peut-être... Mais attendez plutôt que je vous fasse tenir un mot. »

Il se pencha pour lui baiser la main, puis monta sur son cheval dont un valet lui tendit la bride, et s'éloigna. Après l'avoir un instant suivi du regard, Joanna se tourna vers son intendant :

« Sir Oliver et Lady Isolda logent chez nous pour la nuit. Voyez si vous pouvez presser un peu leur départ. Et trouvez aussi Sir Henry. J'ai hâte de m'en aller. »

Elle marquait son impatience en tapant légèrement du pied; son regard un peu absent indiquait qu'elle devait être en train d'élaborer quelque plan qui lui permettrait d'arriver à ses fins. Pour être amoureux d'elle, il fallait vraiment que Sir John n'eût pas le choix. Je suivis Roger à l'intérieur du couvent. Des bruits de voix provenaient du réfectoire et, s'étant informé auprès d'un moine, Roger apprit que Sir Oliver Carminowe était en train de prendre des rafraîchissements avec d'autres invités, mais que sa dame se trouvait encore à la chapelle.

Après avoir marqué une brève hésitation, Roger gagna la chapelle. Tout d'abord, je la crus déserte. Les cierges de l'autel avaient été éteints et l'on y voyait à peine. Deux silhouettes se tenaient près de la grille, un homme et une femme. Comme nous nous en rapprochions, je vis qu'il s'agissait d'Otto Bodrugan et d'Isolda Carminowe. Ils s'entretenaient à voix basse et je ne pus entendre ce qu'ils se disaient, mais la fatigue et l'ennui avaient disparu du visage de la jeune femme. Levant soudain la tête, elle sourit à Bodrugan.

Roger me tapa sur l'épaule :

« Il fait bien trop sombre pour qu'on puisse voir quelque chose. Voulez-vous que j'allume ? »

Ce n'était pas la voix de l'intendant. Il avait disparu et les autres aussi. Je me tenais dans la partie sud du transept de l'église, et un homme arborant un col de clergyman sous son veston de tweed se tenait près de moi.

« Je vous ai aperçu, il y a un instant dans le cimetière, paraissant hésiter à entrer pour vous abriter de la pluie. Maintenant que vous vous y êtes décidé, permettez-moi de vous faire les honneurs. Je suis le pasteur de Saint-Andrews. C'est une belle vieille église, dont nous sommes très fiers. »

Il étendit la main vers un commutateur et alluma toutes les lampes. Ne ressentant ni nausée ni vertige, je regardai ma montre. Il était exactement trois heures et demie.

IV

JE n'avais eu conscience d'aucune transition. J'étais
passé instantanément d'un monde dans l'autre, sans
éprouver les réactions physiques qui m'avaient secoué
la veille. La seule difficulté était le réajustement mental, qui demandait un degré de concentration presque
intolérable. Fort heureusement, le pasteur me précédait dans la nef tout en parlant et s'il remarquait
quelque chose de bizarre dans mon expression, il
était trop poli pour y faire allusion.

« Nous recevons pas mal de visiteurs durant l'été,
m'expliqua-t-il, des gens qui séjournent à Par ou qui
viennent de Fowey. Mais il faut vraiment que vous
soyez un enthousiaste pour demeurer ainsi dans le cimetière sous la pluie ! »

Je fis un suprême effort pour achever de me ressaisir :

« A la vérité, dis-je en constatant avec surprise que
j'étais même capable de parler, ce n'est pas tellement
l'église en soi ni les tombes qui m'intéressent, mais
quelqu'un m'a dit qu'il y avait autrefois ici un couvent ?

— Ah ! oui, c'est exact, mais il a disparu depuis
très longtemps et il n'en reste malheureusement rien.
Les bâtiments sont tombés en ruine après la dissolu-

tion des monastères en 1539. Certains disent qu'ils s'élevaient à l'endroit où se trouve maintenant New-house Farm, dans la vallée, juste au-dessous de nous, et d'autres qu'il occupait l'emplacement actuel du cimetière, au sud du porche. Au fond, personne n'en sait rien. »

Il m'emmena dans la partie nord du transept et me montra la pierre tombale du dernier prieur, qui avait été enterré devant l'autel en 1538. Il me fit admirer la chaire, le banc d'œuvre et ce qui subsistait du jubé. Mais rien de ce que je voyais n'avait la moindre ressemblance avec la petite église où je me trouvais quelques instants auparavant et qu'une grille séparait de la chapelle du couvent. Debout près du pasteur, j'étais dans l'impossibilité de reconstituer par la pensée quoi que ce fût de l'ancien transept, de l'autre nef.

« Tout est changé, dis-je.

— Changé ? répéta-t-il d'un air surpris. Oh ! sans doute, oui... L'église a fait l'objet, en 1880, d'importantes restaurations qui n'ont peut-être pas toutes été heureuses. Vous êtes déçu ?

— Non, me hâtai-je de lui assurer, pas du tout. C'est simplement que... Comme je vous l'ai dit, je m'intéresse surtout à l'époque ancienne, très antérieure à la dissolution des monastères.

— Je comprends, fit-il avec un sourire empreint de sympathie. Moi-même, je me suis souvent demandé comment cela devait être autrefois, lorsque le couvent existait. Il appartenait à un ordre français, vous savez, rattaché à l'abbaye bénédictine de Saint-Serge et Saint-Bacchus d'Angers, et je crois que la plupart des moines étaient français. Je voudrais pouvoir vous en apprendre davantage, mais je ne suis ici que depuis quelques années seulement et je n'ai rien, hélas, d'un historien.

— Moi non plus », lui dis-je tandis que nous rebroussions chemin en direction du porche. Puis j'ajoutai : « Savez-vous quelque chose concernant les anciens seigneurs de l'endroit ? »

Il s'immobilisa un instant pour éteindre les lumières.

« Uniquement ce que m'ont appris les *Annales de la paroisse*. Dans le Domesday [1] le manoir est mentionné sous le nom de Tiwardrai — La maison sur le rivage — et il appartenait à la grande famille des Cardinham jusqu'à ce que, au XIIIe siècle, Isolda, qui venait d'en hériter, le vende aux Champernoune puis, lorsque ceux-ci s'éteignirent, il passa en d'autres mains.

— Isolda ?

— Oui, Isolda de Cardinham. Elle épousa un certain William Ferrers of Bere, dans le Devon, mais je ne me rappelle plus les détails. Vous obtiendriez certainement beaucoup plus de renseignements en vous adressant à la bibliothèque municipale de Saint-Austell plutôt qu'à moi. »

Il me sourit de nouveau tandis que nous ressortions dans le cimetière.

« Séjournez-vous dans la région ou n'êtes-vous que de passage ? s'enquit-il.

— Le professeur Lane m'a prêté sa maison pour l'été.

— Kilmarth ? Je connais, bien sûr, mais je n'y suis jamais entré. Je ne pense pas que le professeur Lane vienne souvent ici, et on ne le voit jamais à l'église.

— Non, sans doute pas, en effet.

— En tout cas, me dit-il quand nous nous séparâmes à la grille du cimetière, que vous veniez à l'office

---

1. Le *Domesday-Book* est le livre du cadastre de l'Angleterre, établi en 1086 sur l'ordre de Guillaume le Conquérant. Il doit son nom (Livre du Jugement dernier) à la minutie avec laquelle les comptes des droits fiscaux du roi y étaient relevés. (*N. du T.*)

ou simplement muser dans les parages, je serai toujours ravi de vous recevoir. »

Nous nous serrâmes la main et je remontai la route en direction de l'endroit où j'avais laissé ma voiture. Je me demandais si je ne m'étais pas montré horriblement incorrect. Je ne m'étais pas présenté et je ne l'avais même pas remercié de sa courtoisie. Sans doute allait-il me prendre pour un estivant encore plus rustre que la moyenne et quelque peu cinglé par-dessus le marché. Je m'installai au volant, allumai une cigarette et m'employai à rassembler mes pensées. Le fait que j'eusse repris pied dans la réalité sans éprouver aucun malaise consécutif à l'effet de la drogue, me causait un vif soulagement. Pas l'ombre d'un vertige, pas le moindre soupçon de nausée, mes membres n'étaient point douloureux comme la veille et je ne transpirais pas non plus.

Je baissai la glace de la portière et regardai vers le haut de la rue puis, de nouveau, l'église. Rien ne collait. Le pré communal où j'avais vu la foule se presser devait couvrir tout ce secteur et s'étendre même au-delà, du côté où la route moderne faisait un coude pour escalader la colline. La cour du couvent, où l'équipage de l'évêque avait connu de si pénibles moments, devait se trouver dans ce creux, au-dessous du coiffeur, à la limite du mur et du cimetière, et le couvent lui-même, selon une des hypothèses mentionnées par le pasteur, aurait alors occupé tout ce qui composait maintenant la partie sud du cimetière. Je fermai les yeux. Je revis la porte aux lourds battants, la cour rectangulaire, le long bâtiment étroit où se trouvaient les cuisines et le réfectoire, le dortoir des moines, la salle du chapitre où la réception avait eu lieu et la chambre du prieur. Puis je rouvris les yeux, mais cela ne concordait pas et le clocher de l'église jetait la confusion parmi les pièces de puzzle. C'était inutile, plus rien ne correspondait sauf la configuration du terrain.

Jetant ma cigarette par la portière, je mis la voiture en marche et passai devant l'église. Une étrange ivresse m'envahit tandis que je descendais au creux de la vallée puis me dirigeais vers les maisons de Par. Dix minutes auparavant, tout cela se trouvait sous l'eau et la mer léchait les terres du couvent. Des bancs de sable bordaient la large courbe de l'estuaire à l'endroit où se dressaient maintenant ces bungalows; les maisons et les boutiques n'étaient qu'un chenal bleu envahi par la marée montante. J'arrêtai la voiture devant la pharmacie et achetai un tube de pâte dentifrice. Pendant que l'employée me servait, je sentis croître mon exaltation. La vendeuse me semblait perdre toute substance, ainsi que la boutique et deux autres personnes qui se trouvaient là. Je ne pouvais m'empêcher de sourire en constatant cela et j'avais envie de leur dire : « Aucun de vous n'existe. Tout ceci est sous l'eau. »

En sortant de la boutique, je vis que la pluie avait cessé. Le drap mortuaire qui, durant toute la journée, avait pesé au-dessus de nous, se déchirait à présent par endroits, laissant voir des carrés de ciel bleu. Il était trop tôt pour rentrer à la maison, trop tôt pour téléphoner à Magnus. J'étais au moins arrivé à prouver une chose : cette fois, il n'y avait pas eu de télépathie entre nous. La veille, Magnus pouvait avoir eu l'intuition de ce que je ferais, mais pas aujourd'hui.

Le laboratoire de Kilmarth n'était pas un lieu magique fréquenté par les spectres, pas plus que le porche de Saint-Andrews. Magnus devait avoir raison lorsqu'il supposait que la drogue provoquait un certain renversement dans le processus mental et créait des conditions telles que les sens reconstituaient le passé.

Lorsque le pasteur m'avait tapé sur l'épaule, il ne m'avait pas arraché à quelque rêve nostalgique mais fait passer d'une vivante réalité dans une autre. Se pouvait-il que le temps fût multi-dimensionnel ? Que hier, aujourd'hui et demain existassent simultanément et de façon permanente ? Suffisait-il d'un simple changement d'ingrédient, d'une autre enzyme, pour que je me trouve transporté dans l'avenir, à New York, avec les garçons mariés et Vita peut-être morte ? C'était troublant. Mieux valait que je reste avec les Champernoune, les Carminowe et Isolda. Là, il ne pouvait être question de télépathie. Magnus n'avait mentionné aucun de ces gens-là et le pasteur, lui, l'avait fait seulement après que je les ai eu tous vus en vie.

Je décidai alors de me rendre à Saint-Austell pour voir si je ne trouvais pas, à la bibliothèque municipale, un livre m'apportant la preuve que ces gens avaient existé.

La bibliothèque était située tout en haut de la ville. J'y entrai après avoir garé ma voiture à proximité. La préposée se montra extrêmement obligeante et me conseilla de monter dans la salle de lecture, consulter un livre intitulé *Les Familles de Cornouailles*.

Je dénichai le gros volume parmi les rayons et m'installai à l'une des tables. Ce livre suivait l'ordre alphabétique et à première vue se révéla décevant : pas de Bodrugan ni de Champernoune, pas davantage de Carminowe ou de Cardinham. Je revins au début et soudain mon intérêt s'enflamma : j'avais dû sauter des pages car voilà que je trouvais les Carminowe de Carminowe. Mon regard parcourut rapidement la page et j'y découvris Sir John, marié à une Joanna. Une femme et une maîtresse portant le même prénom voilà qui devait vous embrouiller quelque peu les idées ! Il avait eu une nombreuse progéniture et l'un de ses petits-fils, Miles, avait hérité de Boconnoc. Boconnoc... Bockenod... L'orthographe avait été modifiée, mais il s'agissait bien, sans aucun doute de mon Sir John.

A la page suivante, je trouvai son frère aîné, Sir Oliver Carminowe, lequel avait eu plusieurs enfants de sa première femme. Quelques lignes plus loin, je vis mentionnée sa seconde femme, Isould, fille de Reynold Ferrers of Bere, dans le Devon, et tout en bas de la page, ses filles, Joanna et Margaret. C'était bien elle. Il ne s'agissait pas de l'Isolda de Cardinham, dont m'avait parlé le pasteur, mais d'une de ses descendantes.

Je repoussai de côté le lourd volume et me surpris à sourire d'un air idiot à un monsieur porteur de lunettes qui lisait le *Daily Telegraph*. Il s'escamota derrière son journal après m'avoir jeté un regard chargé de suspicion. Ma beauté non pareille n'était pas le fruit de mon imagination, ni de quelque transmission télépathique entre Magnus et moi. Elle avait vécu, bien qu'on manquât de précisions sur son existence : on ne disait pas quand elle était née ni quand elle était morte.

Après avoir remis le volume en place, je quittai la bibliothèque, mon excitation encore accrue par la découverte que je venais de faire. Carminowe, Champernoune, Bodrugan, tous morts depuis six cents ans et cependant toujours vivants dans mon autre monde.

En quittant Saint-Austell, je réfléchissais à tout ce que j'avais fait en cet après-midi : j'avais assisté à une cérémonie dans un couvent depuis longtemps disparu, tout en participant à la Saint-Martin sur le communal du village. Et ceci grâce à un élixir magique préparé par Magnus, qui ne provoquait ensuite aucune réaction, ne me laissant qu'une sensation de bien-être et de plaisir. C'était aussi facile que se laisser tomber du haut d'une falaise ! Je remontai la colline de Polmear en faisant du cent à l'heure et ce fut seulement en entrant dans la maison, après avoir garé la voiture, que je repensai à cette comparaison. Se laisser tomber du haut d'une falaise... Cette joyeuse exaltation, ce sentiment que rien n'avait d'importance, était-ce une réaction due à la drogue ? Hier, la nausée et le vertige, parce que j'avais transgressé les règles. Aujourd'hui, je me sentais fier comme tout d'être passé sans effort d'un monde dans l'autre.

J'allai dans la bibliothèque et appelai Magnus à son domicile. Il me répondit aussitôt.

« Comment était-ce ? questionna-t-il.

— Que veux-tu dire ? Comment était la journée ? Il a plu tout le temps.

— A Londres, il a fait beau. Mais c'est à ton second voyage que je faisais allusion. »

Sa certitude que j'avais recommencé l'expérience m'irrita.

« Pourquoi penses-tu que j'ai fait un deuxième voyage ?

— Parce que ça me paraissait inévitable.

— Eh bien, il se trouve que tu as raison. Je n'en avais pas l'intention, mais je voulais prouver quelque chose.

— Quoi donc ?

— Que l'expérience n'avait rien à voir avec une communication télépathique qui se serait établie entre nous.

— Ça, je pouvais te l'assurer.

— Peut-être. Mais l'un comme l'autre, nous avions tenté notre première expérience dans la chambre de Barbe-Bleue, ce qui pouvait nous avoir influencés à notre insu.

— Si bien que... ?

— Si bien que j'ai versé une dose de la drogue dans une fiole, puis je me suis rendu à l'église, pour boire ça sous le porche. »

Il eut une sorte de hennissement ravi qui accrut encore mon agacement.

« Qu'est-ce qu'il y a ? demandai-je. Ne me dis pas que tu as fait la même chose ?

— Si précisément. Mais pas sous le porche, mon cher garçon : dans le cimetière, après la tombée de la nuit. Peu importe : dis-moi ce que tu as vu. »

Je le lui relatai, puis mentionnai ma rencontre avec le pasteur et ma visite à la bibliothèque municipale, ainsi que ce qui me semblait être une totale absence d'effets « postopératoires ». Comme il l'avait fait la veille, Magnus m'écouta sans m'interrompre puis me dit de ne pas quitter, qu'il allait se servir un verre de quelque chose et me recommanda de ne point l'imiter pour l'instant. La seule évocation de son gin-and-tonic attisa de plus belle mon irritation.

« Je pense que tu t'en es très bien tiré, me dit-il en revenant à l'appareil. Et tu sembles avoir rencontré la fleur du comté, plaisir que je n'ai jamais eu, ni en ce temps ni dans l'autre.

— Tu veux dire que tu n'as pas vécu la même expérience ?

— Oh ! absolument pas. Je n'ai eu droit ni à la salle du chapitre ni au pré communal. Je me suis trouvé dans le dortoir des moines, ce qui était on ne peut plus différent.

— Que s'est-il passé ? demandai-je.

— Exactement ce que tu peux supposer lorsqu'un groupe de Français du Moyen Age se trouvent ainsi réunis. Sers-toi de ton imagination. »

Ce fut à mon tour de glousser. Imaginer Magnus, ce délicat et raffiné, en train de jouer les voyeurs parmi ces moines malodorants, me remit de bonne humeur.

« Sais-tu ce que je pense ? lui déclarai-je. Je crois que nous avons trouvé ce que nous méritions. Moi, Mgr l'Evêque et cette noble assemblée, bien propres à satisfaire le snob qui dort en moi; toi, toutes les déviations sexuelles que tu t'es refusées depuis trente ans.

— Comment sais-tu que je me les suis refusées ?

— Je n'en sais rien, mais je préfère te prêter une bonne conduite.

— Merci de cette confiance. Le fait est que rien de tout ceci ne peut être mis sur le compte d'une communication télépathique entre nous. D'accord ?

— D'accord.

— Donc, ce que nous avons vu, nous l'avons vu par le canal du cavalier, de Roger. Il était avec toi dans la salle du chapitre et sur le communal, mais aussi avec moi dans le dortoir. C'est son cerveau qui nous transmet tout cela.

— Oui, mais pourquoi ?

— Pourquoi ? Tu ne penses tout de même pas que nous allons découvrir la réponse en l'espace de deux voyages ? Tu as du travail devant toi.

— Tout cela est fort bien, mais c'est quand même la barbe de devoir suivre ce type ou de l'avoir avec moi chaque fois que je décide de renouveler l'expérience. Je ne le trouve pas tellement sympathique. Et la dame du manoir ne me plaît pas davantage.

— La dame du manoir ? (Il marqua un temps, consacré sans doute à réfléchir.) Il s'agit peut-être de celle que j'ai vue lors de mon troisième voyage. Des cheveux auburn, des yeux marron, l'air plutôt garce ?

— Portrait craché : Joanna Champernoune. »

Nous rîmes tous deux, frappés par ce qu'il y avait d'extravagant, mais aussi de fascinant, à parler ainsi d'une personne morte depuis plusieurs siècles, comme si nous l'avions rencontrée la veille à quelque réception.

« Elle discutait de terres dépendant du manoir, me dit-il. Je n'ai pas bien suivi. A propos, as-tu remarqué que nous comprenons le sens des conversations sans avoir conscience d'opérer une traduction, alors qu'ils semblent s'exprimer en français médiéval ? Voilà encore une preuve que Roger nous sert en quelque sorte d'interprète, de « transformateur ». Si nous avions sous les yeux un texte imprimé en vieil anglais, en cornouaillais ou en franco-normand, nous n'en comprendrions pas un seul mot.

— Tu as raison, convins-je. Ça ne m'avait pas frappé. Magnus...

— Oui ?

— Je continue d'être un peu préoccupé par les effets postopératoires. Grâce à Dieu, je n'ai éprouvé cette fois ni nausée ni vertige, mais au contraire une impression d'euphorie telle que, en rentrant, j'ai dû certainement dépasser à plusieurs reprises la vitesse limite. »

Magnus ne me répondit pas immédiatement et, lorsqu'il le fit, son ton me parut assez réservé :

« C'est justement une des raisons pour lesquelles il nous faut expérimenter la drogue. Il se pourrait qu'elle provoque une accoutumance.

— Qu'entends-tu, au juste, par accoutumance ?

— Exactement ce que je dis. Non point la fascination de l'expérience en soi, que nous savons n'avoir été tentée par personne d'autre que nous, mais la stimulation exercée par la drogue sur la partie de notre cerveau qui est en cause. Et je t'ai mis en garde contre les dangers physiques : celui de se faire écraser durant l'expérience, par exemple. Tu dois comprendre qu'une partie du cerveau est comme close lorsque la drogue agit. Le cerveau continue de contrôler tes mouvements, un peu comme l'on peut conduire avec un fort pourcentage d'alcool dans le sang et ne pas avoir d'accident. Mais le danger n'en est pas moins toujours présent et il ne semble exister aucun système d'alarme entre une partie du cerveau et l'autre. Peut-être y en a-t-il un, mais nous n'en savons rien. C'est encore une de ces choses qu'il me faut découvrir.

— Oui, dis-je, oui, je vois. »

Je me sentais maintenant abattu. L'exaltation ressentie sur le chemin du retour était certainement anormale.

« Il vaut mieux que je laisse tomber et ne touche plus à la drogue, à moins de circonstances me donnant le maximum de garanties. »

De nouveau, il marqua un temps avant de répondre :

« C'est à toi de voir. Tu dois juger par toi-même. Pas d'autres questions ? J'ai un dîner en ville. »

Pas d'autres questions... J'en avais probablement dix, vingt, à lui poser, mais elles ne me viendraient à l'esprit que lorsque Magnus aurait raccroché.

« Si, dis-je. Savais-tu, avant d'entreprendre ton premier voyage, que Roger avait jadis habité ici, dans ta maison ?

— Absolument pas. Mère parlait volontiers des Baker qui l'habitaient au XVIIᵉ siècle et des Rashleigh qui leur avaient succédé, mais nous ne savions rien de leurs prédécesseurs, encore que mon père eût comme une vague idée que les fondations remontaient au XIVᵉ siècle. J'ignore qui le lui avait dit.

— Est-ce pour cette raison que tu as transformé l'ancienne buanderie en chambre de Barbe-Bleue ?

— Non, mais simplement parce que cette pièce me paraissait convenir et que je trouvais le four pratique. Si on l'allume, il garde la chaleur et je puis y conserver des liquides à une haute température tandis que je prépare autre chose, à côté. L'atmosphère y est parfaite, sans rien de sinistre. Ne va pas te mettre dans la tête que cette expérience relève du spiritisme, mon cher garçon. Nous n'évoquons pas des esprits.

— Non; je m'en rends bien compte...

— Tiens, je vais te faire une comparaison : lorsque tu es assis dans un fauteuil et regardes un vieux film qui passe à la télévision, les personnages que tu vois sur le petit écran n'en surgissent pas pour venir te hanter, bien que la plupart de ces acteurs soient morts. Eh bien, ça ne diffère guère de ton expérience de tantôt. Notre guide Roger et ses amis ont vécu

autrefois, mais ils sont bel et bien morts maintenant. »

Je comprenais ce qu'il voulait dire, mais ce n'était
pas si simple. Cela allait beaucoup plus loin et le
choc causé était plus fort, car on avait moins l'impression d'assister au déroulement de l'action que d'y
participer.

« J'aimerais bien, lui dis-je, que nous en sachions
davantage sur notre guide. Les autres, je pense pouvoir les dénicher dans le bouquin qui est à la bibliothèque de Saint-Austell, puisque j'y ai déjà trouvé
John Carminowe, son frère aîné Oliver et la femme de
ce dernier, Isolda. Mais un intendant prénommé Roger, ça m'étonnerait, car je doute qu'il figure dans
une généalogie quelconque.

— C'est peu probable, en effet, mais enfin on ne
sait jamais. Un de mes élèves a un copain qui travaille aux Archives nationales et au British Museum;
aussi ai-je déjà mis la chose en train. Sans lui donner
de raison, je lui ai dit que j'aimerais avoir une liste
des « contribuables », comme on les appelle maintenant, établis dans la paroisse de Tywardreath au
XIVe siècle. Je pense qu'il devrait pouvoir trouver ça
dans le rôle des tailles pour 1327, ce qui est assez
proche, me semble-t-il, de la période nous intéressant.
Si cela donne un résultat, je te le ferai savoir. As-tu
des nouvelles de Vita ?

— Non, aucune.

— C'est bien dommage que tu ne te sois pas arrangé pour lui expédier les garçons à New York par
avion.

— Trop coûteux. Et puis cela m'aurait obligé à les
y rejoindre.

— Enfin, tâche de les tenir à l'écart le plus longtemps possible. Raconte que tu as des tuyaux d'écoulement bouchés, ça découragera Vita.

— Rien ne peut la décourager. En pareil cas, elle

serait susceptible d'accourir avec quelque expert-plombier de l'ambassade américaine.

— Alors, grouille-toi tant qu'elle n'est pas là. Au fait... Tu as vu le flacon marqué B, dans le labo, à côté de celui de la solution A dont tu fais usage ?

— Oui.

— Tu vas l'emballer très soigneusement et me l'expédier. Je veux me livrer à une série de tests avec son contenu.

— Tu vas tenter l'expérience à Londres ?

— Pas sur moi : sur un jeune singe. Il ne verra pas ses ancêtres du XIVe siècle, mais il éprouvera peut-être des vertiges. Au revoir ! »

Une fois de plus, Magnus venait de raccrocher avec son habituelle brusquerie, me laissant comme déprimé. C'était toujours ainsi lorsque nous avions une conversation ou passions une soirée ensemble. Tout d'abord, je me sentais stimulé, nous faisions des étincelles et le temps s'écoulait à toute vitesse puis, brusquement, Magnus appelait un taxi et disparaissait pour plusieurs semaines, me laissant comme une âme en peine.

« Et comment va ton professeur ? me demandait Vita d'un ton quelque peu ironique lorsqu'elle supposait que j'avais passé une soirée avec Magnus, en accentuant le « *ton* professeur » d'une façon qui ne manquait jamais de me piquer.

— Toujours le même, répondais-je. Toujours plein d'idées folles que je trouve amusantes.

— Je suis bien contente si tu t'es amusé », déclarait-elle alors, mais avec quelque chose d'amer qui donnait à entendre le contraire.

Une fois que la soirée s'était prolongée plus que d'habitude et que j'étais rentré assez soûl de chez Magnus vers les deux heures du matin, Vita m'avait dit que Magnus me minait et que lorsque je revenais auprès d'elle, j'étais comme un ballon dégonflé.

C'était une de nos premières disputes et je ne savais trop que faire. Vita allait et venait dans la pièce, déplaçant des coussins, vidant son cendrier, cependant que je demeurais assis d'un air triste. Nous étions allés nous coucher sans plus échanger une parole, mais le lendemain matin, à ma surprise et mon soulagement, Vita avait fait comme s'il ne s'était rien passé, rayonnant de charme et de féminité. Le nom de Magnus n'avait pas été mentionné, mais je m'étais promis de n'aller de nouveau dîner avec lui que lorsque Vita aurait elle-même une invitation ailleurs.

Ce jour-là, quand Magnus raccrocha, je ne me sentis pas comme un ballon dégonflé — à la réflexion, l'image avait quelque chose d'offensant, donnant à penser que mon haleine était aussi fétide que l'air contenu dans un ballon ! — mais simplement privé de stimulant. Et aussi un peu mal à l'aise; pourquoi Magnus éprouvait-il soudain le besoin de tester le contenu du flacon B ? Voulait-il vérifier ses conclusions sur le pauvre singe, avant de me soumettre moi, le cobaye humain, à une expérience plus corsée ? Le flacon A contenait encore suffisamment de mixture pour me permettre de continuer...

J'interrompis brusquement le cours de mes pensées. Me permettre de continuer ? On aurait dit d'un alcoolique se préparant à la récidive. Je me rappelai que Magnus n'écartait pas la possibilité que cette drogue provoquât une accoutumance. Peut-être était-ce une raison de plus pour l'essayer sur le singe. Je me représentai la pauvre bête, l'œil larmoyant, attendant fébrilement une nouvelle dose en faisant des bonds dans sa cage.

Sortant la fiole de ma poche, je la rinçai soigneusement. Mais je ne la remis pas dans le placard de la cuisine où je l'avais prise, car Mrs. Collins pouvait avoir l'idée de la ranger ailleurs, si bien que je serais obligé de lui demander où elle l'avait mise, ce qui serait une complication. Il était encore trop tôt pour dîner, mais Mrs. Collins m'avait préparé un plateau où il y avait du jambon, de la salade, du fromage et des fruits, le tout tellement appétissant que je décidai de l'emporter dans la salle de musique, où je m'installai avec l'idée de passer une longue soirée au coin du feu.

Je pris des disques au hasard et les empilai sur le changeur automatique, mais quelle que fût la musique où je baignais, je revenais sans cesse aux scènes de l'après-midi, la réception dans la salle du chapitre, la boucherie en plein air sur le pré communal, le musicien encapuchonné errant avec ses deux trompettes parmi la foule. Et je revoyais surtout cette fille aux cheveux nattés et retenus par un bandeau orné de pierreries qui, six cents ans auparavant, paraissait tellement s'ennuyer jusqu'à ce qu'une remarque — que je n'avais pu saisir — lui ait fait relever la tête en souriant.

V

LE lendemain matin, sur le plateau où il y avait mon
petit déjeuner, je trouvai une lettre par avion de Vita.
Elle m'écrivait de la propriété de son frère, à Long
Island. Elle me disait qu'il faisait une chaleur terrible
et qu'ils passaient leurs journées dans la piscine. Joe
allait emmener toute sa famille à Newport, sur le
yacht qu'il avait loué. Quel dommage que nous ne
l'ayons pas su plus tôt. J'aurais pu prendre l'avion
avec les garçons et nous aurions passé l'été tous ensemble. Maintenant, bien sûr, c'était trop tard. Elle
espérait seulement que ce séjour chez le professeur se
révélerait un succès. Comment était la maison, au
fait ? Voulais-je qu'elle apporte des provisions en venant de Londres ? Elle partirait de New York mercredi, par avion, et comptait trouver une lettre de
moi l'attendant à notre appartement de Londres.

Mercredi, c'était aujourd'hui. Vita arriverait à l'aéroport de Londres vers dix heures du soir, et ne trouverait point de lettre de moi à l'appartement, car je
ne l'attendais pas avant la fin de la semaine.

L'idée que Vita allait être en Angleterre dans quelques heures me causa comme un choc. Les journées
que j'avais pensé pouvoir employer à ma guise, en
toute liberté, allaient être bouleversées par des coups

70

de téléphone, des questions, et tout ce qui constitue la vie de famille. Avant que le premier coup de téléphone me parvienne, il fallait que j'aie trouvé un moyen de différer la venue de Vita, de la garder à Londres avec les garçons pendant encore au moins quelques jours.

Magnus avait suggéré des tuyaux bouchés, et cela pouvait aller. Mais l'ennui était que lorsqu'elle arriverait, Vita demanderait où en étaient les réparations à Mrs. Collins, qui la regarderait d'un air ahuri. Dire que les chambres n'étaient pas prêtes ? C'eût été présenter Mrs. Collins sous un jour défavorable et aiguiller dans une mauvaise voie les futures relations entre les deux femmes. Une panne d'électricité ? Même objection que pour les tuyaux bouchés. Et je ne pouvais pas davantage prétendre être malade ! Vita aurait rappliqué en quatrième vitesse pour me faire transporter dans un hôpital de Londres, car elle n'avait aucune confiance dans les médecins de province. Pourtant, ne fut-ce que pour Magnus, il me fallait trouver quelque chose; je ne pouvais le laisser tomber après seulement deux tentatives pour déterminer la valeur de sa découverte.

Nous étions mercredi. Je pouvais me livrer à une expérience dans la journée, laisser passer le jeudi, recommencer le vendredi, me reposer le samedi, faire une nouvelle expérience le dimanche et alors, si Vita insistait à toute force pour arriver le lundi, la laisser venir. Ce plan me permettait trois « voyages » (le terme employé par les adeptes du L.S.D. convenait parfaitement) et si je choisissais bien mon moment, si je ne commettais pas d'imprudence, si tout se passait normalement, les effets postopératoires seraient pratiquement nuls, comme la veille, en dehors de cette impression euphorique que je saurais reconnaître et tiendrais pour un avertissement. En cet instant, j'étais loin de l'euphorie et la lettre de Vita était certainement la cause du léger abattement que j'éprouvais.

Quand j'eus terminé mon petit déjeuner, je dis à Mrs. Collins que ma femme arrivait ce soir-là à Londres et qu'elle me rejoindrait sans doute la semaine suivante avec les enfants, probablement lundi ou mardi. Mrs. Collins dressa aussitôt la liste des provisions et autres choses dont elle aurait besoin. Cela me fournit l'occasion d'aller à Par effectuer ces emplettes et, chemin faisant, je réfléchis aux termes de la lettre que j'allais écrire à Vita pour qu'elle l'eût le lendemain matin.

La première personne que je vis chez l'épicier fut le pasteur de Saint-Andrews, qui traversa la boutique afin de me serrer la main. J'en profitai pour me présenter enfin, Richard Young, et lui dire que, suivant son conseil, je m'étais rendu à la bibliothèque municipale de Saint-Austell après l'avoir quitté.

« Vous êtes vraiment un enthousiaste ! remarqua-t-il en souriant. Avez-vous trouvé ce que vous cherchiez ?

— En partie, répondis-je. Dans le livre des généalogies, je n'ai pu repérer l'héritière Isolda de Cardinham, bien que j'aie trouvé une de ses descendantes, Isolda Carminowe, dont le père était un Reynold Ferrers, de Bere, dans le Devon.

— Ce nom de Reynold Ferrers me dit quelque chose, déclara le pasteur. Ce devait être, je crois bien, le fils de Sir William Ferrers qui avait épousé l'héritière en question, dont votre Isolda se trouverait donc être la petite-fille. Je sais que l'héritière a vendu le manoir de Tywardreath à l'un des Champernoune, pour cent livres, en 1269, juste avant d'épouser William Ferrers. Cent livres, c'était une somme à cette époque. »

Je fis de tête un rapide calcul. Mon Isolda ne pouvait guère être née avant 1300. Elle ne m'avait pas paru avoir plus de vingt-huit ans lors de la réception de l'évêque, qui aurait donc eu lieu vers 1329.

J'accompagnai le pasteur autour de la boutique pendant qu'il effectuait ses achats.

« Célébrez-vous toujours la Saint-Martin à Tywardreath ? questionnai-je.

— La Saint-Martin ? répéta-t-il d'un air ahuri — il balançait entre deux marques de biscuits. Je vous demande pardon, je ne vous suis pas bien ? C'était une grande fête, mais seulement durant les siècles qui précédèrent la Réforme. Nous avons toutefois conservé la Saint-Andrew, fête paroissiale qui a généralement lieu à la mi-juin.

— Excusez-moi, murmurai-je, j'ai dû confondre mes dates. Pour tout vous dire, j'ai été élevé dans la religion catholique et j'ai fait mes études à Stoneyhurst. Or, je crois me rappeler qu'on attachait une certaine importance à la Saint-Martin...

— Vous avez parfaitement raison, m'interrompit-il en souriant, et c'est parce que le 11 novembre est devenu le jour où l'on commémore l'Armistice. Mais si vous êtes catholique, je comprends maintenant que vous vous intéressiez tant au monastère qui...

— Je ne suis pas pratiquant, mais vous avez raison. Les enseignements qu'on a reçu durant l'enfance ont de profondes racines. Avez-vous toujours la foire sur le pré communal ?

— Je crains que non, dit-il, visiblement intrigué. Car, pour autant que je sache, il n'y a jamais eu de communal à Tywardreath. Excusez-moi... »

Il ouvrit son filet pour qu'on y déposât ses emplettes, après quoi l'épicier se tourna vers moi. Je consultai la liste remise par Mrs. Collins et le pasteur s'en fut sur un joyeux au revoir. Je me demandai s'il me tenait pour un dément ou simplement pour un ami particulièrement excentrique du professeur Lane. J'avais oublié que la Saint-Martin se fêtait le 11 novembre. Curieuse coïncidence de dates. On égorgeait alors porcs, moutons et bœufs; et dans le monde d'aujourd'hui, à cette même date, on célébrait le souvenir des innombrables morts de la guerre. Il faudrait que je pense à signaler la chose à Magnus.

Après avoir déposé mon paquet d'épicerie dans le coffre de la voiture, je quittai Par en empruntant la route de l'église, qui est celle de Tywardreath. Mais au lieu de m'arrêter devant chez le coiffeur comme je l'avais fait la veille, je roulai lentement vers le centre du village, essayant d'y reconstituer le pré communal disparu. Ce fut en vain. A ma droite comme à ma gauche, il y avait des maisons, et au sommet de la colline, la route se divisait, allant d'un côté vers Fowey, de l'autre vers Treesmill. C'était de ces parages que, la veille, étaient partis l'évêque et sa suite, ainsi que les chariots des Carminowe, des Champernoune et des Bodrugan, arborant tous un blason sur leurs rideaux de côté. Sir John Carminowe aurait emprunté la route de droite — si elle avait alors existé — pour gagner Lostwithiel et ses terres de Bockenod, où sa femme attendait d'accoucher. A présent, Bockenod était devenu Boconnoc, un vaste domaine situé à quelques kilomètres de Lostwithiel; en venant de Londres, j'étais passé devant une de ses entrées. Où donc alors le seigneur de l'endroit, Sir Henry Champernoune, avait-il son manoir ? Sa femme Joanna avait dit à l'intendant, Roger, mon cavalier : « Les Bodrugan logent chez nous pour la nuit. » Où pouvait bien se trouver le manoir ? »

J'arrêtai la voiture au sommet de la colline et regardai autour de moi. Dans le village même de Tywardreath, il n'y avait aucune maison de grande importance; quelques-uns des cottages pouvaient être de la fin du XVIIIe, mais sûrement pas plus anciens. La raison me disait que les manoirs étaient rarement détruits, sinon par le feu; et même s'ils brûlaient jusqu'aux fondations, ou si leurs murs s'écroulaient, une ferme ne tardait pas à s'y substituer, afin de reprendre la culture de ce qui constituait auparavant « les terres du château ». Donc, dans un rayon de deux ou trois kilomètres autour de l'église et du couvent, les Champernoune avaient dû construire leur demeure, à moins qu'il n'y ait déjà eu un manoir pour les recevoir lorsque la première Isolda, l'héritière des Cardinham, leur avait vendu ses terres en 1269. Quelque part sur l'embranchement de gauche — peut-être à l'endroit même où se dressait maintenant le poteau indicateur *Vers Treesmill* Joanna s'était impatientée, en tapant du pied. Puis elle était enfin repartie dans son chariot peint, accompagnée par Sir Henry, son seigneur à la triste figure, et leur fils William, suivie par son frère, Otto Bodrugan, et la femme de ce dernier, Margaret.

Je regardai ma montre. Il était plus de midi; Mrs. Collins devait m'attendre pour ranger mes achats et préparer le déjeuner. En outre, il me fallait écrire à Vita.

Je m'attaquai à cette lettre après le déjeuner. Je mis près d'une heure pour en venir à bout et je ne fus pas tellement satisfait du résultat, tout en me disant que ça pourrait quand même aller.

Ma chérie,
Jusqu'à l'arrivée de ta lettre, ce matin, je n'avais pas compris que tu revenais aujourd'hui par avion, si bien que ces lignes te parviendront seulement demain. Excuse-moi si je me suis embrouillé dans les dates. Le fait est que j'ai été extrêmement occupé ici à tout mettre en ordre pour les enfants et toi. Mrs. Collins, la femme de ménage de Magnus, a été merveilleuse, mais tu sais ce qu'est un intérieur de vieux garçon et de plus Magnus n'est pas revenu ici depuis Pâques. Cela te donne une idée de la situa-

tion ! Mais le pire, c'est que Magnus m'a demandé de mettre de l'ordre dans ses papiers — il garde dans son laboratoire un tas de trucs scientifiques auxquels on ne doit pas toucher — qu'il rangera ensuite. Il m'a demandé cela comme un service et je ne peux pas le lui refuser, alors qu'il met gracieusement sa maison à notre disposition. Je compte avoir terminé ce travail lundi, si je puis y consacrer les prochains jours et le week-end. Soit dit en passant, il fait un temps épouvantable. Hier, il a plu toute la journée sans discontinuer; tu ne perds donc rien, mais les gens du pays disent que ça va s'arranger la semaine prochaine.

Ne te fais pas de souci pour le ravitaillement. Mrs. C. l'assure parfaitement et, comme c'est aussi une excellente cuisinière, tu n'as aucune inquiétude à te faire sur ce point. De toute façon, je ne doute pas que tu aies de quoi distraire les enfants jusqu'à lundi; il y a les musées et des tas de choses qu'ils ne connaissent pas. En outre, tu dois avoir des gens que tu désires rencontrer. Je suggère donc que nous remettions ton arrivée ici à la semaine prochaine; à ce moment-là, elle ne posera plus aucun problème.

Je suis heureux que tu aies pris grand plaisir à ce séjour chez Joe. Oui, quand on y repense, je crois que c'eût été bien de nous retrouver tous là-bas. Mais c'est toujours après coup que vous viennent ces bonnes idées. J'espère, ma chérie, que le voyage par avion ne t'a pas trop fatiguée. Donne-moi vite un coup de fil.

Ton Dick qui t'aime.

Je relus deux fois cette lettre et la seconde fois, elle me parut meilleure. Elle sonnait vrai, car il était exact que j'avais des choses à faire pour Magnus. Quand je mens, j'aime que mon mensonge repose sur quelque chose de vrai, car cela apaise ma conscience. Je timbrai l'enveloppe et la mis dans ma poche; je me souvins alors que Magnus m'avait demandé de lui expédier à

Londres le flacon B du laboratoire. En fourrageant dans la maison, je finis par découvrir une petite boîte, du papier et de la ficelle. Je descendis ensuite au laboratoire où je comparai le flacon B avec le flacon A, sans déceler aucune différence. J'avais encore dans ma poche la fiole utilisée la veille et j'en profitai pour y verser une nouvelle dose de la mixture A. De la sorte, si je voulais renouveler l'expérience, je pourrais le faire où et quand bon me semblerait.

Après avoir soigneusement refermé le laboratoire, je remontai au rez-de-chaussée et regardai par la fenêtre de la bibliothèque le temps qu'il faisait. Il ne pleuvait plus et le ciel avait tendance à s'éclaircir du côté de la mer. J'emballai avec soin le flacon B, puis j'allai l'expédier à la poste de Par où je mis la lettre de Vita à la boîte. Je me préoccupais moins de ce que dirait ma femme en la lisant que de la façon dont le singe réagirait à son premier voyage dans l'inconnu. Ma mission accomplie, je m'en retournai par Tywardreath et pris l'embranchement gauche de la route, celui de Treesmill.

Cette route étroite, bordée de chaque côté par des champs, s'enfonçait assez abruptement dans une vallée et, avant l'ultime descente, marquait un palier pour franchir un pont en dos d'âne sous lequel passait la ligne de chemin de fer reliant Par à Plymouth. Je m'arrêtai un instant près de ce pont et j'entendis l'avertisseur du diesel électrique lorsqu'il émergea du tunnel situé hors de vue sur ma droite. Quelques instants plus tard, le train survint, passa sous le pont et suivit à travers la vallée la courbe des rails qui l'amènerait à Par. Cela me rappela l'époque où j'étais étudiant. Magnus et moi voyagions toujours par le train et, lorsque celui-ci sortait du tunnel situé entre Lostwithiel et Par, nous nous levions pour prendre nos valises. J'avais conservé le souvenir de ces champs en pente qu'on voyait sur la gauche du train et de cette vallée sur la droite, pleine de roseaux et de saules rabougris. Brusquement, le train entrait en gare, le grand panneau noir portant en lettres blanches *Correspondance pour Newquay* défilait devant la fenêtre du compartiment, et nous étions arrivés.

A présent que je regardais le train disparaître au tournant de la vallée, le paysage m'apparaissait sous un autre angle. Je me rendais compte que, une centaine d'années auparavant, l'édification de la ligne de chemin de fer, creusée à flanc de colline, avait modifié l'aspect de la vallée. Mais d'autres facteurs étaient aussi intervenus. Un siècle auparavant, lorsqu'on exploitait là des mines de cuivre et d'étain, les carrières balafraient le côté opposé de la vallée. Je me rappelais le capitaine de frégate Lane nous racontant, au cours d'un dîner, que sous le règne de Victoria, des centaines d'hommes étaient employés dans ces mines; puis, la crise venue, tout cela avait été abandonné et les mineurs avaient dû émigrer ou chercher du travail dans les carrières de kaolin.

Maintenant que le train avait disparu, le calme était revenu dans la vallée; rien n'y bougeait à l'exception de quelques vaches qui broutaient dans une prairie marécageuse au bas de la colline. Je laissai la voiture rouler doucement jusqu'à l'endroit où la route remontait pour escalader l'autre côté de la vallée. Un ruisseau paresseux coulait à travers la prairie où paissaient les vaches; un pont bas l'enjambait et au-dessus, à droite de la route, s'étageaient de vieux bâtiments de ferme. Baissant la glace de la portière, je regardai autour de moi. Un chien sortit de la ferme en aboyant, suivi d'un homme qui portait un seau. Me penchant à la portière, je lui demandai si je me trouvais bien à Treesmill [1].

« Oui, me répondit-il. Si vous continuez tout droit,

1. Littéralement : Le Moulin des Arbres. (*N. du T.*)

vous allez arriver à la route qui relie Lostwithiel à Saint-Blazey.

— A vrai dire, c'est le moulin lui-même que je cherche.

— Il a complètement disparu. Ce bâtiment que vous voyez là était l'habitation du meunier et ce ruisseau est tout ce qui reste de la rivière, car le cours en a été détourné voici des années, bien avant mon temps. On m'a raconté qu'avant la construction de ce pont, il y avait un gué. La rivière coupait cette route — qui, bien sûr, n'existait pas — et la majeure partie de la vallée était sous l'eau.

— Oui, dis-je, oui, c'est très possible. »

Il pointa le doigt vers un cottage situé de l'autre côté du pont :

« Autrefois, quand on exploitait les mines à Lanescot et Carrogett, c'était une auberge. Le samedi soir, il paraît que c'était plein de mineurs. Mais des gens qui aient connu ce temps-là, il n'en reste plus guère maintenant.

— Savez-vous, lui demandai-je, s'il existe dans la vallée une ferme qui ait pu être autrefois un manoir ? »

Il réfléchit un moment avant de répondre :

« Ma foi, il y a Trevennor, là-haut, derrière nous, sur la route de Stonybridge, mais je ne pense pas que ce soit très ancien... je ne l'ai jamais entendu dire... Au-delà, il y a Trenadlyn, et puis, bien sûr, Treveryan, près du tunnel. Oui, Trenadlyn c'est une belle vieille maison, qui date d'il y a longtemps...

— Qu'entendez-vous par longtemps ? » m'enquis-je tandis que s'éveillait mon intérêt.

De nouveau, il réfléchit.

« Une fois, dans le journal, on a publié un article sur Treveryan. Un monsieur d'Oxford était allé la visiter et, on disait, je crois bien, que la maison avait été construite en 1705. »

Mon intérêt s'évanouit. Des maisons Queen Anne, les mines de cuivre et d'étain, l'auberge de l'autre côté de la rivière, tout cela se situait plusieurs siècles après l'époque qui m'intéressait. J'éprouvais ce que doit ressentir un archéologue lorsqu'il découvre une villa romaine au lieu des vestiges d'un campement datant de l'âge de bronze.

« Eh bien, merci beaucoup, et bonne journée ! » dis-je à mon interlocuteur puis, ayant tourné la voiture, je rebroussai chemin vers le haut de la colline.

Si les Champernoune étaient descendus par cette route en 1328, leurs chariots avaient dû être arrêtés par la rivière du moulin, à moins qu'il n'existât un pont. A mi-hauteur de la colline, je tournai à gauche dans un chemin de traverse et découvris de là les trois fermes dont l'homme m'avait parlé. Je sortis ma carte routière de la boîte à gants. Le chemin où je me trouvais rejoignait la route principale en haut de la colline — le long tunnel devait passer sous la route, à une grande profondeur, et constituait vraiment un bel ouvrage d'art — oui, la ferme sur ma droite était Trevennor, celle que j'avais devant moi, Trenadlyn, et la troisième, la plus proche de la ligne de chemin de fer, Treveryan. Et alors, à quoi ça t'avance ? me dis-je. Allais-je frapper à la porte de chacune de ces fermes en demandant : « Voulez-vous me permettre de m'asseoir une demi-heure, juste le temps de m'administrer une « prise », comme disent les toxicomanes, et de voir ce qui se produit ? »

Pour les archéologues, c'était plus facile. Ils avaient quelqu'un pour financer leurs fouilles, des aides pleins d'enthousiasme, et ne couraient pas le risque de finir dans un asile de fous. Je fis demi-tour et regagnai la route qui montait vers Tywardreath. Une voiture remorquant une caravane était en train de manœuvrer pour entrer dans une propriété et me barrait le passage. Je faillis aller dans le fossé en freinant et le conducteur me cria des excuses. Quand il eut réussi à garer de côté son petit convoi, il descendit de voiture et vint me renouveler ses excuses.

« Je pense que maintenant vous avez la place de passer, me dit-il. Je suis navré de vous avoir retardé.

— Ce n'est rien, lui répondis-je. Je ne suis pas pressé. Vous avez drôlement bien manœuvré pour vous ranger.

— Oh ! j'ai l'habitude. J'habite ici, et la caravane nous donne une pièce de plus, lorsque nous avons des amis qui viennent durant l'été. »

Je regardai le nom de la propriété sur la plaque flanquant l'entrée.

« *Chapelle basse*, dis-je. Voilà qui est peu banal comme nom...

— C'est aussi ce que nous avons pensé quand nous avons construit le bungalow. Nous avons donc décidé de garder ce nom qui est celui du lieu-dit. Le terrain que nous avons acheté s'appelle *Chapelle basse* depuis des siècles, et les champs qui sont de l'autre côté de la route, c'est *Parc de la Chapelle*.

— Y a-t-il un rapport avec l'ancien couvent ? » demandai-je.

Visiblement, ça n'éveillait en lui aucun écho. Il me dit en haussant les épaules :

« Il y avait ici autrefois une maison où, je crois, se réunissaient des méthodistes. Mais le lieu-dit date de bien avant ça. »

Sa femme sortit du bungalow avec deux enfants et j'actionnai mon démarreur.

« Vous pouvez y aller ! » me cria-t-il après être allé inspecter la route.

Je me détachai du fossé et remontai la route jusqu'à ce qu'un tournant me dissimulât le bungalow. Je me garai alors à droite, sur un accotement où l'on avait empilé des pierres et des madriers.

J'avais atteint le haut de la colline, ensuite la route

redescendait vers Tywardreath dont on apercevait déjà les premières maisons. *Chapelle basse... Parc de la Chapelle...* Se pouvait-il qu'il y ait eu dans les temps anciens une chapelle, à l'endroit où le propriétaire de la caravane avait construit son bungalow ou bien par ici, où une maison moderne s'élevait en bordure de la route?

Au-delà de cette maison, une barrière donnait accès à un champ. J'en escaladai les traverses et fis le tour du champ en me tenant près de la haie jusqu'à ce que la pente du terrain me rendît invisible de la route. C'était le champ que le propriétaire de la caravane m'avait dit s'appeler *Parc de la Chapelle.* Il n'avait apparemment rien de particulier. Des vaches paissaient à son extrémité opposée. Je me frayai un passage à travers la haie qui en clôturait la partie inférieure, et je me trouvai dans un pré qui plongeait assez abruptement vers la ligne de chemin de fer, située une centaine de mètres plus bas.

J'allumai une cigarette et inspectai le paysage. Aucune chapelle ne s'y nichait, mais quelle vue ! A ma droite, Treesmill et les autres fermes au-delà, toutes protégées du vent soufflant de la mer; juste au-dessous de moi, la voie du chemin de fer, puis la courbe de la vallée où il n'y avait pas l'habituel échiquier de champs, mais rien qu'un entrelacs de saules, d'aulnes et de bouleaux. Au printemps, ce devait être un paradis pour les oiseaux et aussi pour les gosses voulant échapper à la surveillance des parents... Mais désormais les gosses n'allaient plus chercher des nids; en tout cas, pas les fils de ma femme.

Je m'assis contre la haie pour finir ma cigarette et, ce faisant, je sentis la fiole dans la poche de mon veston. Je la pris en main et la regardai. Elle était plate, dans un emboîtage de métal et je me demandai si elle avait appartenu au père de Magnus. Du temps où il naviguait, c'était exactement le genre de truc qu'il pouvait avoir dans sa poche, afin de boire un peu de rhum quand la brise fraîchissait. Si seulement Vita avait eu horreur de l'avion et était venue par bateau, cela m'aurait donné quelques jours de plus... Un bruit de roulement métallique me fit abaisser mon regard dans la vallée. Une draisine accourait sur la voie, roulant à toute vitesse. Je la regardai s'éloigner, telle une grosse mais rapide limace, passant au-dessus des aulnes et des saules, puis sous le pont de Treesmill, pour disparaître enfin dans la gueule béante du tunnel, deux kilomètres plus loin. Je dévissai le bouchon de la fiole et en avalai le contenu.

Je fermai les yeux en me disant que Vita était encore au milieu de l'Atlantique.

VI

Cette fois que j'étais assis immobile, les yeux clos, le dos contre la haie, j'allais essayer de saisir le moment exact où le « passage » s'opérerait. Lors des précédentes occasions, j'étais en train de marcher — la première fois à travers champs, la seconde fois dans l'allée du cimetière — lorsque la vision avait changé. A présent, cela allait sûrement se passer de façon différente, car je me concentrais dans l'attente du moment décisif. J'allais éprouver une sensation de bien-être, comme lorsqu'on est soulagé d'un fardeau. Aujourd'hui, il n'y aurait pas de panique et pas non plus de pluie déprimante. Il faisait même chaud et le soleil avait dû percer entre les nuages, car j'en sentais l'éclat sur mes paupières closes. Je tirai une dernière bouffée de ma cigarette et la laissai tomber.

Si cette agréable torpeur se prolongeait, je risquais de m'endormir. Même les oiseaux maintenant fêtaient le retour du soleil. J'entendais un merle chanter dans la haie quelque part derrière moi, et plus plaisant encore, l'appel d'un coucou dans la vallée, d'abord lointain, puis tout proche. J'écoutai avec plaisir ce cri qui me rappelait mes vagabondages à travers la campagne, trente ans auparavant. Le cri se répéta, juste au-dessus de ma tête.

J'ouvris les yeux et observai son vol étrange, mal assuré, à travers le ciel. Ce faisant, je me rappelai que

nous étions à la fin de juillet. En Angleterre, le coucou ne connaît qu'un bref été qui se termine en juin,
tout comme le chant du merle et les primevères que
je voyais épanouies près de moi ne durent pas au-delà
de la mi-mai. Ce soleil chaud et éclatant appartenait à
un autre monde, à un printemps d'autrefois. En dépit
de ma concentration, le changement s'était opéré en
un rien de temps dont mon cerveau n'avait pas eu
conscience. Je retrouvais autour de moi ce vert intense qui m'avait frappé la première fois; il s'étalait
sur le flanc de la colline au-dessous de moi et la vallée, avec sa tapisserie de bouleaux et de saules, disparaissait sous une masse liquide appartenant à un
grand estuaire sinueux bordé de bancs de sable, qui
s'enfonçait dans les terres. Je me levai et vis alors
que la rivière se rétrécissait pour se confondre avec le
ru dont la chute alimentait le moulin, Treesmill, qui
n'était encore qu'un bâtiment petit et étroit, coiffé de
chaume. Les collines en face de moi étaient couvertes
d'épaisses forêts de chênes, dont le tendre feuillage
attestait qu'on était au printemps.

Juste au-dessous de moi, là où le pré descendait
abruptement jusqu'à la voie de chemin de fer, le terrain n'était plus qu'une pente douce, traversée par un
large sentier aboutissant à un quai le long duquel des
bateaux étaient mouillés, l'estuaire formant à cet endroit une sorte de bassin naturel suffisamment profond. Un navire plus important était ancré au milieu
du courant, sa voile en partie rentrée. J'entendais des
hommes chanter à son bord et, tandis que je l'observais, une embarcation s'en détacha pour conduire
quelqu'un à terre. Les voix se turent soudain quand
l'homme se trouvant dans la barque agita la main
pour imposer le silence. Je regardai alors autour de
moi; dans mon dos, la haie avait disparu et la colline
était aussi abondamment boisée que celles lui faisant
face; sur ma gauche, là où il n'y avait que broussail-

les et ajoncs, un long mur de pierre encerclait une maison d'habitation, dont je voyais le toit par-dessus les arbres environnants. Le sentier que j'avais repéré reliait directement le quai à cette maison.

Je fis quelques pas, tout en continuant d'observer l'homme qui, maintenant arrivé à terre, avait pris le chemin et montait vers moi. A cet instant, le coucou se fit entendre de nouveau en volant au-dessus de nos têtes, et l'homme s'immobilisa pour le regarder tout en reprenant haleine. Il le fit de façon si normale, si naturelle que j'éprouvai une soudaine sympathie pour lui, parce qu'il vivait alors que j'étais simplement un fantôme en son temps. Un temps qui ne suivait pas le même cours que le nôtre car, la veille, c'était la Saint-Martin et maintenant le coucou, les primevères en fleur, attestaient que ce devait être le printemps.

Quand l'homme se remit à gravir la colline en se rapprochant de moi, je le reconnus, bien que son expression fût plus grave, plus solennelle que le jour précédent. Il me sembla soudain que ces visages étaient comme les carreaux, les cœurs et les piques de cartes battues par un amateur de réussites. Tout comme ces cartes, ils formaient des combinaisons ne me laissant pas plus deviner qu'au joueur ce qui allait en découler.

C'était Otto Bodrugan qui gravissait la colline, suivi de son fils Henry, et lorsque sa main esquissa un salut, je levai instinctivement la mienne en allant même jusqu'à sourire. Mais, comme j'aurais dû m'en douter, le père et le fils passèrent près de moi sans me voir pour se diriger vers l'entrée de la maison où Roger, l'intendant, s'avançait à leur rencontre. Il devait être là, à guetter leur approche, mais je n'avais pas remarqué sa présence. Il n'avait plus du tout cet air de fête que je lui avais vu la veille, ni le sourire ironique qu'il arborait lorsqu'il se proposait de jouer les entremetteurs. Tout comme Bodrugan et son fils, il portait une tunique noire et sa mine était aussi grave que la leur.

« Quelles nouvelles ? » lui demanda Bodrugan.

Roger secoua la tête :

« Il décline rapidement et nous n'avons plus guère d'espoir. Milady Joanna est à l'intérieur, avec toute la famille. Sir William Ferrers est déjà arrivé de Bere, en compagnie de Lady Matilda. Nous avons veillé à ce que Sir Henry ne souffre pas ou, plus exactement, c'est frère Jean qui a fait le nécessaire, restant jour et nuit à son chevet.

— Et la cause... ?

— Rien d'autre que cette faiblesse générale dont vous étiez informé, à quoi est venu s'ajouter un refroidissement lors de la dernière gelée que nous avons eue. Son esprit bat la campagne; il se reproche ses fautes et en demande pardon. Le curé de la paroisse l'a entendu en confession mais, non content de cela, Sir Henry a imploré aussi l'absolution de frère Jean et il a reçu les derniers sacrements. »

Roger s'était effacé pour laisser passer Bodrugan et son fils. Pénétrant à leur suite dans la propriété, je découvris la maison dans son ensemble; en pierre, avec un toit de tuiles, elle donnait sur une cour, et un escalier extérieur — semblable à celui qu'on pourrait voir dans une ferme de nos jours pour accéder au grenier — menait à l'étage. Derrière la maison, il y avait des écuries et, au-delà du mur d'enceinte, le chemin continuait de monter vers Tywardreath, flanqué çà et là par les toits des chaumières où habitaient les serfs qui cultivaient les terres environnantes.

A notre approche, des chiens aboyèrent et surgirent dans la cour, mais se tapirent sur le sol en aplatissant les oreilles dès que Roger leur cria de se coucher; un serviteur à l'air effaré vint vite les récupérer. Bodrugan et son fils Henry pénétrèrent dans la maison, suivis de Roger et de moi qui ne le quittais pas plus que son ombre. Nous entrâmes dans un hall étroit et long, traversant la maison de part en part, où de petites fenêtres à vitraux donnaient d'un côté sur la cour et de l'autre sur l'estuaire. A l'extrémité opposée à l'entrée, un feu de tourbe fumait dans une immense cheminée et, vers le milieu de la pièce, il y avait une table flanquée de bancs. Ce hall était obscur, d'une part à cause des petites fenêtres et de la fumée qui demeurait en suspens dans l'atmosphère, mais aussi parce que les murs étaient richement peints en rouge sombre.

Trois jeunes gens — deux garçons et une fille — étaient assis à califourchon sur les bancs, leur air effondré traduisant la stupeur causée par l'approche de la mort plutôt que le chagrin. Je reconnus le plus âgé, William Champernoune, qui avait été présenté à l'évêque; il fut le premier à se lever pour aller au-devant de ses oncle et cousin, imité par les deux autres après un instant d'hésitation. Otto Bodrugan se pencha pour les embrasser tous les trois puis, comme le font souvent les enfants lorsque des adultes surviennent en de semblables circonstances, ils mirent l'occasion à profit pour quitter la pièce en emmenant leur cousin Henry avec eux.

J'eus alors tout loisir d'examiner les autres occupants de la pièce. Il y en avait deux que je n'avais encore jamais vus : un homme blond et barbu, une femme plutôt courtaude dont le regard ne laissait rien présager de bon pour ceux qui la contrariaient. Elle était déjà en deuil, afin de ne pas être prise de court, et sa coiffe blanche contrastait avec sa robe noire. Il devait s'agir de Sir William Ferrers dont Roger avait dit qu'il était accouru en toute hâte du Devon, avec sa femme Matilda. La troisième personne se trouvant dans la pièce était assise sur un tabouret et celle-là, je la connaissais : c'était mon Isolda. Elle aussi s'était préparée au deuil imminent en revêtant une robe lilas, mais celle-ci avait un reflet argenté et un ruban assorti avait été noué avec soin de façon que les cheveux tressés dégagent le visage. Il régnait dans la pièce une sorte de tension et Matilda Ferrers avait une expression indignée, qui sentait l'orage.

« Il y a des heures que nous vous attendons, dit-elle d'emblée à Otto Bodrugan comme il se dirigeait vers son fauteuil. Faut-il si longtemps pour traverser la baie en bateau ou êtes-vous en retard parce que vos gens se sont amusés à pêcher en cours de route ? »

Ignorant le reproche, il lui baisa la main et échangea un regard avec l'homme qui se tenait debout derrière le fauteuil :

« Comment allez-vous, Sir William ? La traversée a duré exactement une heure, ce qui n'est vraiment pas mal avec le vent par le travers. Si nous étions venus à cheval, nous aurions certainement mis plus long-temps. »

William opina, en esquissant un imperceptible haussement d'épaule, habitué qu'il était à l'humeur de sa femme.

« C'est bien ce que j'avais pensé. Vous ne pouviez venir plus vite; et, de toute façon, il n'y a rien que vous puissiez faire.

— Rien qu'il puisse faire ? répéta Matilda. Rien, sinon nous apporter son réconfort le moment venu et ajouter sa voix aux nôtres; chasser ce moine français d'auprès du lit et ce curé ivre de la cuisine. S'il ne peut faire entendre raison à Joanna en usant de son autorité fraternelle, alors personne ne le pourra ! »

Bodrugan se tourna vers Isolda. Il lui effleura à peine la main et elle ne le regarda même pas. Cette contrainte était sûrement due à la prudence : une parole trahissant une trop grande intimité entre eux eût provoqué des commentaires.

Novembre... Mai... Six mois avaient dû s'écouler depuis la réception de l'évêque au couvent, dont j'avais été témoin la veille.

« Où est Joanna ? demanda Bodrugan.

— Dans la chambre au-dessus », répondit William et je remarquai alors sa ressemblance avec Isolda.

C'était le frère de la jeune femme, William Ferrers, mais qui devait avoir dix ou quinze ans de plus qu'elle, car son visage était ridé et ses cheveux blonds viraient au gris.

« Vous êtes au courant de la situation, poursuivit-il. Henry ne veut auprès de lui que ce moine français, Jean, n'accepte d'être soigné que par lui, et a refusé de voir le médecin extrêmement réputé que nous avons amené avec nous du Devon. Le traitement ayant échoué, il est maintenant dans le coma et la fin est proche; il n'en a probablement plus que pour quelques heures.

— Si tel est le désir d'Henry et s'il ne souffre pas, de quoi peut-on se plaindre ? objecta Bodrugan.

— De ce que tout cela est mal ! s'exclama Matilda. Henry a même exprimé le vœu d'être enterré dans la chapelle du couvent, ce qui ne doit être accepté à aucun prix. Nous connaissons tous la réputation de ce couvent, la conduite extrêmement relâchée du prieur, l'absence de discipline qui règne parmi les moines. Une telle sépulture, pour quelqu'un ayant le rang d'Henry, nous ridiculiserait aux yeux du monde.

— Quel monde ? s'enquit Bodrugan. Le vôtre englobe-t-il toute l'Angleterre ou seulement le Devon ? »

Matilda devint écarlate :

« Nous ne savons que trop à qui est allée votre allégeance durant ces sept dernières années ! lui lança-t-elle. Vous souteniez une reine adultère contre son fils, le roi légitime. Sans doute votre attachement va-t-il à tout ce qui est français, aussi bien à des moines dissolus relevant d'un ordre étranger qu'aux forces d'invasion si elles venaient à passer la Manche ! »

Son mari lui posa une main sur l'épaule, cherchant à l'apaiser :

« Raviver de vieilles blessures est inutile, dit-il. La part qu'a prise Otto dans cette rébellion n'a rien à faire ici. Sur un point toutefois, continua-t-il en regardant Bodrugan, Matilda a raison. Il ne serait guère politique qu'un Champernoune fût enterré au milieu de moines français. Mieux vaudrait, de beaucoup, que vous le laissiez inhumer à Bodrugan, dont Joanna détient une part dans sa dot. Ou je préférerais encore pour lui qu'il repose à Bere, dont nous sommes en train de reconstruire l'église. Après tout, Henry est mon cousin et notre parenté est presque aussi proche que la vôtre.

— Oh ! pour l'amour du Ciel, intervint Isolda avec impatience, laissez donc Henry être enterré où il le veut ! Faut-il nous conduire comme des bouchers se disputant à propos d'une bête qui n'est pas encore abattue ? »

C'était la première fois que j'entendais sa voix. Comme les autres, elle parlait en français, avec la même intonation nasale, mais peut-être parce qu'elle était plus jeune qu'eux et que j'avais un parti pris à son endroit, je trouvai sa voix plus claire, plus musicale que les leurs. Matilda fondit brusquement en larmes, à la consternation de son mari, tandis que Bodrugan gagnait lentement la fenêtre et regardait au-dehors d'un air mélancolique. Quant à Isolda, qui avait acusé l'incident, elle se mit à frapper du pied, d'un air impatienté, tandis qu'une expression de mépris se peignait sur son visage.

Je regardai Roger debout près de moi. Je vis qu'il avait grand-peine à réprimer un sourire, mais il y parvint et fit alors un pas en avant pour déclarer d'un ton d'extrême respect :

« Si vous le désirez, je m'en vais prévenir Milady de l'arrivée de Sir Otto ? »

Il semblait ne s'adresser à personne en particulier, mais j'eus le sentiment qu'il regardait Isolda.

Nul ne lui répondit ; considérant ce silence comme un acquiescement, Roger s'inclina et sortit. Il gravit l'escalier extérieur menant à la chambre du haut et je l'y suivis de près, comme si quelque invisible lien nous attachait l'un à l'autre.

Il entra sans frapper, écartant la lourde tenture qui masquait l'intérieur de la pièce, moitié moins grande que le hall du rez-de-chaussée et dont la majeure partie était occupée par un lit à courtines. Les minuscules fenêtres, où du parchemin huilé tenait lieu de vitres, ne donnaient guère de lumière et les chandelles, allumées sur la table placée au pied du lit, projetaient sur les murs ocres des ombres monstrueuses.

Trois personnes se trouvaient là : Joanna, un moine et le mourant. Henry Champernoune était assis dans le lit, un gros oreiller le poussait en avant, au point que son menton reposait sur sa poitrine; un linge blanc noué autour de sa tête à la façon d'un turban, le faisait incongrûment ressembler à quelque cheikh arabe. Ses yeux étaient clos et, à en juger par la pâleur de son visage, il était sur le point d'expirer. Le moine était penché vers la table, occupé à remuer quelque chose dans un bol, et il tourna la tête à notre entrée. C'était le jeune homme aux yeux brillants que, lors de ma première visite au couvent, j'avais vu servir de secrétaire au prieur. Il ne dit rien, continuant de remuer le contenu du bol, et Roger se dirigea vers Joanna, assise à l'autre extrémité de la pièce. Parfaitement calme, sans la moindre trace de chagrin sur le visage, elle travaillait à un ouvrage de tapisserie.

« Ils sont tous là ? demanda-t-elle sans détourner les yeux du canevas.

— Tous ceux qui ont été mandés, oui, répondit l'intendant, et ils sont déjà en train de se disputer. Lady Ferrers a commencé par tancer les enfants parce qu'ils parlaient trop fort et maintenant elle se querelle avec Sir Otto, tandis que, à en juger par son air, Lady Carminowe voudrait bien être ailleurs. Sir John n'est pas encore arrivé.

— Je doute qu'il vienne, remarqua Joanna. Je l'avais laissé juge de la chose. S'il arrive trop tôt pour présenter ses condoléances, cela apparaîtra comme un excès de zèle de sa part et Lady Ferrers, sa sœur, sera la première à relever la chose pour semer le trouble.

— Elle le sème déjà, déclara l'intendant.

— Je le sais. Et plus vite nous en aurons fini, mieux cela vaudra pour tout le monde. »

Roger s'approcha du lit et considéra son occupant sans défense.

« Combien de temps encore ? demanda-t-il au moine.

— Il ne se réveillera plus. Vous pouvez le toucher si vous le voulez, il ne sentira rien. Nous attendons simplement que le cœur ait cessé de battre pour que Madame puisse annoncer sa mort. »

Détournant les yeux du lit, Roger vit les petits bols posés sur la table :

« Que lui avez-vous fait prendre ?

— La même chose que précédemment : une drachme d'un mélange composé en parties égales de jusquiame et de meconium ou suc de pavot. »

Roger regarda Joanna :

« Mieux vaut que j'emporte tout cela, afin d'éviter qu'on entame une discussion à propos du traitement. Lady Ferrers parle de consulter son médecin. Ils n'oseront guère aller à l'encontre de vos désirs, mais cela pourrait entraîner des complications. »

Toujours occupée avec ses soies, Joanna haussa les épaules :

« Emportez les ingrédients si vous voulez, dit-elle, encore que nous ayons vidé les liquides dans la gouttière. Prenez aussi les récipients si vous estimez que c'est plus sûr, mais je ne pense pas que frère Jean ait à redouter quoi que ce soit. Il a été d'une discrétion absolue. »

Elle sourit au jeune moine, lequel la gratifia en retour d'un regard de ses yeux expressifs et je me demandai si lui aussi, tout comme Sir John l'absent, avait profité des faveurs de la dame durant la maladie du mari. Roger et le moine firent un paquet des bols en les fourrant dans un sac, tandis qu'un bruit de voix parvenant du rez-de-chaussée me donnait à penser que Lady Ferrers se retrouvait d'attaque après sa crise de larmes.

« Comment mon frère Otto prend-il la chose ? s'informa Joanna.

— Il n'a fait aucun commentaire lorsque Sir William a estimé préférable que l'inhumation ait lieu dans la chapelle de Bodrugan plutôt que dans celle du couvent. Du coup, Sir William a proposé sa propre église de Bere comme alternative.

— Dans quel but ?

— Pour se mettre en évidence, peut-être... qui sait ? Mais je vous le déconseille. Une fois qu'ils auraient le corps de Sir Henry entre leurs mains, ils seraient capables de vous occasionner des ennuis. Tandis que la chapelle du couvent...

— Oui, ce serait parfait. Nous respecterions les volontés de Sir Henry et serions tranquilles. Je compte sur vous, Roger, pour veiller à ce que nous n'ayons pas de complications du côté des manants. Les gens n'aiment guère le couvent...

— Il n'y aura aucune complication s'ils sont bien traités à l'occasion des funérailles, répondit l'intendant. La promesse d'une diminution des tailles et le pardon de tous les délits devraient suffire à les contenter.

— Espérons-le, dit Joanna qui, repoussant le métier de côté, se leva pour s'approcher du lit. Vit-il encore ? » demanda-t-elle.

Le moine prit entre ses doigts le poignet inerte et chercha le pouls, puis se pencha pour écouter le cœur du moribond.

« A peine, répondit-il. Vous pouvez allumer les cierges si vous voulez; le temps d'appeler la famille et ce sera fini. »

Ils auraient aussi bien pu parler d'un meuble hors d'usage que d'un homme sur le point de mourir. Joanna retourna près de son fauteuil prendre un voile noir qu'elle drapa autour de sa tête et de ses épaules. Après quoi, elle se servit d'un miroir à main en argent pour juger de l'effet.

« Comme ça, demanda-t-elle à l'intendant, ou bien rabattu sur le visage ?

— Mieux vaut qu'on ne voie pas votre visage, lui dit-il. A moins que vous ne vous sentiez capable de pleurer à volonté.

— Je n'ai pas pleuré depuis le jour de mon mariage », lui déclara-t-elle.

Le moine joignit les mains du mourant sur sa poitrine et lui noua une mentonnière. Il recula d'un pas pour juger de l'effet, puis paracheva son œuvre en plaçant un crucifix entre les mains jointes.

Pendant ce temps, Roger remettait de l'ordre sur la table.

« Combien de cierges vous faut-il ?

— Cinq le jour de la mort, répondit le moine, en souvenir des cinq blessures de Notre-Seigneur Jésus-Christ. Avez-vous un dessus de lit noir ?

— Dans le coffre qui est là », le renseigna Joanna.

Tandis que le moine et l'intendant drapaient l'étoffe funèbre sur le lit, elle se regarda une dernière fois dans le miroir avant de se voiler le visage.

« Si je puis me permettre, murmura le moine, cela ferait meilleure impression que Madame soit agenouillée près du lit et moi, debout au pied. Puis quand la famille arrivera, je pourrai réciter les prières pour les défunts. A moins que vous ne préfériez laisser ce soin au curé ?

— Il est bien trop ivre pour même pouvoir gravir l'escalier, dit Roger. Si Lady Ferrers le voit, il est fini !

— Alors passons-nous de lui, décida Joanna. Roger,

voulez-vous descendre les prévenir ? Commencez par William, puisque c'est lui l'héritier. »

Elle s'agenouilla près du lit et baissa la tête, comme abîmée dans son chagrin, mais elle la releva avant que nous quittions la pièce pour dire à l'intendant, par-dessus l'épaule :

« Lorsque mon père est mort à Bodrugan, mon frère Sir Otto en a eu pour près de cinquante marcs, sans compter les bêtes tuées pour le festin d'enterrement. Nous ne devons pas être en reste. Ne regardez pas à la dépense. »

Roger laissa retomber la tenture et je le suivis dans l'escalier. Le contraste entre l'obscurité de la chambre et l'éclatante journée qu'il faisait au-dehors dut le frapper autant que moi, car il s'immobilisa en haut des marches pour contempler, par-dessus le mur d'enceinte, les eaux brasillantes de l'estuaire. Le bateau de Bodrugan qui était à l'ancre, avait ramené ses voiles; à l'arrière, dans une petite embarcation, un des matelots godillait en quête de poisson. Les jeunes gens de la maison avaient descendu la colline afin d'admirer le bateau de leur oncle. Henry, le fils de Bodrugan, pointait le doigt pour montrer quelque chose à son cousin William, tandis que les chiens bondissaient autour d'eux en aboyant de temps à autre.

Plus que jamais encore, je mesurai en cet instant tout ce qu'avait de fantastique, et même de macabre, ma présence parmi eux. Invisible, pas encore né, monstrueux jouet du temps, j'étais témoin d'événements qui s'étaient passés plusieurs siècles auparavant et dont il n'avait été conservé aucune trace. Je me demandai pour quelle raison tandis que j'étais là dans l'escalier, invisible mais présent, je me sentais tellement concerné et troublé par ces amours et ces morts. L'homme qui était en train d'expirer aurait pu appartenir à mon propre passé, à ma jeunesse... Mon père était mort au printemps, lorsque j'avais à peu près l'âge du jeune William. Il était mort en se battant contre les Japonais et le câble était arrivé d'Extrême-Orient juste comme ma mère et moi finissions de déjeuner, dans un hôtel du pays de Galles où nous passions les vacances de Pâques. Ma mère était montée aussitôt s'enfermer dans sa chambre et j'étais demeuré à errer autour de l'hôtel, conscient du malheur qui venait de me frapper mais incapable de pleurer, et n'osant rentrer dans le hall parce que j'appréhendais le regard empreint de compassion que me jetterait l'employée de la réception.

Roger, portant le sac où étaient les bols tachés par les jus d'herbes, descendit dans la cour et, passant sous une arche, gagna la cour adjacente qui était celle des écuries. Tous les serviteurs de la maison semblaient s'être rassemblés là mais, à l'approche de l'intendant, ils cessèrent leurs bavardages et se dispersèrent, sauf un garçon que j'avais déjà vu le premier jour et que sa ressemblance avec mon cavalier me disait être le frère de Roger. D'un signe de tête, ce dernier l'appela près de lui.

« C'est fini, dit-il. Prends un cheval et va tout de suite au couvent prévenir le prieur, afin qu'il fasse sonner le glas. A l'appel de la cloche, le travail cessera et l'on se rassemblera sur le communal. Dès que tu auras délivré ce message au prieur, reviens vite ici où tu rangeras ce sac dans la cave, après quoi tu attendras mon retour. J'ai beaucoup à faire et serai peut-être absent toute la nuit. »

Le jeune homme acquiesça et disparut à l'intérieur des écuries. Roger passa de nouveau sous l'arche pour regagner la cour principale. Otto Bodrugan se tenait devant l'entrée de la maison. Roger marqua une hésitation, puis se dirigea vers lui.

« Milady vous demande de monter la rejoindre avec Sir William, Lady Ferrers et Lady Isolda. Je vais appeler William et les enfants.

— Sir Henry est plus mal ? s'enquit Bodrugan.

— Il est mort, Sir Otto. Voici cinq minutes à peine... sans reprendre conscience... très calmement, dans son sommeil.

— J'en suis peiné, dit Bodrugan, mais c'est mieux ainsi. Je prie Dieu que vous et moi partions aussi paisiblement quand notre heure viendra, même si nous ne le méritons point. »

Les deux hommes se signèrent et je fis machinalement comme eux.

« Je vais prévenir les autres, reprit Bodrugan. Lady Ferrers aura peut-être une crise de nerfs, mais peu importe. Comment est ma sœur ?

— Très calme, Sir Otto.

— Je m'y attendais. »

Bodrugan marqua un temps en faisant demi-tour pour rentrer dans la maison.

« Vous savez sans doute, dit-il avec quelque chose d'hésitant dans le ton, que William étant mineur va devoir forfaire ses terres au roi jusqu'à ce qu'il ait atteint sa majorité ?

— Oui, Sir Otto.

— En des circonstances ordinaires, ce ne serait guère qu'une formalité, poursuivit Bodrugan, et étant l'oncle par alliance de William, donc son tuteur légal, je serais chargé d'administrer ses biens sous la suzeraineté du roi. Mais nous ne nous trouvons pas dans des circonstances ordinaires, à cause de la part que j'ai prise à la prétendue rébellion. »

L'intendant garda un visage impénétrable et un silence empreint de discrétion.

« En conséquence, conclut Bodrugan, il est probable qu'on choisira pour dévolutaire quelqu'un tenu en plus haute estime que moi... et, sans aucun doute, ce sera son cousin, Sir John Carminowe. Auquel cas, je suis sûr qu'il saura arranger les choses au mieux pour ma sœur. »

98

Son ton était empreint d'une indubitable ironie.

Roger inclina la tête sans répondre, et Bodrugan rentra dans la maison. Un sourire de satisfaction s'épanouit lentement sur les lèvres de l'intendant, mais s'effaça aussitôt car les jeunes Champernoune revenaient dans la cour en compagnie de leur cousin Henry; ayant momentanément oublié la proximité de la mort, ils bavardaient gaiement. Henry, le plus âgé du groupe, fut le premier à sentir intuitivement ce qui venait d'arriver. Il dit aux trois autres de se taire tout en faisant signe à William d'approcher. Sur le visage du jeune Champernoune je vis la joyeuse insouciance faire place à l'appréhension, et devinai quelle soudaine angoisse devait lui nouer l'estomac.

« Mon père ? » questionna-t-il.

Roger acquiesça.

« Montez rejoindre votre mère en emmenant votre frère et votre sœur avec vous. Souvenez-vous que vous êtes l'aîné. Votre mère aura besoin de s'appuyer sur vous dans les jours à venir. »

Le garçon saisit le bras de l'intendant :

« Vous allez rester avec nous, n'est-ce pas ? Et mon oncle Otto également ?

— Nous verrons, répondit Roger. Mais, à partir de maintenant, vous êtes le chef de famille. »

William fit un suprême effort pour reprendre le contrôle de soi. Se tournant vers ses cadets, il leur dit : « Notre père est mort. Venez avec moi », et il entra dans la maison, extrêmement pâle, mais la tête haute.

Saisis, les enfants firent comme il leur avait dit en prenant la main de leur cousin Henry. Regardant alors Roger, je vis pour la première fois sur son visage une sorte de compassion empreinte de fierté. Le garçon, qu'il devait connaître depuis le berceau, venait de s'affirmer digne de son rang. Roger attendit un instant, puis suivit le petit groupe.

Le hall me parut désert. Près de la cheminée, une tapisserie avait été repoussée de côté, démasquant un petit escalier qui menait à la chambre du dessus. C'était par là que Bodrugan et les Ferrers avaient dû monter, et les enfants firent de même. J'entendis le frottement des chaussures au-dessus de ma tête, puis il y eut un silence que suivit le murmure du moine récitant : « *Requiem aeternam done eis Domine; et lux perpetua luceat eis.* »

J'ai dit que le hall m'avait paru désert et c'était vrai à l'exception d'une mince silhouette vêtue de lilas; Isolda était la seule à n'être pas montée dans la chambre mortuaire. A sa vue, Roger s'était immobilisé sur le seuil, avant de s'approcher d'elle avec déférence :

« Lady Carminowe ne désire pas aller se recueillir avec le reste de la famille ? » s'enquit-il.

Isolda n'avait pas pris garde à sa présence; en l'entendant lui parler, elle tourna la tête et le regarda bien en face. Il y avait tant de froideur dans ses yeux que, debout près de l'intendant, j'eus l'impression qu'elle nous englobait tous deux dans le même mépris.

« Je n'ai pas pour habitude de tourner la mort en dérision », dit-elle.

Si Roger fut surpris, il n'en laissa rien paraître et assura avec autant de déférence que précédemment :

« Sir Henry vous serait reconnaissant de prier pour lui.

— Je le faisais depuis des années », répondit-elle, et avec encore plus de ferveur ces dernières semaines.

Il y avait dans sa voix une âpreté dont l'intendant devait avoir encore bien plus conscience que moi-même.

« Sir Henry était malade depuis son pèlerinage à Compostelle, fit-il remarquer. On dit que Sir Ralph de Beaupré souffre actuellement du même mal. C'est une fièvre dévorante, pour laquelle il n'existe point de remède. Sir Henry avait si peu souci de lui-même qu'on avait du mal à le soigner, mais je puis vous assurer que tout le possible a été fait.

— A ce que je sais, Sir Ralph de Beaupré a conservé toutes ses facultés en dépit de la fièvre, rétorqua Isolda. Mais pas mon cousin. Depuis plus d'un mois, il ne reconnaissait aucun d'entre nous; pourtant il n'avait pas tellement de fièvre car son front était frais.

— Il n'y a pas deux hommes chez qui la maladie évolue de la même façon, déclara Roger. Ce qui sauve l'un nuit à l'autre. C'est un bien grand malheur que Sir Henry n'ait plus eu ses esprits.

— Les potions qu'on lui a données ont contribué à les lui faire perdre. Ma grand-mère, Isolda de Cardinham, avait un ouvrage sur les herbes, écrit par un savant docteur qui était allé aux Croisades, et elle me l'a légué en mourant, parce que je portais le même prénom qu'elle. Je connais donc bien le pavot noir et ses graines, le persil des marais, la mandragore, et le sommeil qu'ils provoquent. »

Saisi, Roger en oublia son attitude déférente et fut un moment avant de répliquer :

« Ces herbes sont employées par tous les apothicaires pour alléger la souffrance. Le moine, Jean de Meral, a été formé à la maison-mère d'Angers et est très versé en ces matières. Sir Henry avait en lui une foi implicite.

— Je ne doute pas de la foi de Sir Henry, des connaissances du moine ni de son zèle à les mettre en œuvre, mais une plante bienfaisante peut devenir nocive à trop forte dose. »

Elle le défiait et il ne l'ignorait pas. Je me rappelai la table au pied du lit et les bols qui y étaient posés, maintenant soigneusement enveloppés dans un sac et emportés.

« Cette maison est plongée dans le deuil et le restera

durant plusieurs jours. C'est à Milady qu'il vous faut parler de tout ça et non à moi. Ce n'est pas mon affaire.

— Ni la mienne non plus, rétorqua Isolda. Je n'ai parlé que par attachement pour mon cousin et parce que je ne me laisse pas facilement abuser. Vous pourrez vous en souvenir. »

Au-dessus d'eux, un enfant se mit à pleurer et le murmure des prières s'interrompit, cependant qu'un bruit de course précipitée atteignait l'escalier. L'instant d'après, la fille de la maison — qui ne devait pas avoir plus de dix ans — survint en courant dans le hall et se jeta dans les bras d'Isolda.

« Ils disent qu'il est mort, lui confia-t-elle, haletante. Et pourtant, il a ouvert les yeux et m'a regardée, l'espace d'un instant, puis il les a fermés de nouveau. Personne d'autre que moi ne s'en est aperçu, car ils étaient trop occupés à prier. A-t-il voulu me dire que je devais le suivre dans la tombe ? »

Tout en serrant l'enfant contre elle en un geste protecteur, Isolda n'avait cessé de regarder Roger et elle lui lança soudain :

« Si hier ou aujourd'hui quelque chose de mal a été perpétré ici, vous en serez tenu responsable avec les autres le moment venu. Pas en ce monde, où la preuve fait défaut, mais dans l'autre, devant Dieu. »

Impulsivement, Roger fit un pas en avant, pour la faire taire ou lui prendre l'enfant, me sembla-t-il. Alors je voulus m'interposer et l'en empêcher, mais une dalle disjointe me fit tomber. Et il n'y avait plus autour de moi que des monticules de terre et des touffes d'herbe, un buisson d'ajoncs épineux, les racines d'un vieil arbre; derrière moi, une grande excavation circulaire, ressemblant à une carrière à ciel ouvert, était pleine de débris d'ardoise et de boîtes de conserve vides. Pris de violentes nausées, je me cramponnai aux racines cependant que j'entendais le train passer au-dessous de moi dans la vallée.

VII

CREUSÉE au flanc de la colline, la carrière avait des parois abruptes tapissées de lierre et de houx, des détritus de plusieurs années y étaient mêlés à la terre et aux pierres. Le sentier qui s'en éloignait menait à une excavation plus petite, puis à une autre, et à une troisième encore, toutes environnées de tertres herbeux ou de creux semblables à des rigoles. Les ajoncs étaient partout, masquant la vue; le vertige que j'éprouvais m'empêchant de voir, je ne cessais de trébucher, l'esprit obnubilé par une seule pensée : sortir de ce terrain vague et retrouver ma voiture. Il fallait absolument que je retrouve ma voiture.

Je m'agrippai aux branches d'un arbuste pour recouvrer mon équilibre; à mes pieds, je voyais encore des vieilles boîtes de conserve, un lit-cage défoncé, un pneu hors d'usage et toujours des touffes de lierre ou de houx. Mes membres avaient retrouvé le sens du toucher mais, comme je repartais en chancelant, mon vertige s'accrut en même temps que la nausée et je glissai dans un autre trou où je demeurai haletant, l'estomac houleux. Je vomis avec violence, ce qui me procura un soulagement momentané; je pus me redresser et escalader un autre monticule. Je constatai alors que je me trouvais seulement à quelques centaines de mètres de la haie contre laquelle je m'étais assis pour fumer une cigarette. Ces monticules et ces excavations étaient alors dissimulés à ma vue par un repli du terrain. Je regardai une fois de plus dans la vallée, et vis la queue du train disparaître au tournant en direction de Par. Je me faufilai dans une ouverture de la haie et traversai l'autre champ pour rejoindre ma voiture.

Comme j'atteignais l'accotement où je l'avais laissée, je fus submergé par une nausée encore plus violente que la précédente et je vomis de nouveau en me cramponnant aux planches et aux pierres entassées là, cependant que le sol et le ciel se mettaient à tourner autour de moi. Le vertige qui m'avait assailli la première fois, dans le pàtio, n'était rien en comparaison de celui-ci, et tandis que je demeurais effondré sur les madriers en attendant que cela passe, je me répétais : « Jamais plus... jamais plus... » avec l'ardente obstination de quelqu'un émergeant d'une anesthésie.

Avant de m'effondrer, je m'étais vaguement rendu compte qu'une autre voiture était garée sur l'accotement près de la mienne, et après ce qui me sembla être une éternité, lorsque la nausée et le vertige cessèrent, je me mouchai en toussant. J'entendis alors claquer une portière et j'eus conscience que le propriétaire de l'autre voiture s'approchait de moi :

« Ça va maintenant ? me demanda-t-il.

— Oui, dis-je. Je crois que oui. »

Je me redressai, les jambes flageolantes, et il me tendit la main pour m'aider. Il me parut avoir, comme moi, une quarantaine d'années. Son visage était sympathique et sa poigne, solide.

« Vous avez vos clefs ?

— Mes clefs... »

Je fouillai ma poche en quête des clefs de la voiture. Seigneur ! Si je les avais perdues dans la carrière ou parmi tous ces monticules, je ne les aurais peut-être jamais plus retrouvées. Elles étaient dans la même poche que la fiole. J'en éprouvai un tel soulagement que je me sentis de nouveau d'aplomb et me dirigeai sans aide vers ma voiture. Là, toutefois, je tâtonnai sans parvenir à mettre la clef dans la serrure.

« Donnez-la-moi, je vais ouvrir, dit mon Samaritain.

— C'est très aimable à vous... Je m'excuse...

— Oh ! j'ai l'habitude, me dit-il. Je suis médecin. »

Je sentis mon visage se figer, puis se fendre vivement d'un sourire tendant à désarmer mon interlocuteur. L'obligeante assistance d'un automobiliste de passage était une chose, l'attention professionnelle d'un médecin en était une autre. Et il était précisément en train de me considérer avec intérêt, ce qui n'avait rien de surprenant. Je me demandai ce qu'il pouvait penser.

« Le fait est, dis-je, que j'ai dû remonter la colline trop rapidement. En arrivant au sommet, je me suis senti un peu étourdi, et puis j'ai vomi sans pouvoir m'en empêcher.

— Oh ! dit-il, cet accotement en a vu d'autres. Autant vomir là qu'ailleurs, car vous n'avez pas idée de ce qu'on y trouve durant la saison touristique ! »

Je ne l'abusais cependant pas. Son regard fixé sur moi était particulièrement pénétrant. Je me demandai s'il distinguait les contours de la fiole dans ma poche de veston.

« Devez-vous aller loin ? me demanda-t-il.

— Non, même pas quatre kilomètres.

— Dans ce cas, il serait peut-être plus raisonnable de laisser votre voiture ici et que je vous reconduise chez vous dans la mienne ? Vous pourrez toujours l'envoyer chercher ensuite.

— C'est très aimable à vous, dis-je, mais je vous assure que je me sens maintenant parfaitement bien. Ce n'était qu'un malaise passager.

— Hum, fit-il. Mais assez violent quand même.

— Sincèrement, je me sens bien. C'est peut-être quelque chose que j'ai mangé à midi et puis aussi d'avoir gravi la colline un peu vite...

— Ecoutez, m'interrompit-il, vous n'êtes pas de mes malades et je ne cherche pas à vous coller une ordonnance. Je vous préviens simplement qu'il peut être dangereux pour vous de conduire maintenant.

— Oui, dis-je, et je vous en sais gré. »

De fait, il pouvait avoir raison. La veille, je m'étais rendu à Saint-Austell en voiture et j'en étais revenu sans la moindre anicroche. Mais aujourd'hui ce pouvait être différent. Le vertige pouvait me reprendre. Le médecin dut remarquer mon hésitation, car il me dit :

« Si vous préférez, je vous suivrai avec ma voiture, à seule fin d'être sûr que tout se passe bien. »

Lui refuser cela eût été l'inciter au soupçon.

« Vous êtes vraiment très obligeant, lui dis-je. Je ne dois aller que jusqu'en haut de la colline de Polmear.

— C'est de mon côté, déclara-t-il en souriant. J'habite à Fowey. »

Je m'assis dans ma voiture avec précaution et la dégageai de l'accotement. Le médecin me suivit à courte distance et je me dis que si je m'en allais dans la haie, j'étais cuit. Mais je remontai l'étroit chemin sans difficulté et poussai un soupir de soulagement quand j'atteignis la grand-route où je me lançai à l'assaut de la colline de Polmear. Quand je tournai à droite, pour aller à Kilmarth, je pensai qu'il me suivrait jusqu'à la maison, mais il se borna à agiter la main et continua en direction de Fowey. Voilà qui, à tout le moins, témoignait de sa discrétion. Il pensait peut-être que je séjournais à Polkerris ou dans une des fermes proches. Je franchis le portail, roulai dans l'allée et rangeai ma voiture dans le garage, puis gagnai la maison où je vomis de nouveau.

Quand je me ressaisis, bien qu'encore un peu chancelant, j'eus pour premier souci de laver la fiole. Je descendis donc au laboratoire où je la mis à tremper dans l'évier. Il était plus prudent de le faire là que dans la cuisine. Ce fut seulement lorsque je me retrouvai au rez-de-chaussée et me laissai choir, épuisé, dans un fauteuil de la salle de musique que je repensai au sac contenant les bols. L'avais-je oublié dans la voiture ?

Il importait que les bols fussent nettoyés avec encore plus de soin que la fiole, puis enfermés quelque part à clef. Je fus sur le point de me lever pour descendre voir dans le garage, puis je me rendis compte avec un brusque sentiment d'appréhension, comme si non seulement mon estomac mais aussi mon cerveau venait de se libérer en vomissant, que j'avais failli confondre le passé et le présent. Les bols avaient été confiés non pas à moi, mais au frère de Roger.

Je demeurai assis, parfaitement immobile, cependant que mon cœur battait à grands coups. Jusqu'alors, il ne s'était produit en moi aucune confusion, les deux mondes restaient bien distincts. Etait-ce parce que la nausée et le vertige avaient été si violents que le passé et le présent s'étaient soudés dans ma pensée ? Ou bien avais-je mal compté les gouttes et absorbé une trop forte dose de la drogue ? Aucun moyen de le savoir. Je me cramponnai aux bras du fauteuil, qui étaient solides, réels. Autour de moi, tout était réel. Ce retour à la maison, avec le docteur qui me suivait, la carrière pleine de vieilles boîtes de conserve, tout cela était bien réel. Mais pas la Maison sur le Rivage et les gens qui s'y trouvaient, ni le vieil homme agonisant, ni le moine, ni les bols dans le sac... Ils étaient tous issus de la drogue, cette drogue qui troublait la clarté de l'esprit.

Je commençais à me sentir furieux, non point tant contre moi-même, le cobaye consentant, que contre Magnus. Il n'était pas sûr de ses conclusions, et ne savait trop ce qu'il avait découvert. Je ne m'étonnais pas qu'il m'eût demandé de lui expédier le flacon B pour en essayer le contenu sur un singe. Il avait pressenti que quelque chose n'allait pas et, maintenant, je pouvais lui dire ce que c'était. Il ne s'agissait ni de l'exaltation ni de la dépression que l'on pouvait éprouver après coup, mais d'une confusion de pensées qui vous faisait mélanger les deux mondes. Assez comme ça ; j'en avais ma suffisance. Magnus ferait ses expériences sur une douzaine de singes si ça lui chantait, mais plus sur moi.

Le téléphone se mit à sonner et je me levai d'un bond pour aller répondre dans la bibliothèque. Le diable l'emporte avec ses dons de télépathie ! Il allait me dire qu'il savait où j'étais allé, qu'il connaissait la maison au-dessus de l'estuaire, que je n'avais pas d'inquiétude à avoir, que je ne courais aucun risque aussi longtemps que je ne touchais personne. Si je me sentais malade ou l'esprit confus, ce n'était qu'un effet postopératoire sans importance. Eh bien, j'allais le détromper !

Je saisis le combiné et quelqu'un me dit :

« Ne quittez pas, je vous prie... Demandeur, parlez... »

J'entendis un déclic quand Magnus prit la communication.

« Le diable t'emporte, lui dis-je. C'est la dernière fois que je consens à faire le phoque savant ! »

A l'autre bout du fil, il y eut comme un hoquet de surprise, puis un rire :

« Merci pour l'accueil, mon chéri. »

C'était Vita. Je demeurai sidéré, l'écouteur plaqué contre mon oreille. Sa voix faisait-elle partie de la confusion régnant dans mon esprit ?

« Chéri ? répéta-t-elle. Tu es là ? Quelque chose ne va pas ?

— Non, répondis-je, tout va bien, mais que se passe-t-il ? D'où me téléphones-tu ?

— De l'aéroport de Londres. J'ai pris un avion qui partait plus tôt, c'est tout. Bill et Diana viennent me chercher et m'emmènent dîner. Alors j'ai pensé que tu pourrais téléphoner à l'appartement, dans la soirée, et te demander pourquoi je ne répondais pas. Si tu as été saisi en m'entendant, excuse-moi...

— C'est fini, n'en parlons plus. Comment vas-tu ?

— Bien, dit-elle, très bien. Mais toi ? A qui croyais-tu parler quand tu as pris la communication ? Tu ne paraissais pas très content...

— A la vérité, j'ai cru que c'était Magnus qui m'appelait. Il m'a chargé d'un boulot... Mais je t'ai écrit tout ça dans ma lettre que tu recevras seulement demain matin. »

Elle eut un rire dont je reconnus l'inflexion et qui voulait dire : « C'est bien ce que je pensais ! »

« Ainsi donc, ton professeur t'a collé des devoirs de vacances ? Ça ne m'étonne pas. Que t'oblige-t-il à faire pour que tu te sentes transformé en phoque savant ?

— Oh ! des trucs qui n'en finissent pas, des choses à trier... Je te raconterai ça lorsque je te verrai. Quand les garçons seront-ils là ?

— Demain. Leur train arrive le matin, à une heure impossible. Je crois que je les embarquerai aussitôt dans une voiture pour venir te rejoindre. Ça demande combien de temps ?

— Attends... Justement..., ce n'est pas prêt pour te recevoir... Je t'explique tout dans ma lettre. Il vaut mieux remettre ça après le week-end. »

Au silence qui s'établit à l'autre bout du fil, je compris que c'était la boulette.

« Pas prêt ? répéta Vita. Mais ça doit faire plus de cinq jours que tu es là-bas ? Je croyais que tu t'étais entendu avec une femme qui devait venir pour faire la cuisine, les lits, le ménage, etc. Elle nous a fait faux bond ?

— Non, pas du tout. Elle est même très bien, on

ne peut mieux... Ecoute, ma chérie, je ne peux pas t'expliquer au téléphone, d'autant que tout ça est dans ma lettre... La vérité, c'est que nous ne t'attendions pas avant lundi au plus tôt.

— Nous ? Tu ne veux pas dire que le professeur est là aussi ?

— Non, non... (Je sentais croître notre irritation à l'un comme à l'autre.) J'entends : Mrs. Collins et moi. Elle ne vient que le matin — elle fait le parcours à bicyclette depuis Polkerris, le petit village qui est en bas de la colline — et les lits ne sont pas aérés ni rien. Elle sera très contrariée si tout n'est pas absolument comme il faut et tu sais bien comment tu es toi-même : si tu ne trouves pas la maison parfaitement briquée quand tu arriveras, tu la prendras en grippe.

— Allons donc, c'est ridicule ! Je suis prête à camper s'il le faut et les garçons aussi. Nous pouvons apporter des provisions avec nous, si c'est cela qui te tracasse. Et des couvertures aussi. Y a-t-il assez de couvertures ?

— Oui. Quantité de couvertures et quantité de provisions. Ma chérie, ne complique pas les choses. Si tu viens tout de suite, tu vas déranger. J'en suis navré, mais c'est la vérité.

— O.K. ! »

L'intonation du K. m'indiquait nettement que Vita se trouvait à court d'arguments, mais n'en restait pas moins décidée à gagner la bataille.

« Tu feras bien de te chercher un tablier et un balai, me lança-t-elle comme ultime flèche. Je dirai à Bill et à Diana que tu t'es transformé en homme de ménage et passes ta soirée à quatre pattes ! Ils vont bien rire !

— Ce n'est pas que je ne brûle point de te revoir, ma chérie... »

Mais elle me jeta un « Au revoir ! » sans me laisser achever et je me dis que les choses n'auraient pu se passer plus mal. Vita venait de me raccrocher au nez et elle s'en allait maintenant au restaurant de l'aéroport se commander un scotch on-the-rocks, puis elle se mettrait à fumer rageusement une cigarette après l'autre en attendant l'arrivée de ses amis.

Enfin, bref, c'était comme ça... Vita avait écopé de ma colère contre Magnus, mais comment aurais-je pu me douter qu'elle arriverait plus tôt que prévu et me téléphonerait de façon aussi inattendue ? N'importe qui se trouvant dans ma situation aurait réagi avec humeur. Mais voilà, justement : n'importe qui ne pouvait se trouver dans ma situation, car elle était unique. Moins d'une heure auparavant, je vivais dans un autre monde, à une autre époque, ou bien je me l'étais imaginé sous l'effet de la drogue.

Je me mis à faire les cent pas de la bibliothèque à la salle de musique en traversant la petite salle à manger, puis rebroussant chemin, comme si j'avais arpenté le pont d'un navire. J'avais l'impression de n'être plus sûr de rien : ni de moi, ni de Magnus, ni de Vita, ni du monde auquel j'appartenais. Où étais-je à ma place : dans cette maison qu'on m'avait prêtée, dans mon appartement de Londres, dans le bureau que j'occupais avant de donner ma démission ou dans cette maison endeuillée qui était enfouie sous les siècles mais me paraissait si étrangement réelle ? Si j'étais résolu à ne plus retourner dans cette demeure du passé, pourquoi avais-je dissuadé Vita de venir me rejoindre le lendemain ? Le réflexe avait été immédiat et j'avais aussitôt trouvé les excuses nécessaires. Je savais que les nausées et les vertiges étaient susceptibles de me reprendre. Je savais la drogue dangereuse et qu'on ignorait quels effets elle pouvait avoir à retardement. Et j'aimais Vita, mais je n'avais pas voulu qu'elle vienne me rejoindre. Pourquoi ?

Saisissant de nouveau le combiné du téléphone,

j'appelai le numéro de Magnus. Pas de réponse. Pas de réponse non plus à la question que je me posais. Ce docteur au regard perspicace m'en aurait peut-être donné une... Que m'aurait-il dit ? Qu'une drogue hallucinogène peut avoir de curieux effets sur le subconscient, ramener à la surface tout ce qu'on y avait renfermé au long de sa vie, et qu'il valait donc mieux ne plus y toucher ? Réponse pleine de bon sens, mais qui ne pouvait me suffire. Je ne me débattais pas au milieu des fantômes de mon enfance. Les gens que j'avais vus n'étaient pas des ombres surgies de mon passé. Roger l'intendant n'était pas mon *alter ego*, ni Isolda une créature de rêve concrétisant mes aspirations. Ou bien n'étaient-ils que ça et étais-je en train de m'abuser ?

A deux ou trois reprises, je renouvelai mon appel sans arriver à joindre Magnus et, durant toute la soirée, je ne pus tenir en place, incapable aussi bien de lire un livre ou les journaux, que d'écouter des disques ou regarder la télévision. Finalement, ayant soupé de moi tout autant que de mon problème auquel il ne semblait pas y avoir de solution, je me couchai de bonne heure et dormis si bien que j'en demeurai stupéfait lorsque je me réveillai le lendemain matin.

Mon premier geste fut de téléphoner à l'appartement et j'attrapai Vita juste comme elle s'apprêtait à partir chercher les garçons.

« Chérie, commençai-je, je suis désolé pour hier... »

Mais je n'eus pas le loisir d'épiloguer davantage, car elle me dit être déjà en retard.

« Bon, alors quand veux-tu que je te rappelle ? lui demandai-je.

— Je ne peux pas te donner d'heure. Tout dépend des garçons, de ce qu'ils vont vouloir faire et de ce que je vais devoir leur acheter. Ils ont probablement besoin de jeans, de slips de bain, que sais-je ? Au fait, merci pour ta lettre. Ton professeur semble te tenir bien occupé.

— Ne parlons pas de lui... Comment a été ton dîner, avec Bill et Diana ?

— Oh ! très bien. Ils m'ont raconté un tas de potins ! Maintenant, il faut absolument que je file, si je ne veux pas que les garçons fassent le pied de grue à la gare de Waterloo !

— Embrasse-les pour moi ! » criai-je, mais elle avait déjà raccroché.

Enfin, elle paraissait être de bonne humeur. La soirée passée avec ses amis, suivie d'une bonne nuit de repos, avait dû lui changer les idées... et aussi ma lettre qu'elle semblait avoir bien prise. Quel soulagement ! Maintenant je pouvais de nouveau me détendre. Mrs. Collins toqua à la porte et entra avec le plateau du petit déjeuner.

« Vous me gâtez, lui dis-je. Il y a une heure que je devrais être levé.

— Oh ! vous êtes en vacances ! Vous n'avez aucune raison de vous lever de bonne heure, pas vrai ? »

Tout en buvant mon café, je repensai à ces dernières paroles. Non, je n'avais plus aucune raison de me lever de bonne heure. Je n'avais plus besoin de courir prendre le métro pour me rendre de West Kensington à Covent Garden, retrouver l'immuable fenêtre de mon bureau, la routine habituelle, les discussions concernant la publicité, les jaquettes, les nouveaux auteurs, les anciens... Ma démission avait mis un terme à tout cela. Je n'avais plus aucune raison de me lever de bonne heure. Mais Vita voulait que je remette ça de son côté de l'Atlantique. Le métro, les gens qui vous bousculent, un bureau dans un immeuble de trente étages, l'inévitable routine, les discussions concernant la publicité, les jaquettes, les anciens et les nouveaux auteurs... Autant de raisons de se lever de bonne heure...

Il y avait deux lettres sur le plateau du petit déjeuner. L'une était de ma mère, dans le Shropshire, qui me disait m'envier car je devais avoir beaucoup de soleil en Cornouailles ce qui est bien agréable. Son arthrite la faisait souffrir et ce pauvre vieux Dobsie devenait vraiment très sourd. (Dobsie était mon beau-père, son second mari et je ne m'étonnais pas qu'il fût sourd; ce devait être un réflexe défensif, ma mère n'arrêtant pratiquement pas de parler.) Et elle continuait ainsi, couvrant quelque huit pages de sa grosse écriture arrondie. Je me sentis mauvaise conscience en la lisant car cela faisait plus d'un an que je ne l'avais vue. Mais elle ne me reprochait jamais rien. Elle avait été ravie de mon mariage avec Vita et, pour Noël, elle envoyait toujours aux garçons un mandat que j'estimais beaucoup trop gros.

L'autre enveloppe, longue et étroite, renfermait deux feuilles dactylographiées et un mot griffonné par Magnus.

Cher Dick, me disait-il, *mon élève aux longs cheveux qui passe son temps au British Museum et aux Archives nationales m'a remis les documents ci-joints lorsque je suis arrivé ce matin pour faire mon cours. L'extrait du rôle des tailles est très instructif; l'autre document mentionne ton seigneur du patelin, Champernoune, et je crois que le remue-ménage fait autour du transfert de son corps t'amusera.*

Je penserai à toi tantôt et me demanderai si Virgile n'est pas en train de débaucher Dante. Surtout ne le touche pas, *car les conséquences pourraient être très déplaisantes. Garde tes distances et tout ira bien. Pour ton prochain voyage, je te conseille de rester à la maison.*

    Bien à toi,

                        MAGNUS.

J'examinai les documents. En haut de la première feuille, l'étudiant qui s'était occupé de ces recherches, avait écrit : *De l'évêque Grandisson d'Exeter. L'original est en latin. Excusez ma traduction.*

Je lus :

Grandisson. A.D. 1329. Couvent de Tywardreath. John, etc., à ses bien-aimés fils, les sires, prieur et religieux du couvent de Tywardreath, salut.

Comme ainsi est que, selon la sainte loi canonique, nul corps de fidèle défunt, une fois déposé en la paix de la sépulture consacrée par les rites de notre Sainte Mère l'Eglise, ne doit être exhumé sans l'autorisation et licence de ladite loi; néanmoins, est venu à notre connaissance que certains hommes, mus par les soucis des vains honneurs de ce monde plus que par la cure du salut des âmes, auraient entrepris de faire exhumer, au mépris des rites de la Sainte Eglise et sans notre licence et permission, le corps de feu Lord Henry Champernoune, chevalier, reposant en votre église, pour le transporter en autre lieu.

Pour cette raison, vous ordonnons, au nom de la sainte vertu d'obéissance, de vous opposer à ladite entreprise, aussi longtemps que les raisons de ladite exhumation ou de ce transfert ne nous auront été soumises pour obtenir notre approbation et autorisation. Ce vous enjoignons sous peine du salut de votre âme et de notre censure et excommunication.

Outre quoi faisons expresses défenses à tous et chacun de nos féaux, et spécialement à ceux qui auraient intention de perpétrer ledit crime et offense, d'apporter aucune aide, conseil ou complicité à ladite exhumation et transfert.

Donné sous notre scel, à Paignton, le 27ᵉ d'août, l'an de grâce 1329.

Magnus avait ajouté une note au bas de la feuille :

J'aime le style de l'évêque Grandisson. Mais de quoi s'agit-il ? D'une querelle de famille ou de quelque chose de plus sinistre dont l'évêque lui-même serait dans l'ignorance ?

Le second document était une liste de noms, en haut de laquelle il était écrit : « Rôle des tailles, 1327, paroisse de Tiwardrayd. Subside d'un vingtième de tout bien meuble... à verser par tous gens du peuple possédant des biens d'une valeur de dix shillings ou plus. »

Il y avait quarante noms en tout, en tête desquels figurait celui d'Henry Champernoune. Je parcourus les autres du regard. Le vingt-troisième était celui de Roger Kylmerth. Ce n'était donc pas une hallucination. Il avait réellement vécu.

du terrain; ces buttes devaient être des restes de murs recouverts par plusieurs siècles de végétation et les creux que, dans mon trouble, j'avais pris pour des trous, étaient tout simplement ce qui avait constitué les pièces de l'ancienne maison.

Les gens qui étaient venus là prendre des pierres et des ardoises pour construire leurs cottages, avaient de bonnes raisons d'agir ainsi. En creusant le sol qui devait recouvrir les fondations d'une maison depuis longtemps disparue, ils y trouvaient presque tous les matériaux dont ils avaient besoin. Et la carrière située derrière faisait partie de la même excavation. Maintenant qu'on n'y venait plus rien chercher, la carrière était devenue une fosse à ordures, où les ans et les pluies d'hiver rouillaient les vieilles boîtes de conserve.

Il n'y avait plus que moi pour venir là en quête de quelque chose; mais, comme m'en avait averti le fermier de Treesmill, je n'y trouverais rien. Je savais seulement que la veille, en un autre temps, j'avais été dans le hall voûté qui était l'arête principale de cette maison depuis longtemps disparue, que j'avais gravi l'escalier extérieur pour monter dans la chambre où j'avais vu mourir le maître de céans. A présent, plus de cours, ni de murs, ni de hall, ni d'écuries parderrière; rien que des monticules herbeux entre lesquels courait un sentier légèrement bourbeux.

Sur le devant, il y avait un espace bien plat, lisse et vert, qui jadis avait peut-être fait partie de la cour d'accès, et je m'assis là pour contempler la vallée audessous de moi, comme l'avait fait Bodrugan par la petite fenêtre du hall. Tiwardrai, la Maison sur le Rivage... Je me rappelai comme, en ce temps-là, le chenal tortueux demeurait bleu lorsque la marée descendait en découvrant de chaque côté des bancs de sable qui, sous le soleil, semblaient d'or bruni. Si le chenal était suffisamment profond, Bodrugan avait pu lever l'ancre cette nuit-là et gagner la mer; sinon, il avait dû retourner à bord pour y dormir parmi ses hommes et, à la pointe du jour, peut-être était-il ressorti sur le pont pour s'étirer en regardant la maison endeuillée.

J'avais fourré dans ma poche les documents arrivés par la poste. Je les en sortis pour les lire de nouveau.

Le commandement adressé par l'évêque Grandisson au prieur était daté d'août 1329. Sir Henry Champernoune était mort fin avril ou début mai. Le ménage Ferrers était sans aucun doute à l'origine de la tentative faite pour l'enlever à sa sépulture du couvent, et c'était Matilda qui avait dû marquer le plus d'acharnement en ce sens. Je me demandai qui avait bien pu en faire parvenir le bruit jusqu'aux oreilles de l'évêque et jouer ainsi de la fierté de prélat pour que le corps demeurât à l'abri de toute enquête ? Sir John Carminowe, très probablement, agissant de concert avec Joanna qui, sans aucun doute, partageait depuis longtemps sa couche.

Passant au rôle des tailles, je parcourus de nouveau la liste de noms, pointant ceux qui correspondaient à des lieux-dits mentionnés sur la carte routière que j'avais prise dans le casier à gants de la voiture. Ric Trevynor, Ric Trewiryan, Ric Trenathelon, Julian Polpey, John Polorman, Geoffrey Lampetho... Autant de noms qui, avec quelques variantes dans l'orthographe, étaient ceux de fermes indiquées sur la carte. Les hommes qui les habitaient plus de six siècles auparavant avaient légué leurs noms à la postérité; seul Henry Champernoune, le châtelain, n'avait laissé que des monticules herbeux sur lesquels, intrus d'un autre siècle, j'étais venu trébucher. Ils étaient tous morts depuis quelque six cents ans, y compris Roger Kylmerth et Isolda Carminowe. Ce qu'ils avaient pu rêver, comploter, accomplir n'avait plus d'importance, tout était oublié.

Je me remis debout et essayai de découvrir parmi

les monticules le hall où j'avais vu la veille Isolda, assise, accuser Roger de complicité de meurtre. Rien ne concordait. La nature n'avait que trop bien fait son travail, tant ici sur le flanc de la colline qu'au-dessus de moi, dans la vallée où s'étalaient jadis les eaux de l'estuaire. La mer s'était retirée des terres, l'herbe avait recouvert les murs, les hommes et les femmes qui autrefois marchaient là en contemplant l'eau bleue, n'étaient plus depuis longtemps que poussière.

Me détournant du panorama, je rebroussai chemin à travers champs. Je me sentais déprimé car la raison me disait que c'était la fin de l'aventure et quelque chose en moi s'insurgeait, détruisant ma tranquillité d'esprit. Pour le meilleur ou pour le pire, je brûlais de connaître la suite et je ne pouvais oublier qu'il me suffirait de tourner la clef dans la serrure du laboratoire pour reprendre le « voyage ». Cela ressemblait au choix qu'avait dû faire le premier homme : goûter ou non à l'Arbre du Savoir. Je remontai dans la voiture et rentrai à Kilmarth.

Je passai l'après-midi à rédiger pour Magnus un récit détaillé de la veille, et je lui dis aussi que Vita était à Londres. Puis je repartis en voiture mettre cette lettre à la poste de Fowey, où je pris des dispositions afin de louer un bateau, pour quand Vita et les garçons seraient là. Elle ne retrouverait pas le calme plat du détroit de Long Island, ni le luxe du yacht de son frère, mais ce geste marquerait mon désir de lui faire plaisir et les garçons en seraient ravis.

Ce soir-là, je ne téléphonai à personne et personne ne me téléphona, ce qui eut pour résultat que je dormis mal, me réveillant sans cesse et écoutant le silence. Je ne cessais de penser à Roger Kylmerth couchant au-dessus de la cuisine dans la ferme originelle, et je me demandais si son frère avait bien nettoyé les bols six cent quarante ans auparavant. Oui, il avait dû s'acquitter de cette tâche avec soin, puisque Henry

Champernoune était demeuré dans la chapelle du couvent jusqu'à ce que celle-ci tombe aussi en poussière.

Le lendemain matin, il ne fut pas question de petit déjeuner au lit car je ne tenais pas en place. Je buvais mon café sur la terrasse où donnait la porte-fenêtre de la bibliothèque lorsque le téléphone se mit à sonner. C'était Magnus.

« Comment te sens-tu ? me demanda-t-il d'emblée.

— Claqué. J'ai très mal dormi.

— Tu pourras rattraper ça plus tard en dormant tout l'après-midi dans le patio. Il y a des matelas pneumatiques dans la chaufferie. Je t'envie car, à Londres, on est en pleine vague de chaleur.

— Eh bien, pas en Cornouailles, et le patio me donne un sentiment de claustrophobie. As-tu reçu ma lettre ?

— Oui, c'est pour cela que je te téléphone. Félicitations pour ton troisième voyage. Ne te tracasse pas pour ce que tu as ressenti ensuite. Après tout, c'était de ta faute.

— Peut-être mais, en tout cas, pas la confusion d'esprit.

— Non, convint-il. Cette confusion m'a fasciné. Et aussi ce bond dans le temps. Il s'était écoulé au moins six mois entre ton second et ton troisième voyage. Tu ne sais pas ? J'ai bien envie de prendre une semaine et d'aller te rejoindre, pour que nous puissions effectuer ensemble le prochain voyage. »

Je fus emballé par cette perspective, mais retombai aussitôt à terre :

« C'est hors de question. Vita sera là avec les garçons.

— Nous nous débarrasserons d'eux. Nous les enverrons en excursion d'une journée aux Sorlingues ou au cap Land's End. Cela nous donnera le temps de faire ce que nous voulons.

— Oh ! non, je ne crois pas... je ne crois vraiment pas... »

Il connaissait mal Vita. Moi, je voyais déjà les complications.

« Enfin, ce n'est pas urgent... Mais ça pourrait être amusant. Et puis, j'aimerais bien jeter un coup d'œil à Isolda Carminowe. »

Son ton enjoué fut comme un baume sur mes nerfs et j'allai même jusqu'à sourire :

« C'est la petite amie de Bodrugan, pas la nôtre.

— Oui, mais pour combien de temps ? rétorqua-t-il. A cette époque, on était sans cesse à changer de partenaire. Je n'arrive toujours pas à bien la situer par rapport aux autres...

— Elle et William Ferrers semblent être des cousins des Champernoune.

— Et le mari d'Isolda, Oliver Carminowe, qui n'était pas hier au chevet du mourant, serait le frère de Matilda et de Sir John ?

— Apparemment, oui.

— Il faut que j'inscrive tout ça et demande à mon esclave de me fournir plus amples renseignements. En tout cas, je ne m'étais pas trompé en estimant que Joanna devait être une garce. »

Puis, changeant brusquement de ton, Magnus me dit :

« Tu es convaincu maintenant de l'effet de la drogue et que tu n'es pas en proie à des hallucinations ?

— Presque, répondis-je prudemment.

— Presque ? A défaut d'autre chose, n'as-tu pas les documents qui te le prouvent ?

— Les documents tendent à le prouver, oui. Mais n'oublie pas que tu les as lus avant moi. La possibilité subsiste donc que tu aies exercé sur moi quelque influence télépathique. Au fait, comment va le singe ?

— Le singe... (Il marqua un temps.) Le singe est mort.

— Eh bien, merci ! m'exclamai-je.

— Oh ! rassure-toi, ce n'est pas l'effet de la drogue.

Je l'ai tué à dessein, car j'ai à travailler sur son cerveau. Ça va demander un certain temps, alors ne sois pas impatient.

— Je ne suis nullement impatient, mais horrifié des risques que tu sembles prendre en ce qui concerne *mon* cerveau.

— Ton cerveau n'est pas comme le sien; tu peux endurer encore bien plus que ça. Et puis, songe à Isolda ! Quel splendide antidote contre Vita ! Tu pourrais même découvrir que... »

Je l'interrompis net, sachant exactement ce qu'il allait me dire.

« S'il te plaît, laisse de côté ma vie amoureuse, qui ne te regarde pas.

— Je voulais seulement te dire, mon cher garçon, que ce changement de monde peut se révéler très... stimulant. Cela se produit journellement, sans aucune drogue, lorsqu'un homme a sa femme chez lui et une maîtresse quelque part... Soit dit en passant, tu as fait une découverte majeure en te retrouvant dans la carrière qui est au-dessus de la vallée de Treesmill. Quand nous en aurons terminé, toi et moi, je dirai à mes amis archéologues d'entreprendre des fouilles à cet endroit. »

Tandis qu'il parlait, je fus frappé de constater combien nous différions d'attitude à l'égard de cette expérience. Lui la considérait de façon purement scientifique, sans y apporter le moindre sentiment, et ne se souciait pas que quelqu'un pût en pâtir du moment qu'il arrivait à prouver ce qu'il voulait établir. Tandis que moi, j'étais déjà pris dans les mailles de cette histoire; les gens qui n'étaient pour lui que des marionnettes d'un temps révolu m'apparaissaient à moi comme des êtres de chair et de sang. J'eus la vision de cette maison depuis longtemps disparue, soudain reconstituée en ciment, entrée deux shillings, parking à Chapelle Basse...

124

« Roger ne t'y avait jamais mené ? questionnai-je.

— Dans la vallée de Treesmill ? Non. Je ne me suis écarté qu'une seule fois de Kilmarth et c'est, comme je te l'ai dit, lorsque je suis allé au couvent. Je préférais rester sur mes terres. Je te raconterai tout ça quand je viendrai. Je vais passer le week-end à Cambridge, mais toi, tu as tout samedi et tout dimanche pour faire ce que tu voudras. Tu peux même sans risque augmenter un peu la dose. »

Il raccrocha avant que j'aie eu le loisir de demander son numéro de téléphone pour le cas où j'aurais besoin de le joindre pendant le week-end. J'avais à peine reposé le combiné téléphonique sur son support que la sonnerie retentit de nouveau. Cette fois, c'était Vita.

« Une communication qui n'en finissait pas, dit-elle. Je suppose que c'était ton professeur ?

— Oui, justement.

— Qui te donnait des travaux à faire pendant le week-end ? Ne t'exténue quand même pas trop, chéri. »

Elle était d'humeur acide. Eh bien, elle la passerait sur les garçons, car je n'étais pas disposé à en faire les frais.

« Qu'est-ce que tu as projeté pour aujourd'hui ? lui demandai-je, en ignorant sa précédente remarque.

— Les garçons vont aller se baigner au club de Bill. C'est vraiment nécessaire. Nous sommes en pleine vague de chaleur. Comment est-ce, de ton côté ?

— Très couvert, déclarai-je sans même regarder la fenêtre. Une dépression en provenance de l'Atlantique atteindra la Cornouailles dans le courant de la nuit.

— Voilà qui paraît délicieux. J'espère que ta Mrs. Collins s'emploie activement à aérer les lits ?

— Nous avons la situation parfaitement en main et j'ai loué un voilier pour la semaine prochaine, un grand, avec un type pour s'en occuper. Les garçons vont adorer ça.

— Et Maman ?

— Maman également, si elle prend des pilules contre le mal de mer. Il y a aussi une plage en bas des falaises. On n'a que deux champs à traverser. Et des champs sans taureaux.

— Chéri... (L'acidité avait fait place à la douceur ou, du moins, s'était amollie.) Je crois, finalement, qu'il te tarde de nous revoir.

— Mais bien sûr ! Pourquoi penserais-tu le contraire ?

— Je ne sais jamais que penser quand il s'agit du professeur. Lorsqu'il est dans le secteur, ça ne semble pas nous réussir... Ah ! voici les garçons, annonça-t-elle en changeant de ton. Ils veulent te dire bonjour. »

Tout comme leur apparence, les voix de mes beaux-fils étaient identiques bien que Teddy eût douze ans et Micky, dix. Ils étaient censés ressembler à leur père, tué dans un accident d'avion deux ans avant que je fasse la connaissance de Vita. A en juger par la photographie qu'ils gardaient dans leurs portefeuilles, c'était vrai. Ils avaient comme lui cette tête de Teuton, ces cheveux coupés court, qui caractérisent tant de jeunes Américains. Des yeux bleus, au regard innocent, dans un visage plutôt large. C'étaient de braves gosses. Mais je me serais volontiers passé d'eux.

« *Hi*, Dick ! firent-ils l'un après l'autre.

— *Hi* ! répétai-je, en ayant l'impression de parler une idiome qui m'était tout aussi étranger que le tonga. Comment allez-vous, tous les deux ?

— Oh ! très bien », me répondirent-ils.

Une longue pause suivit. Ils n'arrivaient pas à trouver quelque chose d'autre à me dire et moi non plus.

« Je me réjouis de vous revoir la semaine prochaine », leur déclarai-je.

Je perçus des chuchotements volubiles, puis j'eus de nouveau Vita au bout du fil.

« Il leur tarde d'aller nager. Je vais être obligée de te quitter. Prends bien soin de toi, mon chéri, et ne t'escrime surtout pas trop avec ta pelle et ton balai. »

Après ça, je sortis m'asseoir sous la petite tonnelle que la mère de Magnus avait fait édifier bien des années auparavant, et je m'absorbai dans la contemplation de la baie. L'endroit était délicieux, paisible, et à l'abri du vent sauf lorsqu'il soufflait du sud-ouest. Je me voyais très bien passant là le plus clair de mes vacances, n'en sortant que pour lancer la balle aux garçons, car ils ne manqueraient sûrement pas d'apporter des piquets de cricket, une batte et une balle qu'ils enverraient continuellement par-dessus le mur.

« A toi d'aller la chercher !

— Ah ! non, c'est ton tour ! »

Et la voix de Vita s'élevant derrière le massif d'hortensias :

« Allons, allons ! Si vous devez vous disputer, je vais interdire le cricket ! Et je le dis sérieusement. »

Puis recourant à moi :

« Fais quelque chose, chéri : tu es le seul adulte mâle. »

Mais aujourd'hui du moins, sous la tonnelle, tandis qu'un rayon de soleil embrasait l'horizon, la paix régnait à Kylmerth. Kylmerth... En pensée, tout à fait inconsciemment, j'avais prononcé le nom comme il s'écrivait à l'origine. Cette confusion mentale allait-elle devenir une habitude ? Trop las pour me livrer à l'introspection, je me remis debout et m'en fus jeter un coup d'œil dans la chaufferie. Magnus ne s'était pas trompé : il y avait là trois matelas pneumatiques, de ceux que l'on gonfle avec une pompe à bicyclette. Je les gonflerais dans l'après-midi, si j'en avais le courage.

« Vous avez perdu votre appétit ? s'enquit Mrs. Collins lorsque je lui demandai le café après avoir chipoté tout au long du repas.

— N'allez surtout pas croire que votre cuisine est en cause ! C'est simplement que je me sens un peu patraque.

— Il me semblait bien que vous aviez l'air fatigué. C'est le temps. Il fait lourd. »

Ce n'était pas le temps, mais le fait que je ne tenais pas en place et que j'éprouvais le besoin de me dépenser physiquement, même de façon futile. Je descendis à travers champs jusqu'à la mer, mais elle était exactement comme je l'avais vue de la tonnelle, plate et grise. Après ça, il me fallut remonter. La journée se traînait péniblement. J'écrivis une lettre à ma mère, lui détaillant la maison à seule fin de noircir des pages. Cela me rappelait les lettres que nous étions tenus d'écrire à nos parents lorsque j'étais pensionnaire. « Ce trimestre-ci, j'ai changé de dortoir. On y est quinze. » Je finis par monter dans ma chambre à sept heures et demie; j'étais tellement épuisé, au physique comme au moral, que je me jetai tout habillé sur le lit et m'endormis presque aussitôt.

Je fus réveillé par la pluie. Elle n'était pas très forte, mais tapotait sur le rebord de la fenêtre ouverte et gonflait le rideau. Il faisait nuit. J'allumai et vis qu'il était quatre heures et demie. J'avais dormi neuf heures d'affilée. Je ne me sentais plus du tout fatigué, mais n'ayant pas dîné, j'éprouvais une faim de loup.

L'avantage de vivre seul, c'est qu'on peut manger et dormir quand ça vous chante. Je descendis dans la cuisine où je me fis cuire des saucisses avec des œufs au bacon, tout en me préparant du thé. Je me sentais parfaitement d'attaque pour commencer une nouvelle journée, mais que faire à cinq heures du matin, dans cette aube triste et grise ? Une chose et une seule... Après quoi, j'aurais tout le week-end pour me remettre, si le besoin s'en faisait sentir...

Je gagnai le sous-sol par l'escalier de derrière, en

allumant partout et sifflotant. A la lumière électrique, ça paraissait plus gai. Même le laboratoire n'avait plus autant l'air d'un antre d'alchimiste et je comptai les gouttes dans le verre gradué aussi naturellement que je me serais brossé les dents.

« Allez, Roger, montre-toi ! dis-je. Ayons un petit tête-à-tête ! »

Je m'assis sur le rebord de l'évier et attendis. L'attente se prolongea interminablement. Rien ne se produisait. Je continuais à regarder les embryons dans les bocaux tandis que pâlissait de plus en plus la fenêtre garnie de barreaux. Ça devait bien faire une demi-heure que j'étais assis là. Quelle déception ! Puis je me rappelai que Magnus m'avait conseillé d'augmenter la dose. Je pris le compte-gouttes et avec beaucoup de précautions, je fis tomber sur ma langue deux ou trois gouttes de plus, que j'avalai aussitôt. Etait-ce mon imagination ou la drogue avait-elle cette fois un goût amer, un peu aigre ?

Je refermai soigneusement la porte du laboratoire et suivis le couloir menant à l'ancienne cuisine. J'éteignis l'électricité, car on commençait à y voir suffisamment dans la clarté grisâtre de l'aube. J'entendis alors le raclement de la porte de derrière — elle frottait sur le seuil de pierre — et elle s'ouvrit toute grande sous l'effet du courant d'air. Je perçus un bruit de pas, une voix d'homme...

« Seigneur ! pensai-je. Mrs. Collins qui rapplique plus tôt que d'habitude... Elle m'avait dit qu'elle viendrait peut-être avec son mari pour qu'il tonde le gazon. »

L'homme entra, tirant un garçon après lui. Ce n'était pas le mari de Mrs. Collins, mais Roger Kylmerth. Il était suivi de cinq autres hommes, portant des flambeaux, et il n'y avait plus aucune clarté d'aube dans le patio. C'était la pleine nuit.

IX

Je m'étais appuyé contre le dressoir de l'ancienne cuisine, mais il n'y avait plus maintenant de dressoir derrière moi, rien que le mur de pierre, et la cuisine elle-même était redevenue l'essentiel de la maison primitive, avec l'âtre à une extrémité et à l'autre, l'échelle de la soupente. La fille que j'avais vue, la première fois, agenouillée devant l'âtre, descendit rapidement l'échelle en entendant les arrivants mais, à sa vue, Roger lui cria :

« Remonte ! Ce que nous avons à dire et à faire ne te regarde pas. »

Elle hésita et le garçon était là aussi, regardant par-dessus l'épaule de sa sœur.

« Allez-vous-en, tous les deux ! » leur intima Roger et ils remontèrent les échelons.

Mais, d'où j'étais, je pus me rendre compte qu'ils demeuraient tapis là-haut, hors de la vue des hommes qui venaient d'entrer dans la cuisine derrière l'intendant.

Roger colla son flambeau sur la table éclairant ainsi la pièce, ce qui me permit de reconnaître le garçon qu'il traînait après lui. C'était le jeune novice que j'avais vu lors de ma première visite au couvent, le garçon que les moines s'amusaient à pourchasser autour de la cour et qui, plus tard, priait en pleurant dans la chapelle du couvent.

« Si vous n'y êtes pas arrivés, dit Roger, moi, je vais le faire parler ! Un avant-goût du purgatoire lui déliera sûrement la langue. »

Il retroussa lentement ses manches, en prenant tout son temps, sans quitter du regard le novice qui s'éloigna de la table à reculons, cherchant refuge au milieu des autres hommes, lesquels le repoussèrent vers Roger en riant. Il avait grandi depuis que je l'avais vu, et son regard terrifié me disait que, cette fois, ça ne serait pas pour rire qu'on le malmènerait.

Roger l'empoigna par son habit et le fit tomber à genoux près de la table.

« Dis-nous tout ce que tu sais, ordonna-t-il, ou je te flambe les cheveux.

— Je ne sais rien ! cria le novice. Je le jure devant la Mère de Dieu...

— Pas de blasphème, l'interrompit Roger, ou je mets aussi le feu à ton habit. Tu as joué l'espion suffisamment longtemps et nous voulons la vérité. »

Saisissant le flambeau, il l'approcha à quelques centimètres de la tête du garçon, lequel se recroquevilla sur lui-même en hurlant. D'un revers de main, Roger le frappa sur la bouche :

« Allez, parle ! »

En haut de l'échelle, la fille et son frère regardaient, fascinés. Les cinq compagnons de Roger se rapprochèrent de la table; l'un d'eux effleura l'oreille du novice avec son couteau en suggérant :

« Veux-tu que je le saigne d'abord, puis qu'on lui flambe la caboche, quand... »

Le novice étendit les bras en un geste suppliant :

« Je vais dire tout ce que je sais ! Mais ce n'est rien, rien... Seulement ce que j'ai entendu maître Bloyou, l'émissaire de l'évêque, dire au prieur. »

Roger éloigna le flambeau qu'il colla de nouveau sur la table :

« Et qu'a-t-il dit ? »

Le regard terrifié du novice alla de Roger à ses compagnons :

« Il a dit que l'évêque était mécontent de la conduite de certains frères et plus particulièrement de celle de frère Jean. Que ce dernier et d'autres n'obéissent pas au prieur et dilapident les biens du couvent en menant une vie dissolue, qu'ils sont un scandale pour l'ordre tout entier et un exemple pernicieux pour bien des fidèles; que l'évêque ne peut fermer les yeux plus longtemps et qu'il a donné à maître Bloyou tout pouvoir pour faire respecter le droit canon, avec l'aide de Sir John Carminowe. »

Il s'arrêta pour reprendre son souffle, cherchant à se rassurer en regardant les visages qui l'entouraient. L'un des hommes — pas celui du couteau — s'écarta du groupe.

« Par ma foi, c'est bien vrai, dit-il à mi-voix, et ce n'est pas nous qui pouvons le nier. Nous savons que le couvent — et tout ce qui s'y passe — constitue un scandale. Si les moines français regagnaient leur pays, ce serait un bon débarras. »

Les autres émirent un murmure d'assentiment et l'homme au couteau, un grand lourdaud, se tourna vers Roger en délaissant le novice.

« Trefrengy a raison, dit-il d'un air boudeur. Il saute aux yeux que nous, qui habitons ce côté de la vallée, aurions tout à gagner si le couvent fermait ses portes. Nous aurions des droits sur les terres qui ont engraissé les moines, au lieu d'être obligés de faire paître nos bêtes parmi les roseaux. »

Croisant les bras, Roger poussa du pied le novice toujours terrifié.

« Qui parle de fermer les portes du couvent ? demanda-t-il. Pas l'évêque d'Exeter qui peut recommander au prieur de ramener la discipline parmi les moines, mais rien de plus. Le roi est suzerain, comme vous ne l'ignorez pas, et chacun de nous, qui sommes vassaux de Champernoune, est non seulement bien traité, mais reçoit aussi du couvent certains avantages. Qui plus est, aucun de vous n'hésite à faire du commerce avec les vaisseaux français quand ils jettent l'ancre dans la baie. Grâce à quoi, vous avez tous vos caves pleines, n'est-il pas vrai ? »

Personne ne répondit. Le novice, se croyant hors de danger, entreprit de s'éloigner en rampant, mais Roger le rattrapa aussitôt.

« Pas si vite ! lui dit-il. Je n'en ai pas terminé avec toi. Qu'est-ce que maître Henry Bloyou a encore dit au prieur ?

— Rien de plus que ce que je vous ai répété, balbutia le garçon.

— Il n'a rien dit concernant la sécurité du royaume ? »

Roger fit mine de reprendre le flambeau sur la table et, tremblant de tous ses membres, le novice étendit les bras pour se protéger.

« Il... Il a parlé de rumeurs en provenance du Nord, bégaya-t-il, selon lesquelles les choses continueraient de mal aller entre le roi et sa mère, la reine Isabelle, au point que cela pourrait dégénérer avant longtemps en conflit ouvert. Si cela se produisait, maître Bloyou se demandait qui, dans l'Ouest, demeurerait fidèle au roi et qui se déclarerait pour la reine et son amant Mortimer.

— C'est bien ce que je pensais, opina Roger. Fourre-toi dans un coin et reste muet. Si tu répètes un seul mot de ce qui s'est dit entre ces murs, je te couperai la langue ! »

Se détournant du novice, il fit face aux cinq hommes qui le regardèrent d'un air incertain, visiblement secoués par ce qu'ils venaient d'apprendre.

« Eh bien ? leur demanda-t-il. Qu'est-ce que vous en pensez ? Etes-vous devenus tous muets ? »

Le nommé Trefrengy secoua la tête :

« Ce n'est pas notre affaire. Le roi peut se disputer avec sa mère si ça lui chante. Nous, ça ne nous concerne pas.

— Tu crois ça ? riposta Roger. Pas même si la reine et Mortimer gardaient le pouvoir ? J'en connais quelques-uns par ici qui préféreraient ça, et qui, lorsque ça serait fini, ne manqueraient pas d'être récompensés de s'être déclarés en faveur de la reine. Et ils seraient prêts à payer largement quiconque agirait de même.

— Pas le jeune Champernoune, assura l'homme au couteau. Il est encore trop jeune et reste dans les jupes de sa mère. Quant à toi, Roger, étant donné la position que tu occupes, jamais tu ne te risquerais à entrer en rébellion contre un roi couronné ! »

Il eut un rire méprisant auquel se joignirent ses compagnons. Les regardant l'un après l'autre, l'intendant ne sourcilla pas.

« Si la reine et Mortimer agissent vite, leur victoire est assurée. Dans ce cas, nous aurons tout à gagner si nous sommes bien avec leurs amis. Qui sait, une partie des terres du manoir peuvent être redistribuées ? Et au lieu de devoir faire paître tes bêtes dans les roseaux, Geoffrey Lampetho, tu pourrais les emmener sur les collines. »

L'homme au couteau haussa les épaules :

« C'est facile à dire, objecta-t-il, mais qui sont ces amis prêts à tenir de semblables promesses ? Je n'en connais aucun.

— Entre autres, il y a Sir Otto Bodrugan », dit posément Roger.

Un murmure parcourut le petit groupe des autres qui répétaient le nom de Bodrugan et Henry Trefrengy, qui avait parlé contre les moines, secoua de nouveau la tête.

« Comme homme, il n'y a pas mieux, convint-il. Mais la dernière fois qu'il s'est rebellé contre la Couronne, en 1322, il a perdu la partie et dû payer une amende de mille marcs.

— Mais quatre ans plus tard, il a été récompensé quand la reine l'a nommé gouverneur de l'île de Lundy, rétorqua Roger. La situation de Lundy en fait un bon mouillage pour les vaisseaux qui transportent des armes... et qui peuvent aussi y déposer des hommes, lesquels resteront là en sûreté jusqu'à ce qu'on ait besoin d'eux sur la terre ferme. Bodrugan n'est pas idiot. Quoi de plus facile pour lui, propriétaire de terres en Cornouailles comme dans le Devon, et gouverneur de Lundy par-dessus le marché, que de fournir à la reine les hommes et les bateaux dont elle a besoin ? »

L'argument, énoncé d'une voix douce et persuasive, fit de l'effet, et plus particulièrement sur Lampetho.

« S'il doit y avoir profit pour nous, dit-il, je lui souhaite de réussir et me rallierai à lui quand ce sera fait. Mais je ne franchirai la Tamar [1] pour aucun homme, pas même pour Bodrugan et tu peux le lui dire.

— Tu peux le lui dire toi-même, déclara Roger. Son bateau est ancré en bas et il sait que je l'attends ici. Je vous le répète, mes amis, la reine Isabelle ne manquera pas de lui témoigner sa gratitude, à lui et à tous ceux qui sauront choisir le bon parti. »

Il alla au pied de l'échelle et appela :

« Descends, Robbie ! Prends un flambeau et va voir de l'autre côté du champ si Sir Otto arrive. »

Puis se tournant de nouveau vers les autres, il dit :

« Si vous ne l'êtes pas, moi, je suis prêt à me battre pour lui. »

Son frère descendit rapidement l'échelle et prenant

---

1. Petite rivière qui sépare la Cornouailles du Devon. (N. du T.)

au passage un des flambeaux, il s'élança au-dehors en courant.

Plus circonspect que ses compagnons, Henry Trefrengy se frotta le menton :

« Quel intérêt as-tu à prendre le parti de Bodrugan, Roger ? Tu crois que Lady Joanna s'unira à son frère contre le roi ?

— Milady n'a aucune part dans cette affaire, répondit Roger d'un ton bref. Elle n'est d'ailleurs pas ici, mais dans son autre domaine de Trelawn, avec ses enfants, la femme de Bodrugan et de la famille. Aucun d'entre eux n'a la moindre idée de ce qui se prépare.

— Eh bien, quand elle l'apprendra, elle ne te félicitera pas, ni Sir John Carminowe non plus. Tout le monde sait ici qu'ils attendent la mort de la femme de Sir John, pour pouvoir se marier.

— La femme de Sir John est en parfaite santé, répondit Roger, et lorsque la reine aura fait Bodrugan châtelain de Restormel et l'aura commis à la surveillance de toutes les terres du duché, milady pourrait bien ne plus s'intéresser à Sir John et éprouver pour son frère beaucoup plus d'affection que maintenant. Aussi je ne doute pas plus d'être récompensé par Bodrugan que pardonné par milady, conclut-il en souriant et se grattant l'oreille.

— Oh ! nous n'ignorons pas que tu sais très bien te débrouiller, dit Lampetho. Quiconque l'emportera est sûr de te trouver à son côté. Qu'il y ait à Restormel Castle Sir John ou Bodrugan, toi, on te verra sur le pont-levis, tenant à la main une bourse bien garnie.

— Je n'en disconviens pas, déclara Roger, en continuant de sourire. Et si vous étiez capables de réfléchir, vous feriez comme moi. »

Entendant un bruit de pas dans la cour, il traversa rapidement la pièce et ouvrit la porte toute grande. Otto Bodrugan apparut sur le seuil, avec le jeune Robbie derrière lui.

« Entrez, messire, et soyez le bienvenu. Nous sommes tous des amis », lui dit Roger.

Bodrugan pénétra à l'intérieur de la cuisine en regardant autour de lui, surpris, je pense, de voir le petit groupe d'hommes qui, embarrassés par cette arrivée soudaine, s'étaient reculés contre le mur. Il portait un pourpoint de cuir épais par-dessus sa tunique lacée jusqu'à la gorge et un manteau de voyage, bordé de fourrure, était jeté sur ses épaules; à sa ceinture, pendaient une bourse et une dague. Aussi faisait-il contraste avec les autres dans leurs vêtements de gros drap à capuchon. Et son air assuré disait l'habitude du commandement.

« Je suis très heureux de vous voir, déclara-t-il aussitôt en allant de l'un à l'autre. Henry Trefrengy, n'est-ce pas ? Et voici Martin Penhelek; John Beddyng, je vous connais aussi... En 22, votre oncle a chevauché avec moi vers le nord. Les autres, je n'ai pas encore eu l'occasion de les rencontrer...

— Ce sont Geoffrey Lampetho et son frère Philip, messire, dit Roger. Ils cultivent la terre voisine de celle de Julian Polpey, au-dessous du couvent.

— Julian n'est pas ici, alors ?

— Il nous attend à Polpey. »

Le regard de Bodrugan se posa sur le novice, toujours tapi près de la table.

« Que fait ce moine parmi vous ?

— Il nous a apporté des informations, messire, expliqua Roger. Il s'est produit certaines dissensions au couvent, relevant de la discipline parmi les moines et qui ne nous concernent pas, mais qui ont fini par inciter l'évêque d'Exeter à envoyer maître Bloyou pour y mettre un terme.

— Henry Bloyou ? Un ami intime de Sir John Carminowe et de Sir William Ferrers. Est-il encore au couvent ? »

Le novice, brûlant de se faire bien voir, toucha le genou de Bodrugan.

« Non, messire, il est reparti hier pour Exeter, mais il a promis de revenir sous peu.

— Relève-toi, mon garçon, il ne te sera fait aucun mal. L'auriez-vous menacé ? ajouta Bodrugan en se tournant vers l'intendant.

— Oh ! non, absolument pas ! protesta Roger. Il a seulement peur que le prieur ait vent de sa présence ici, bien que je lui aie promis le contraire. »

Roger fit signe à Robbie d'emmener le novice avec lui et tous deux disparurent en haut de l'échelle, le jeune moine manifestant une hâte de chien battu. Ce point réglé, Bodrugan alla se camper devant la cheminée, les mains à sa ceinture, et son regard scruta les visages de ceux qu'il avait en face de lui.

« J'ignore ce que Roger vous a dit concernant nos chances, attaqua-t-il, mais je peux vous garantir une meilleure vie lorsque le roi sera en tutelle. »

Comme personne ne soufflait mot, il leur demanda :

« Roger vous a-t-il dit que, d'ici quelques jours, la majeure partie du pays se déclarera en faveur de la reine Isabelle ? »

Henry Trefrengy, qui semblait être le porte-parole des autres, déclara alors :

« Il nous l'a dit, oui, mais sans guère nous donner de détails.

— Le tout est de choisir le bon moment, expliqua Bodrugan. Le Parlement siège actuellement à Nottingham et notre plan est d'en profiter pour nous assurer de la personne du roi — en prenant grand soin de lui, cela va sans dire — afin que, jusqu'à sa majorité, la reine continue d'exercer la régence avec l'aide de Mortimer. Ce dernier n'est peut-être pas très populaire, mais c'est un homme extrêmement capable et un excellent ami de bien des Cornouaillais, parmi lesquels je suis fier de me compter. »

De nouveau ce fut le silence, puis Geoffrey Lampetho fit un pas en avant et demanda :

« Que voudriez-vous que nous fassions ?

— Que vous veniez dans le Nord avec moi, répondit Bodrugan, ou si vous n'y consentez pas — car Dieu sait que je ne vous y contraindrai pas — que vous me promettiez au moins de prêter serment d'allégeance à la reine Isabelle quand la nouvelle vous parviendra de Nottingham que le roi est en notre pouvoir.

— Voilà qui est parler franchement, estima Roger. Pour ma part, je dis oui de grand cœur et chevaucherai avec vous.

— Moi également, dit le nommé Penhelek.

— Et moi aussi ! » s'écria un troisième, John Beddyng.

Seuls les frères Lampetho et Trefrengy marquèrent de la réticence.

« Nous prêterons serment d'allégeance le moment venu, dit Geoffrey Lampetho, mais ici, chez nous, pas de l'autre côté de la Tamar.

— Voilà aussi qui est parler franc, dit Bodrugan. Si le roi avait le pouvoir, avant dix ans nous serions en guerre avec la France et nous battrions sur la Manche. En apportant maintenant notre appui à la reine, nous travaillons pour la paix. Sur mes propres terres, je suis assuré d'au moins cent hommes, de Bodrugan, de Tregrehan, et aussi du Devon. Voulez-vous que nous allions voir à présent ce qu'a décidé Julian Polpey ? »

Ce fut le signal d'un exode général en direction de la porte.

« La marée est en train de noyer le gué, dit Roger. Il nous faut donc traverser la vallée en passant par Trefrengy et Lampetho. J'ai un poney pour vous, messire. Robbie ! appela-t-il. As-tu sellé le poney pour Sir Otto ? Et le mien ? Alors ? fais vite... »

Quand son frère le rejoignit au bas de l'échelle, Roger lui dit à l'oreille :

« Frère Jean enverra chercher le novice plus tard. Garde-le ici en attendant. Quant à moi, je ne puis te dire quand je serai de retour. »

Nous nous retrouvâmes autour des chevaux dans la cour et je compris qu'il me fallait partir aussi, car Roger était déjà en selle à côté de Bodrugan et je me savais forcé de le suivre partout où il allait. Le vent soufflait, chassant les nuages à travers le ciel, et les poneys piaffaient en faisant tinter leur harnais. Jamais encore, ni dans mon monde ni lors de mes précédentes incursions dans celui-ci, je n'avais eu une telle impression d'unité. J'étais l'un d'entre eux et ils n'en savaient rien. Cela résumait bien mon sort : subir une contrainte tout en étant libre, être seul bien qu'en leur compagnie, être né en mon siècle mais vivre inaperçu dans le leur.

Nous prîmes le sentier qui traversait le petit bois bordant Kilmarth, et en haut de la colline, au lieu de suivre le tracé de la route que je connaissais, la route moderne, ils coupèrent par le sommet et sur l'autre versant, foncèrent vers la vallée. Le chemin était mauvais et les poneys trébuchaient de temps à autre. On avait vraiment l'impression d'une descente presque à pic, mais désincarné comme je me sentais l'être, je n'étais pas en mesure d'apprécier la pente, ni la profondeur et je devais me laisser guider par les hommes sur leurs poneys. Puis, au sein de l'obscurité, je vis luire de l'eau. Nous étions au creux de la vallée et nous atteignîmes un pont de bois sur lequel les poneys s'engagèrent en file indienne. Le ruisseau qu'il franchissait s'élargissait plus loin en une vaste crique avant d'aboutir à la mer. Je savais que je devais me trouver sur le versant de la vallée opposé à la colline de Polmear, mais parce que c'était la nuit et que je me trouvais désorienté dans leur monde, il m'était impossible d'apprécier les distances. Je ne pouvais que continuer à suivre les poneys, en gardant mon regard fixé sur Roger et Bodrugan.

Quand le chemin passa près d'une ferme, les frères Lampetho mirent pied à terre; l'aîné, Geoffrey, cria qu'il nous rejoindrait plus tard et nous poursuivîmes notre chevauchée. Le chemin s'élevait, mais sans quitter le bord de la crique. En avant de nous, je voyais se profiler d'autres bâtiments de ferme, au-dessus des dunes où le ruisseau rejoignait la mer. Même dans l'obscurité, je pouvais distinguer au loin la blancheur des vagues lorsqu'elles se brisaient et roulaient sur le rivage. Quelqu'un vint à nos devants, il y eut des aboiements de chiens, des torches, et nous nous retrouvâmes dans une cour entourée de bâtiments, comme celle de Kilmarth. Tandis que les cavaliers descendaient de leurs montures, la porte du bâtiment principal s'ouvrit et je reconnus l'homme qui s'avançait pour nous accueillir. C'était celui qui accompagnait Roger lors de la réception de l'évêque au couvent, et qui l'avait suivi ensuite sur le pré communal.

Le premier à mettre pied à terre, Roger, fut aussi le premier à rejoindre son ami et, même à la mauvaise clarté de la lanterne flanquant la porte de la maison, je pus le voir changer d'expression tandis que l'autre lui parlait précipitamment à l'oreille, en indiquant l'autre côté de la cour.

Bodrugan s'en aperçut aussi car, sautant à bas de sa monture, il cria :

« Qu'est-ce qui ne va pas, Julian ? Avez-vous changé d'avis depuis la dernière fois que nous nous sommes vus ? »

Roger se retourna vivement vers lui :

« De mauvaises nouvelles, messire. Mais pour votre seule oreille. »

Bodrugan hésita, puis dit en tendant sa main au maître de maison :

« Comme vous voudrez... J'avais espéré, Julian, poursuivit-il, que nous pourrions rassembler des hommes et des armes à Polpey. Vous avez dû voir mon

bateau ancré au-dessous de Kylmerth. J'en ai plusieurs à bord, tout prêts à débarquer. »

Julian Polpey secoua la tête :

« Je suis désolé, Sir Otto, mais on n'a plus besoin
d'eux, ni de vous non plus d'ailleurs. La nouvelle
nous est arrivée, voici dix minutes, que le complot
avait été découvert avant même qu'on eût achevé de
le mettre au point. Une personne est venue tout spécialement vous apporter elle-même cette nouvelle,
sans prendre en considération les dangers que cela lui
faisait courir. »

J'entendis Roger, derrière moi, dire aux hommes de
remonter en selle et de retourner à Lampetho, où il
les rejoindrait ensuite. Puis, tendant les rênes de son
poney à un serviteur, il se hâta de rattraper Polpey et
Bodrugan qui, longeant les dépendances, se diri-
geaient vers l'autre côté de la maison.

« C'est Lady Carminowe, lui dit Bodrugan dont la
joyeuse assurance avait fait place à l'anxiété. Elle
nous apporte de mauvaises nouvelles.

— Lady Carminowe ? » s'exclama Roger, incrédule.
Puis comprenant soudain, il ajouta en baissant la
voix : « Vous voulez dire Lady Isolda ?

— Oui, elle se rendait à Carminowe, expliqua Bodrugan, et devinant mes intentions, elle a fait un détour pour s'arrêter ici. »

Nous avions atteint l'autre côté de la maison qui
faisait face au chemin menant à Tywardreath. Un chariot couvert, semblable à ceux que j'avais vus au couvent pour la Saint-Martin, mais plus petit et tiré seulement par deux chevaux, était arrêté près du portail.

Comme nous en approchions, le rideau de sa petite
fenêtre s'écarta et Isolda y passa la tête, rejetant sur
ses épaules le capuchon sombre qui la coiffait.

« Dieu merci, j'arrive à temps ! dit-elle. Je viens directement de Bockenod. John et Oliver y sont en ce
moment, et me croient à mi-chemin de Carminowe où

je vais rejoindre les enfants. Le pire s'est produit en ce qui concerne votre cause. Juste avant que je parte, la nouvelle est arrivée que la reine et Mortimer ont été arrêtés au château de Nottingham et qu'ils sont prisonniers. Le roi détient maintenant les pleins pouvoirs et Mortimer sera conduit à Londres pour y être jugé. C'est la fin de tous nos rêves, Otto. »

Roger échangea un regard avec Julian Polpey et comme ce dernier, par discrétion, se reculait dans l'ombre, je vis transparaître sur le visage de Roger le conflit intérieur auquel il était en proie. Je devinai ce qu'il pensait. L'ambition l'avait poussé à prendre des risques et il avait épaulé une cause maintenant perdue. Il ne lui restait plus qu'à presser Bodrugan de regagner son bateau, congédier ses hommes et convaincre Isolda de repartir au plus tôt, tandis que lui-même, après avoir expliqué tant bien que mal sa volte-face à Lampetho, Trefrengy et les autres, irait reprendre son poste d'homme de confiance auprès de Joanna Champernoune.

« En venant ici, vous avez risqué de vous trahir, dit Bodrugan à Isolda, sans que son visage laissât paraître combien il était affecté par la ruine de ses espérances.

— Vous savez bien pour quelle raison je l'ai fait », lui répondit-elle.

Je vis leurs regards se river l'un à l'autre. Plus personne n'était présent que Roger et moi. Bodrugan se pencha pour baiser la main d'Isolda et au même instant, j'entendis un bruit de roues dans le chemin.

« Elle est arrivée trop tard, pensai-je. Oliver, son mari, et Sir John ont dû la suivre. »

Je m'étonnais de ne pas les voir réagir au bruit des roues quand je m'aperçus qu'ils n'étaient plus avec moi. Le chariot couvert avait disparu et débouchant dans le chemin, la voiture postale de Par venait de s'arrêter près du portail.

C'était le matin. Je me trouvais dans une allée menant à une petite maison située sur le versant de la vallée opposé à la colline de Polmear. Je voulus me dissimuler derrière les buissons qui bordaient cette allée, mais le facteur était déjà descendu de voiture et poussait la grille du portail. En se posant sur moi, son regard montra qu'il me reconnaissait et laissa paraître de l'étonnement. Je vis qu'il considérait mes jambes et, baissant les yeux, je m'aperçus que j'étais trempé jusqu'en haut des cuisses. J'avais dû patauger dans la boue et le marécage. Mes chaussures étaient pleines d'eau et les jambes de mon pantalon, lacérées. Je m'efforçai de sourire.

« Que vous voilà dans un triste état ! me dit le facteur avec embarras. Je ne me trompe pas : vous êtes bien le monsieur de Kilmarth ?

— Oui.

— Ici, c'est Polpey, la maison de Mr. Graham. Mais ça m'étonnerait qu'ils soient déjà levés, car sept heures viennent à peine de sonner. Vous voulez voir Mr. Graham ?

— Grand Dieu, non ! M'étant réveillé de bonne heure, je suis sorti me promener et j'ai fini par me perdre. »

C'était un énorme mensonge et qui se sentait. Mais le facteur parut cependant s'y laisser prendre.

« J'ai ces lettres à déposer, me dit-il, et ensuite, je vais remonter la colline jusque chez vous. Si ça ne vous fait rien de monter dans la fourgonnette, je pourrai vous déposer ? Ça vous évitera cette trotte.

— Merci. Vous êtes vraiment très obligeant. »

Tandis qu'il continuait son chemin vers la maison, je montai dans la fourgonnette et consultai ma montre. Le facteur avait raison : il était sept heures cinq. Mrs. Collins n'arriverait pas avant encore une heure et demie; j'aurais donc tout le temps de prendre un bain et de me changer.

J'essayai de reconstituer ce que j'avais fait. J'avais dû couper la grand-route en haut de la colline, puis redescendre cette dernière à travers champs jusqu'au marécage qui était au creux de la vallée. J'ignorais même que cette maison s'appelait Polpey.

Aucune nausée cependant, Dieu merci, et pas de vertige non plus. Tandis que j'attendais le retour du facteur, je m'aperçus que j'avais aussi la tête et mon veston mouillés car il pleuvait... Sans doute pleuvait-il depuis que j'avais quitté Kilmarth une heure et demie auparavant. Je me demandai si je devais consolider l'histoire que j'avais servie au postier ou laisser tomber. Mieux valait laisser tomber...

Il revint se glisser derrière le volant en disant :

« Ce n'est guère un temps pour se promener. Il pleut depuis minuit. »

Je me rappelai alors que j'avais été réveillé par la pluie, qui gonflait le rideau à la fenêtre de ma chambre.

« Je ne crains pas la pluie, lui dis-je, et je manque tellement d'exercice à Londres.

— C'est comme moi, opina-t-il gaiement, toujours à conduire ce truc. Mais par un temps pareil, j'aimerais mieux être bien au chaud dans mon lit qu'à me promener dans les marais. Enfin, chacun ses goûts et si nous avions tous les mêmes, ça n'irait pas ! »

Il fit halte à l'auberge de la Marine, au bas de la côte et dans une des maisons voisines, puis la fourgonnette se lança à l'assaut de la colline. Je regardai à gauche, par-dessus mon épaule, mais il y avait une grande haie qui me cachait la vallée. Dieu seul savait dans quels marécages j'étais allé patauger. De l'eau coulait de mes chaussures mouillant le plancher de la fourgonnette.

Nous quittâmes la grand-route et prîmes à droite le chemin menant à Kilmarth.

« Vous n'êtes pas le seul à vous lever tôt, me dit

mon compagnon comme le devant de la maison apparaissait à nos yeux. Mrs. Collins a dû profiter d'une voiture pour venir de Polkerris, ou alors vous avez de la visite. »

Le vaste coffre arrière de la Buick était ouvert, laissant voir qu'il était plein de bagages. Le klaxon retentissait sans discontinuer et les deux garçons, tenant les imperméables au-dessus de leurs têtes pour s'abriter de la pluie, gravissaient en courant les marches qui escaladaient le jardin de devant jusqu'à la maison.

Après avoir un instant douté du témoignage de mes yeux, j'eus la décourageante certitude que je n'étais pas au bout de mes ennuis.

« Ce n'est pas Mrs. Collins, dis-je, mais ma femme et ses enfants. Ils ont dû rouler de nuit pour venir de Londres. »

X

Il n'était pas possible de dépasser le garage et d'aller jusqu'à l'entrée de derrière. Souriant, le facteur arrêta la fourgonnette et m'ouvrit la portière pour que je descende; de toute façon, les enfants m'avaient vu et agitaient les bras.

« Merci pour ce brin de conduite, dis-je au postier, mais je me serais passé de cette réception ! »

Je pris la lettre qu'il me tendait et m'en fus au-devant de mon destin.

« Hi, Dick ! crièrent les garçons en dévalant les marches. Nous avons sonné, sonné, mais on n'arrivait pas à ce que vous entendiez ! Maman est furieuse après vous !

— Et moi, je suis furieux après elle. Je ne vous attendais pas.

— C'est une surprise, dit Teddy. Maman a pensé que ce serait plus amusant comme ça. Micky a dormi sur la banquette arrière, mais moi je suis resté éveillé pour guider Maman d'après la carte. »

Le klaxon avait enfin cessé de retentir. Vita émergea de la Buick, parfaitement vêtue, comme à son habitude; elle avait changé de coiffure et était plus ondulée, me sembla-t-il. C'était bien, mais ça lui faisait le visage trop rond.

Je me rappelai que l'attaque est la meilleure forme de défense. « Finissons-en », pensai-je.

« Enfin, bon sang, tu aurais pu m'avertir !

— Les garçons ne me laissaient pas de répit. C'est à eux qu'il faut t'en prendre. »

Nous nous embrassâmes, puis nous écartâmes l'un de l'autre pour nous apprécier du regard comme deux boxeurs s'apprêtant à feinter.

« Il y a longtemps que tu es là ? m'enquis-je.

— Une demi-heure environ, me répondit-elle. Nous avons fait tout le tour de la maison, sans trouver le moyen d'entrer. Quand ils en ont eu assez de sonner, les garçons ont même essayé de jeter du gravier contre les vitres du premier étage. Qu'est-il donc arrivé ? Tu es trempé !

— M'étant réveillé de très bonne heure, j'étais sorti me promener.

— Quoi, sous cette pluie ? Mais tu dois être fou ! Regarde, ton pantalon est tout déchiré, et ta veste aussi a un grand accroc. »

Elle m'avait saisi par le bras, cependant que les garçons nous entouraient, bouche bée. Vita se mit à rire :

« Où diable as-tu été pour te mettre dans un état pareil ?

— Ecoute, dis-je pour me tirer d'embarras, ça ne sert à rien de rester plantés là, car la porte de devant est fermée. Remonte dans la voiture et fais le tour. »

Je lui montrai le chemin, accompagné par les enfants, et elle nous suivit avec la voiture. Quand nous atteignîmes la porte de derrière, je me rappelai qu'elle aussi était fermée de l'intérieur. J'étais parti de la maison par le patio.

« Attends là, dis-je, je vais t'ouvrir la porte. »

Toujours accompagné par les garçons, je gagnai le patio. La porte de la chaufferie était entrouverte; j'avais dû m'en aller par là lorsque j'avais suivi Roger et les autres conspirateurs. Je ne cessai de me répéter que je devais garder mon sang-froid, ne pas laisser la confusion envahir mon esprit, sinon j'étais fichu.

« Oh ! c'est drôle ici ! s'exclama Micky. C'est fait pour quoi ?

— Pour s'asseoir et prendre des bains de soleil. Quand il y a du soleil, l'informai-je.

— Si j'étais le professeur Lane, je transformerais ça en piscine », déclara Teddy.

Ils pénétrèrent derrière moi dans la maison. Nous traversâmes l'ancienne cuisine et j'ouvris la porte de derrière, sur le seuil de laquelle Vita nous attendait impatiemment.

« Mets-toi à l'abri, lui dis-je, tandis que les garçons et moi nous occupons de rentrer les bagages.

— Les bagages peuvent attendre. Fais-nous d'abord visiter, répliqua-t-elle d'un ton plaintif. Je veux tout voir. Ne me dis pas que c'est *ça*, la cuisine ?

— Bien sûr que non. C'est une ancienne cuisine en sous-sol dont on ne se sert plus. »

Il va sans dire que je n'avais jamais eu l'intention de leur faire découvrir la maison à partir de là. Ce n'était pas la bonne façon. S'ils étaient arrivés le lundi, comme prévu, je les aurais attendus sous le porche avec les volets ouverts, les rideaux tirés ; l'effet eût été tout autre.

Très surexcités, les garçons se lançaient déjà à l'assaut de l'escalier en criant :

« Où est notre chambre ? Où est-ce qu'on couche ?

— Seigneur, priai-je intérieurement, donnez-moi la patience ! »

Je me tournai vers Vita, qui m'observait en souriant.

« Je suis désolé, ma chérie, lui dis-je, mais vraiment...

— Vraiment quoi ? Je suis tout aussi excitée qu'eux. Pourquoi fais-tu des embarras ? »

Des embarras ! Avec une totale inconséquence, je me dis que tout eût été bien mieux organisé si Roger Kylmerth, en sa qualité d'intendant, avait fait visiter quelque manoir à Isolda Carminowe.

« Je ne fais pas d'embarras. Viens... »

Quand nous atteignîmes la cuisine moderne du rez-de-chaussée, l'attention de Vita se porta aussitôt sur les reliefs de mon dîner : les restes d'œufs frits et de saucisses, la poêle que je n'avais pas nettoyée et qui était restée sur un coin de la table, l'électricité qui continuait de brûler.

« Seigneur ! s'exclama-t-elle. Tu t'étais cuisiné un petit déjeuner avant de sortir ? Voilà qui est nouveau pour toi !

— J'avais faim. Ne fais pas attention au désordre, Mrs. Collins rangera tout ça. Viens voir le devant... »

Je la précédai vivement dans la salle de musique, où je tirai les rideaux et ouvris les persiennes, puis traversant le hall, je la conduisis dans la petite salle à manger et la bibliothèque contiguë. L'apothéose, la vue que l'on avait par la grande baie, fut gâchée par la bruine qui voilait tout.

« Quand il fait beau, l'impression est très différente, dis-je.

— C'est ravissant, déclara Vita. Je n'aurais pas cru que ton professeur avait autant de goût. Ce serait mieux, bien sûr, avec le divan contre le mur et des coussins sur la banquette qui est dans l'embrasure de la fenêtre, mais c'est facile à arranger.

— Bon, maintenant que tu as vu le rez-de-chaussée, passons à l'étage. »

Je me faisais l'impression d'un agent immobilier cherchant à conclure une location difficile, tandis que les garçons couraient en avant de nous, s'interpellant d'une chambre à l'autre. Tout était déjà transformé; c'en était fait du silence et de la tranquillité, de tout ce que j'avais jusqu'alors partagé en secret non seulement avec Magnus et ses parents dans un récent passé, mais aussi avec Roger Kylmerth six cents ans auparavant.

Lorsque nous eûmes fait le tour du premier étage, on entreprit de décharger les bagages et il était près de huit heures et demie quand nous eûmes fini. Mrs. Collins arriva alors sur sa bicyclette pour prendre la situation en charge, saluant Vita et les garçons avec une surprise ravie. Ils disparurent tous dans la cuisine et je montai me faire couler un bain dans lequel j'aurais voulu me noyer.

Une demi-heure plus tard, Vita entra dans la chambre en disant :

« Enfin, Dieu soit loué, cette femme est l'efficience même, je n'aurai absolument rien à faire ! Et puis, elle doit avoir au moins soixante ans. Me voici enfin tranquille.

— Que veux-tu dire ? m'enquis-je depuis la salle de bain.

— Quand tu as cherché à me dissuader de venir, je me suis imaginé que tu étais avec quelque accorte soubrette, me déclara-t-elle en me rejoignant près de la baignoire où j'étais en train de m'essuyer. Je n'ai pas la moindre confiance en ton professeur, mais sur ce point, du moins, me voilà rassurée. Maintenant que tu es tout propre, tu peux m'embrasser de nouveau, et puis tu me feras couler un bain. J'ai conduit sept heures durant et je suis morte ! »

Moi aussi, en un sens, j'étais mort, mais mort à son monde. Je ne continuais à m'y mouvoir que de façon toute machinale, n'écoutant Vita que d'une oreille tandis qu'elle retirait ses vêtements en les jetant sur le lit, enfilait un peignoir, disposait sur la coiffeuse ses crèmes et ses lotions, tout en me parlant à bâtons rompus de sa randonnée, de leur journée à Londres, de ce qui se passait à New York, des affaires de son frère, et d'une douzaine d'autres choses qui constituaient la trame de son existence, de notre existence, mais dont aucune ne semblait me concerner. C'était comme lorsqu'on se livre à différentes activités tout en entendant, comme fond sonore, de la musique à la radio. Je voulais retrouver l'ambiance de la nuit qui m'avait été ravie, avec le vent soufflant dans la vallée, le bruit des vagues s'écrasant sur le rivage au-dessous de la ferme de Polpey, et l'expression qu'avait Isolda lorsqu'elle regardait Bodrugan en passant la tête à la portière de son chariot.

« ... De toute façon, si la fusion a lieu, ce ne sera pas avant l'automne et ça ne changera rien pour toi.

— Non. »

Je répondais automatiquement, suivant les intonations de sa voix. Soudain, elle tourna vers moi son visage enduit de crème sous le turban qu'elle portait toujours pour prendre un bain :

« Tu n'as pas écouté un seul mot de ce que je viens de te dire ! »

Son changement de ton me ramena à l'attention :

« Mais si ! lui assurai-je.

— Bon; alors, de quoi t'ai-je parlé ? »

J'étais en train de retirer mes affaires de l'armoire afin qu'elle pût y ranger les siennes :

« Tu me parlais de la firme de Joe, qui envisage une fusion... Excuse-moi, ma chérie... Dans un instant, tu auras la chambre toute à toi. »

Elle m'arracha des mains le cintre où était suspendu mon costume neuf et le jeta par terre.

« Je n'ai pas besoin d'avoir la chambre toute à moi ! me dit-elle avec, dans la voix, cette note suraiguë que j'appréhendais. Je veux que tu restes là, en prêtant attention à ce que je te dis, au lieu d'avoir l'air d'un mannequin dans une vitrine. Qu'as-tu donc, à la fin ? J'ai l'impression de parler à quelqu'un qui serait dans un autre monde ! »

Elle avait mis dans le mille. Je compris qu'il serait

vain de vouloir contre-attaquer et que le mieux était de m'aplatir pour laisser passer au-dessus de ma tête la vague d'une irritation aussi juste que compréhensible.

« Ma chérie, dis-je en m'asseyant au bord du lit et l'attirant près de moi, ne commençons pas mal la journée. Tu es fatiguée et je le suis également. Si nous nous disputons, nous allons nous flanquer par terre et tout gâcher pour les enfants. Si je suis inattentif, mets ça sur le compte de la fatigue. C'est parce que je n'arrivais pas à dormir, que je suis sorti me promener sous la pluie, mais au lieu de me faire du bien, cela semble m'avoir achevé.

— A-t-on idée ! Tu aurais bien dû te douter... Et, d'ailleurs, pourquoi n'arrivais-tu pas à dormir ?

— Oh ! bon, ça va, laisse tomber ! »

Je me levai, pris une brassée de vêtements et les portai hors de la chambre dont je tirai la porte derrière moi avec le pied. Vita ne chercha pas à me rejoindre. Je l'entendis fermer les robinets et entrer dans le bain, tandis que de l'eau s'écoulait par le trop-plein.

La matinée se passa sans que Vita reparût. Peu avant une heure, j'entrouvris tout doucement la porte de la chambre et je la vis profondément endormie sur le lit. Je descendis donc seul déjeuner avec les garçons, qui bavardèrent en se contentant très bien du « oui » ou du « peut-être » dont je les gratifiais de temps à autre, comme c'était toujours le cas en l'absence de Vita. Il continuait de pleuvoir sans relâche et il ne pouvait être question d'aller à la plage ou de jouer au cricket. Je les conduisis donc en voiture à Fowey, où ils se livrèrent à une razzia de crèmes glacées, de chewing-gum, de jeux de patience et d'histoires de cow-boys.

La pluie cessa vers quatre heures de l'après-midi, faisant place à un ciel terne éclairé par un soleil anémique, mais cela suffit aux garçons qui m'entraînèrent vers le quai en demandant à aller sur l'eau. Prêt à tout pour leur faire plaisir et retarder le moment du retour, je louai un petit bateau nanti d'un moteur hors-bord, et nous pétaradâmes autour du port, nous trempant jusqu'aux os tandis qu'ils s'amusaient à attraper tout ce qui flottait à leur portée.

Nous rentrâmes vers les six heures et les enfants s'attablèrent aussitôt devant le plantureux goûter que Mrs. Collins avait pensé à leur préparer. Je gagnai d'un pas traînant la bibliothèque pour m'y servir un whisky bien tassé, et j'y trouvai une Vita revigorée, occupée à déplacer les meubles. Son humeur du matin avait complètement changé, Dieu merci, et elle me dit en souriant :

« Tu sais, chéri, je sens que je vais me plaire ici. Je commence déjà à y être comme chez moi. »

Je me laissai tomber dans un fauteuil et, mon verre à la main, je l'observai entre mes paupières mi-closes tandis qu'elle rectifiait la façon dont Mrs. Collins avait arrangé les hortensias. Ma stratégie, dès lors, consista à applaudir tout ce qu'elle faisait ou à rester muet quand le silence était préférable.

J'en étais à mon second whisky lorsque la soudaine irruption des garçons me prit de court :

« Hé, Dick ! me cria Teddy. Qu'est-ce que cet horrible truc ? »

Il brandissait le bocal contenant l'embryon de singe. Je me levai d'un bond.

« Mon Dieu ! m'exclamai-je. Qu'est-ce que vous êtes encore allés faire ? »

Je m'emparai du bocal et quittai aussitôt la pièce. Je me rappelai seulement alors que, lorsque j'étais sorti du laboratoire, aux petites heures, après avoir absorbé la dose supplémentaire, je n'en avais pas emporté la clef, mais l'avais laissée dans la serrure.

« Nous n'avons rien fait de mal, protesta Teddy. Nous sommes simplement allés jeter un coup d'œil en bas. »

Et se tournant vers Vita, il ajouta :

« Il y a une petite pièce pleine de bouteilles; on dirait le labo qu'on a pour les travaux pratiques. Viens voir, M'man, viens vite ! Dans un autre bocal, je crois qu'il y a un chaton mort... »

Je dévalais déjà le petit escalier menant au sous-sol. La porte du laboratoire était grande ouverte, la lumière allumée. Je regardai vivement autour de moi. Ils semblaient n'avoir touché qu'au bocal contenant le singe. J'éteignis l'électricité puis ressortis dans le couloir en fermant la porte à double tour et emportant la clef. Au même instant, les garçons surgirent de l'ancienne cuisine, avec Vita sur leurs talons.

« Qu'ont-ils fait ? me demanda-t-elle d'un ton inquiet. Ils ont cassé quelque chose ?

— Heureusement non. Et tout est ma faute, car j'aurais dû fermer la porte à clef. »

Elle regarda la porte en question par-dessus mon épaule.

« Qu'y a-t-il donc là ? me demanda-t-elle. Cet objet apporté par Teddy était absolument horrible !

— Certes ! Il se trouve que cette maison appartient à un professeur de biophysique, lequel utilise la petite pièce du fond comme laboratoire. Si jamais je surprends un des garçons à fureter de nouveau par ici, ça bardera ! »

Ils s'en furent d'un air boudeur et Vita se tourna vers moi :

« Je trouve extraordinaire que le professeur ayant une pièce comme ça, avec toutes sortes de choses scientifiques, n'ait pas pris le soin de bien la fermer.

— Ah ! je t'en prie ! lui dis-je. Je suis responsable vis-à-vis de Magnus et je te garantis que ça ne se reproduira pas. Si tu étais venue la semaine prochaine, au lieu de rappliquer ce matin, à une heure impossible, alors que personne ne t'attendait, ça ne serait pas arrivé ! »

Elle me regarda d'un air sidéré.

« Ma parole, tu en es tout tremblant ! On croirait vraiment que cette pièce renferme des explosifs !

— C'est peut-être le cas. Enfin, espérons que l'incident servira de leçon aux enfants. »

J'éteignis les lumières et remontai au rez-de-chaussée. Si je tremblais, cela n'avait rien d'étonnant : je voyais, comme en un cauchemar, tout ce qui aurait pu se produire. Les garçons auraient pu ouvrir les flacons contenant la drogue, en verser dans le verre gradué ou la vider dans l'évier. Je ne devais plus jamais me séparer de cette clef. Tout en la palpant dans ma poche, je me dis que je pourrais peut-être en faire exécuter une réplique et les garder toutes les deux; ce serait plus prudent. J'allai dans la salle de musique, où je demeurai à regarder dans le vague, tandis que le bout de mon doigt caressait le trou formé par l'anneau de la clef.

Vita était montée dans sa chambre. Le tintement dans le hall de la sonnette du téléphone m'apprit que ma femme venait de décrocher le combiné de l'appareil se trouvant au premier étage. J'allai me laver les mains dans la cuisine, puis gagnai la bibliothèque. J'entendis Vita qui, dans la chambre au-dessus de ma tête, continuait de parler. Je n'ai pas l'habitude d'écouter lorsque quelqu'un téléphone, mais je ne sais quel instinct me poussa à saisir le récepteur de l'appareil qui était dans la bibliothèque.

« ... Je n'y comprends vraiment rien, disait Vita. C'est la première fois qu'il parle aussi rudement aux garçons. Ils en sont tout retournés. Et puis, il n'a vraiment pas bonne mine, avec les yeux enfoncés. Il dit qu'il a très mal dormi.

— Il était temps que tu arrives. (Je reconnus l'accent traînant de son amie Diana.) Je te l'ai déjà dit : laisser son mari, c'est l'inciter à pécher. Je m'en suis aperçue avec Bill.

— Oh ! Bill, lui ! fit Vita d'un ton expressif. Nous savons qu'il faut toujours l'avoir à l'œil ! Mais vraiment, je me demande... Enfin, espérons qu'il fera beau et que nous pourrons sortir beaucoup. Je crois qu'il s'est arrangé pour louer un bateau.

— Voilà qui me paraît témoigner de bonnes dispositions.

— Oui... Pourvu que son satané professeur ne lui ait pas fourré des idées dans la tête. Je n'ai jamais eu et n'aurai jamais confiance en ce type. Et je sais qu'il ne m'aime pas.

— Ça, je n'ai aucune peine à deviner pour quelle raison ! déclara Diana en riant.

— Oh ! ne sois pas idiote. A supposer même qu'il soit comme ça, ce n'est absolument pas le cas de Dick. Bien au contraire !

— C'est peut-être justement ce qui attire le professeur ! » rétorqua Diana.

Je reposai doucement le combiné sur la fourche du téléphone. L'ennui avec les femmes, c'est qu'elles s'imaginent que tout mâle — homme, chien, poisson ou limaçon — n'a qu'une idée en tête et c'est de copuler !

Vita et son amie jacassèrent pendant encore au moins un quart d'heure. Après quoi, fortifiée par cet entretien, ma femme redescendit au rez-de-chaussée. Sans faire la moindre allusion à ce qui s'était passé au sous-sol, elle fredonnait et, ayant mis un tablier fleuri, entreprit de préparer pour le dîner des steaks qu'elle tartina de beurre persillé.

« Ce soir, tout le monde au lit de bonne heure ! » annonça-t-elle aux garçons qui, silencieux et les paupières lourdes, bâillèrent tout au long du repas.

S'ajoutant à sept heures de voiture, la promenade en bateau finissait quand même par avoir raison d'eux. Après le dîner, Vita s'installa sur le divan de la bibliothèque et entreprit de raccommoder les déchirures de mon pantalon. Je m'assis au bureau de Magnus, en parlant vaguement de notes à régler, mais en réalité afin d'examiner à nouveau le rôle des tailles pour la paroisse de Tywardreath en 1327. Julian Polpey y figurait, ainsi que Henry Trefrengy, Geoffrey Lampetho. La première fois que je les avais lus, ces noms ne signifiaient rien pour moi, mais j'avais pu les enregistrer inconsciemment dans mon esprit. La possibilité subsistait que j'eusse suivi dans la vallée, près des fermes qui portaient encore leurs noms, des phantasmes engendrés uniquement par mon cerveau.

Je remarquai sur le bureau une lettre qui n'était pas décachetée. C'était celle que m'avait remise le facteur, mais que j'avais oubliée dans le bouleversement causé par l'arrivée de Vita et des garçons. Il s'agissait simplement d'une note dactylographiée par l'élève de Magnus.

Le professeur Lane pense que vous serez intéressé par ces précisions concernant Sir John Carminowe, m'écrivait-il. *Deuxième fils de Sir Roger Carminowe de Carminowe. Appelé à l'ost en 1323. Armé chevalier en 1324. Convoqué au Grand Conseil à Westminster. Nommé châtelain de Tremerton et Restormel le 27 avril 1331, et en octobre de la même année, Garde des forêts, parcs, bois, garennes et gibiers du Roi dans le comté de Cornouailles, en vertu de quoi il était tenu tous les ans de rendre compte des droits de glandage et pacage dans lesdites forêts et garennes, entre les mains du régisseur des domaines royaux et de ses adjoints.*

L'étudiant avait ajouté entre parenthèses : *Extrait*

de l'inventaire des Fine Rolls 1331 [1]. Et il avait encore mentionné au-dessous : *Le 24 octobre 1331, les
Rôles des Lettres patentes font état de la permission
donnée à Joanna, veuve d'Henry de Champernoune,
tenant-en-chef, d'épouser qui elle voudra dans l'allégeance du Roi, moyennant un droit de 10 marcs.*

Ainsi donc Sir John avait eu ce qu'il voulait et Otto
Bodrugan avait perdu, cependant que Joanna, en pré-
vision de la mort de la femme de Sir John, avait une
licence de mariage en attente dans un tiroir. Je rangeai ce papier avec le rôle des tailles et, me levant,
j'allai inventorier les rayons de la bibliothèque où
j'avais repéré les nombreux volumes de l'*Encyclopédie britannique*, hérités du capitaine de frégate Lane.
Je sélectionnai le tome 8 et me mis en quête
d'Edouard III.

Sur le divan, Vita s'étira et émit une rapide succes-
sion de petits soupirs.

« J'ignore quelles sont tes intentions, dit-elle, mais
moi, je vais me coucher.

— Je monte dans un moment.

— Toujours à travailler pour ton professeur ? Ap-
proche-toi donc avec ce volume, tu vas t'abîmer les
yeux. »

Je ne répondis rien.

*Edouard III (1312-1377), roi d'Angleterre, fils aîné
d'Edouard II et d'Isabelle de France, naquit à Windsor le 13 novembre 1312... Le 13 janvier 1327, le Parlement le reconnut pour roi et il fut couronné le 29 du
même mois. Pendant les quatre années qui suivirent,
Isabelle et son amant Mortimer gouvernèrent en son
nom, bien que son véritable tuteur fût Henry, comte*

1. Rôles où étaient transcrites, en caractères particulièrement
soignés et enluminés — d'où leur nom —, les donations faites
au roi. (*N. du T.*)

*de Lancastre. Durant l'été de 1327, il prit part à une
campagne contre les Ecossais, qui échoua. Le 24 janvier 1328, il épousa Philippa à York. Le 11 juin 1330,
naissait son premier fils, Edouard, le Prince Noir.*

Rien concernant une rébellion. Mais voici qui y faisait allusion.

*Peu après, Edouard réussit à s'affranchir de la dé-
gradante dépendance où le tenaient sa mère et Mortimer. En octobre 1330, ayant pénétré la nuit et par un
passage souterrain dans le château de Nottingham, il
y fit Mortimer prisonnier. Le 29 novembre, l'exécution
du favori à Tyburn compléta l'émancipation du jeune
roi. Edouard jeta un voile discret sur les relations de
sa mère avec Mortimer, et lui témoigna le plus grand
respect. Il est donc faux qu'elle ait été dès lors gardée
recluse par son fils, mais ce fut la fin de son influence
politique.*

Et ce fut aussi la fin de celle de Bodrugan en Cornouailles. A peine un an plus tard, Sir John était
nommé châtelain de Tremerton et de Restormel; loyal
sujet du roi, c'était lui qui gouvernait, cependant que
Roger, ayant imposé silence à ses amis de la vallée,
oubliait la nuit d'octobre. Je me demandai ce qu'il
était advenu après cette rencontre à la ferme de Polpey, lorsque Isolda avait tant risqué pour prévenir
son amant : Bodrugan, pensant à ce qui aurait pu
être, avait-il regagné ses terres et elle, lorsque son
mari Oliver était absent, le revoyait-elle en secret ?
Dire que j'étais près d'eux moins de vingt-quatre heures auparavant et qu'il y avait six siècles de cela...
Je remis le volume en place, éteignis la lumière et
montai au premier. Vita était déjà couchée; elle avait
ouvert les doubles rideaux de façon à pouvoir contempler la mer depuis le lit lorsqu'elle se réveillerait.

« Cette chambre est un vrai paradis, me dit-elle. Imagine un peu l'effet que ça fera les nuits de pleine lune. Mon chéri, je sens que je vais vraiment beaucoup me plaire ici ! Et c'est tellement merveilleux d'être de nouveau ensemble. »

Je demeurai un moment devant la fenêtre, contemplant l'autre côté de la baie. De l'endroit où il couchait, au-dessus de l'ancienne cuisine, Roger devait voir pareillement la mer sous le ciel obscur. En me détournant de la fenêtre, vers le lit, je me rappelai la remarque ironique que Magnus m'avait faite, la veille, au téléphone : « Je voulais seulement dire, mon cher garçon, que ce changement de monde peut se révéler très... stimulant. »

Eh bien, non. C'était même le contraire.

XI

Le lendemain étant un dimanche, Vita annonça, pendant le petit déjeuner, son intention d'emmener les enfants au temple. Cela lui arrivait de temps en temps durant les vacances. Deux ou trois semaines pouvaient s'écouler sans qu'il fût question de dévotions puis soudain, sans raison spéciale et généralement quand ses fils s'adonnaient à une occupation leur procurant beaucoup de plaisir, elle survenait auprès d'eux en disant :

« Allez, vite ! Je vous donne cinq minutes pour vous préparer !

— Nous préparer ? A quoi ? questionnaient-ils en délaissant momentanément le modèle réduit d'avion ou ce qui les captivait en cet instant.

— A aller au culte bien sûr », répondait-elle en ressortant de la pièce, sans vouloir écouter leurs protestations.

Moi, j'avais toujours pour échappatoire mon éducation catholique. J'en profitais pour m'attarder au lit, en lisant les journaux du dimanche. Ce matin-là, en dépit du soleil qui inondait notre chambre et du sourire rayonnant de Mrs. Collins lorsqu'elle nous apporta le plateau du petit déjeuner, Vita paraissait préoccupée et elle déclara avoir passé une mauvaise nuit. J'en éprouvai aussitôt un sentiment de culpabilité, car j'avais pour ma part dormi comme un loir. Je me dis que cette histoire d'avoir bien ou mal dormi était vraiment le grand test des relations conjugales. Si l'un des époux passe une mauvaise nuit, l'autre en porte immanquablement la responsabilité et la journée qui suit s'en trouve gâchée dès le début.

Ce dimanche-là ne fit pas exception à la règle et lorsque les garçons vinrent, en jeans et tee-shirts, nous dire bonjour dans la chambre, Vita explosa :

« Voulez-vous bien vous changer tout de suite et mettre vos costumes de flanelle ! Avez-vous oublié que c'est dimanche et que nous allons au temple ?

— Oh ! M'man... Non ! »

J'avoue que j'eus de la peine pour eux. Le soleil, le ciel bleu, la mer en bas des champs... Ils ne devaient avoir qu'une idée en tête : descendre se baigner.

« Pas de discussion, leur lança Vita en sortant du lit. Allez vite faire ce que je vous ai dit. »

Elle se tourna vers moi :

« Je suppose qu'il y a une église quelque part dans le voisinage et que tu pourras au moins nous y conduire avec la voiture ?

— Tu n'as que l'embarras du choix : Fowey ou Tywardreath. Mais il est plus facile d'aller à Tywardreath. »

Je souris en prononçant ce nom, car il avait pour moi, mais pour moi seul, une signification spéciale.

« Et son église présente aussi un intérêt historique, continuai-je d'un air détaché. Autrefois, à l'emplacement de l'actuel cimetière, il y avait un monastère.

— Tu entends, Teddy ? souligna Vita. Il y avait un monastère à l'endroit où nous allons assister au culte. Toi qui dis aimer l'histoire... Allez, dépêchez-vous ! »

J'avais rarement vu deux visages plus boudeurs. Les épaules voûtées, les garçons faisaient vraiment triste mine.

« Ensuite, je vous emmènerai baigner ! » leur lançai-je comme ils quittaient la chambre.

Cela m'arrangeait de les conduire à Tywardreath. Le culte durerait au moins une heure; après les avoir déposés à l'église, je pourrais garer la voiture au-dessus de Treesmill et m'en aller à travers champs jusqu'au Gratten. J'ignorais quand je pourrais avoir de nouveau l'occasion de revenir là, et la carrière avec les tertres herbeux qui l'environnaient, exerçait sur moi une sorte de fascination.

Tout en roulant avec Vita et les garçons, mainte-nant revêtus de leurs costumes du dimanche, vers le bas de la colline de Polmear, je regardai à droite, en direction de Polpey, me demandant ce qui serait ar-rivé si, au lieu du facteur, les actuels propriétaires m'avaient découvert embusqué derrière les buissons de leur jardin ou, pis encore, si Julian Polpey avait invité Roger et les autres à entrer chez lui ? Aurais-je été surpris au moment où je semblais vouloir péné-trer par effraction dans les pièces du rez-de-chaussée ? La chose me parut bouffonne et j'éclatai de rire.

« Qu'y a-t-il donc de si drôle ? s'enquit Vita.

— La vie que je mène, répondis-je. Aujourd'hui, je vous conduis tous à l'église et hier, je me promenais à l'aube. Tu vois ce marais en bas ? C'est là que je me suis tellement trempé.

— Ça ne m'étonne pas. Quel drôle d'endroit pour aller se promener ! Que pensais-tu donc y trouver ?

— Y trouver ? répétai-je. Oh ! je ne sais pas. Une demoiselle en détresse peut-être. Tout dépend de la chance qu'on a. »

C'est en jubilant que j'engageai la voiture dans la côte menant à Tywardreath. Le fait que Vita ne pût soupçonner la vérité m'emplissait d'une joie ridicule, comme autrefois lorsque je réussissais à donner le change à ma mère. C'est un besoin instinctif qui existe chez tous les mâles. Les garçons l'éprouvaient aussi, et c'était pour cette raison que je les soutenais lorsqu'ils commettaient ces menues fautes réprouvées par Vita, telles que manger entre les repas ou se parler au lit après avoir éteint la lumière.

Quand je les déposai devant le portail de l'église, les garçons avaient toujours la mine renfrognée et Vita me demanda :

« Que vas-tu faire pendant ce temps ?

— Tout simplement me promener », répondis-je.

Elle haussa les épaules et franchit le portail pour entrer dans le cimetière. Je connaissais ce haussement d'épaules. Il signifiait que mon humeur frivole n'était pas en harmonie avec la sienne. J'espérai que le service divin y remédierait.

Je roulai jusqu'à Treesmill, garai la voiture, puis m'en fus à travers champs vers le Gratten. Il faisait un temps superbe et un chaud soleil rayonnait sur la vallée. Une alouette s'envola au-dessus de ma tête en chantant sa joie. Je me dis que j'aurais dû emporter des sandwiches et regrettai de n'avoir pas toute cette longue journée à moi, au lieu d'une heure seulement.

Je contournai la carrière et ses vieilles boîtes de conserve pour aller m'étendre de tout mon long dans un des creux tapissés d'herbe, me demandant quel air avait cet endroit, la nuit, sous le ciel étoilé ou plutôt quel air il avait eu, autrefois, lorsque l'eau emplissait la vallée. Et je me rappelai la scène du *Marchand de Venise*, entre Lorenzo et Jessica.

Par une nuit semblable, Didon debout sur le rivage,
Un rameau de saule à la main, rappelait son amour
vers Carthage
Par une nuit semblable, Médée cueillait les herbes
magiques qui rajeuniraient le vieil Eson... [1]

1. Shakespeare, *Le Marchand de Venise*. (N. du T.)

Les herbes magiques... Tandis que Vita et les garçons se préparaient pour l'église, j'étais descendu au laboratoire et j'avais versé quatre mesures de la drogue dans la fiole. La fiole était dans ma poche. Dieu seul savait quand j'aurais de nouveau la possibilité...

Tout se passa très rapidement. C'était le jour et non la nuit — et un jour d'été également mais tendant vers sa fin à en juger par ce que je pouvais voir du ciel par la petite fenêtre du hall. J'étais appuyé contre une cathèdre, au fond de la pièce, et je voyais la cour d'entrée avec les murs l'environnant. Je me repérai aussitôt : j'étais au manoir. Deux enfants jouaient dans la cour, deux fillettes de huit et dix ans peut-être — les corsages étroits et les jupes à la cheville rendaient difficile l'appréciation de leur âge — dont les longs cheveux dorés et les traits finement ciselés proclamaient qu'elles étaient deux répliques en miniature de leur mère. Seule Isolda avait pu engendrer de telles filles et je me rappelai Roger disant à Julian Polpey, lors de la réception de l'évêque, qu'elle élevait les fils du premier lit de son mari, mais ne lui avait donné elle-même que deux filles.

Elles déplaçaient des sortes de quilles sur une manière d'échiquier gravé à même les dalles et discutaient entre elles à qui c'était de jouer. La plus jeune saisit une des quilles et la cacha dans sa jupe; une dispute s'ensuivit et elles se tirèrent les cheveux en se donnant des tapes. Surgissant du hall d'où il les observait, Roger les sépara et, s'accroupissant, prit chacune d'elles par la main.

« Vous savez ce qui arrive quand les femmes se disputent ? leur dit-il. Leurs langues deviennent noires et se ratatinent dans leurs gorges en les étouffant. C'est arrivé une fois à ma sœur et elle serait morte si je n'avais pas été là pour intervenir. Ouvrez vos bouches. »

166

Saisies, les fillettes obéirent, en tirant la langue. Roger les effleura du bout des doigts comme pour s'assurer de leur souplesse.

« Je crois que je suis arrivé à temps... mais à condition que vous vous calmiez, sinon je n'y pourrais plus rien. Fermez vos bouches et ne les rouvrez plus que pour manger ou dire de bonnes paroles. Joanna, tu es l'aînée et tu devrais apprendre à Margaret que ça n'est pas bien de cacher comme ça des choses sous ses jupes. »

Il récupéra la quille dont s'était emparée la plus jeune et la reposa sur les dalles.

« Là... Maintenant continuez de jouer. Je vais veiller à ce que vous ne trichiez pas. »

Il se releva et se tint planté là, les jambes écartées, tandis qu'elles déplaçaient les pièces, d'abord d'un geste hésitant, puis avec une assurance grandissante. Peu après elles riaient aux éclats tandis qu'il s'amusait à faire tomber les quilles, ce qui obligeait à recommencer sans cesse la partie. Bientôt une femme — leur nourrice, probablement — appela les fillettes depuis une porte située au fond du hall. Les quilles furent alors rassemblées et remises solennellement à Roger, lequel promit de jouer à nouveau le lendemain. Puis, gratifiant la nourrice d'un clin d'œil, il lui demanda d'examiner un peu plus tard les langues des petites, et de le prévenir aussitôt si jamais elles commençaient à noircir.

Il déposa les quilles près de l'entrée du hall, tandis que les enfants disparaissaient dans les profondeurs du manoir en compagnie de la nourrice. Pour la première fois, Roger me semblait avoir momentanément cessé d'être l'intendant froid, calculateur et sans doute corrompu que je connaissais, se dépouillant du même coup de ce détachement ironique et cruel qui le caractérisait, pour laisser paraître des sentiments humains.

Il s'immobilisa dans le hall, prêtant l'oreille. Nous étions seuls et, regardant autour de moi, j'eus conscience que des changements étaient intervenus depuis ce jour de mai où Henry Champernoune était mort. Le manoir ne me faisait plus l'impression d'être habité en permanence, mais plutôt d'une demeure que ses propriétaires occupaient seulement de temps à autre, en la laissant le plus souvent sans personne. Je n'entendais aucun aboiement de chien et nul domestique ne se manifestait, en dehors de la nourrice. Il me vint soudain à l'esprit que la maîtresse de céans, Joanna Champernoune, devait être allée ailleurs avec ses propres enfants, peut-être dans ce manoir de Trelawn, dont l'intendant avait parlé à Lampetho et Trefrengy dans la cuisine de Kilmarth, durant la nuit où la rébellion avait avorté. C'était Roger qui avait actuellement le manoir en charge et les enfants d'Isolda y faisaient sans doute halte, avec leur nourrice, au cours d'un déplacement.

Roger s'approcha de la fenêtre par où entraient les rayons du soleil couchant et regarda au-dehors. Presque aussitôt il s'aplatit contre le mur, comme craignant d'être aperçu par quelqu'un qui était à l'extérieur et dont il préférait que sa présence demeurât ignorée.

Intrigué, je m'approchai aussi de la fenêtre et compris immédiatement ce qui motivait son attitude. Un banc se trouvait sous la fenêtre, où deux personnes étaient assises : Isolda et Bodrugan. Comme ce banc avait été placé dans un endroit où l'avancée du mur le protégeait du vent, on pouvait s'y croire à l'abri des indiscrets, sauf si l'on était espionné depuis la fenêtre, comme c'était le cas.

Devant ce banc, l'herbe descendait en pente douce jusqu'à un mur bas, au-delà duquel on voyait les champs jusqu'à l'estuaire où le bateau de Bodrugan était ancré, mais je n'en distinguais que le mât. On était à marée basse et, de chaque côté du ruban bleuté dessiné par l'eau, des oiseaux de toutes sortes se pressaient sur le sable, plongeant et barbotant dans les flaques que la mer avait laissées en se retirant. Bodrugan tenait les mains d'Isolda entre les siennes; il en examinait chaque doigt et, dans un jeu d'amoureux, faisait mine de les mordre l'un après l'autre, en esquissant une grimace comme s'il leur trouvait un goût acide.

En les observant, je me sentis étrangement troublé, non point parce que je les espionnais comme le faisait l'intendant, mais parce que je devinais que, s'ils éprouvaient en d'autres moments une violente passion l'un pour l'autre, ils étaient d'une totale innocence en cet instant béni et c'était là un sentiment que, pour ma part, je ne connaîtrais jamais.

Soudain, il abandonna les mains d'Isolda qui retombèrent au creux de la jupe.

« Laissez-moi passer encore la nuit ici, au lieu d'aller dormir à bord, dit-il. De toute façon, la marée peut me desservir et, en voulant partir, je risque d'échouer mon bateau.

— Pas si vous choisissez bien votre moment, répliqua-t-elle. Plus vous vous attardez ici et plus vous nous faites courir de dangers. Vous savez combien les commérages vont vite. Le seul fait de venir ici était déjà une folie, car tout le monde connaît votre bateau.

— Non, c'était sans importance puisque je viens souvent dans la baie ou le chenal, aussi bien pour affaires que pour mon plaisir, pêchant entre ici et la Pointe de la Chapelle. C'est pur hasard si vous vous êtes trouvée là dans le même temps.

— Vous savez très bien que non. L'intendant vous a porté ma lettre où je vous disais que je serais ici.

— Roger est un messager sûr. Ma femme et les enfants sont à Trelawn, ainsi que ma sœur Joanna. Le risque valait donc d'être couru.

— Une fois, oui, mais pas deux nuits consécutives. Par ailleurs, je ne partage pas votre confiance en l'intendant et vous savez pour quelles raisons.

— Vous voulez parler de la mort d'Henry ? fit-il en fronçant les sourcils. Je persiste à croire que vous vous êtes montrée injuste. Henry était mourant, nous le savions. Si ces potions ont contribué à endormir sa souffrance, pourquoi nous en formaliserions-nous, puisque Joanna était au courant ?

— Parce que cela a été trop vite fait et avec intention. J'en suis navrée, Otto, mais Joanna a beau être votre sœur, je ne puis lui pardonner ça. Quant à l'intendant, elle a dû le payer grassement ainsi que le moine, son complice. »

Je jetai un coup d'œil à Roger. Il n'avait pas bougé de l'angle obscur où il s'était tapi près de la fenêtre. Il avait dû entendre aussi bien que moi et, à en juger par l'expression de son regard, il n'appréciait guère ce que venait de dire Isolda.

« Ce moine est toujours au couvent, continua la jeune femme, où son influence s'accroît chaque jour. Le prieur est comme une cire entre ses mains et les moines font ce que leur commande frère Jean, lequel va et vient à sa guise.

— C'est son affaire et non la mienne, dit Bodrugan.

— Mais cela pourrait vous concerner s'il advient que Margaret ait autant de confiance que Joanna en sa science des herbes. Vous savez qu'il a soigné votre famille dernièrement ?

— Non, je l'ignorais. Comme je vous l'ai dit, je me trouvais à Lundy, et Margaret préfère rester à Trelawn, car l'île et Bodrugan lui paraissent trop exposés aux intempéries. »

Se levant, il se mit à arpenter l'herbe devant le banc. Le badinage amoureux était terminé; les problèmes domestiques reprenaient le dessus.

« Tout comme le pauvre Henry, Margaret est très

Champernoune, dit-il. Un prêtre ou un moine, s'il lui en venait l'idée, pourrait facilement la persuader de pratiquer l'abstinence ou la prière perpétuelle. Il va falloir que je m'occupe de ça. »

A son tour, Isolda quitta le banc et alla poser les mains sur les épaules de Bodrugan en levant son visage vers lui. J'aurais pu les toucher en me penchant à la fenêtre. Ils me paraissaient petits, comparés à des adultes du XXe siècle, mais lui était solidement bâti, avec une belle tête et un sourire sympathique, tandis qu'elle, à peine plus grande que ses filles, avait la finesse d'un saxe. Ils s'étreignirent et s'embrassèrent cependant que je me sentais étrangement bouleversé, comme jamais je ne l'aurais été s'il m'avait été donné d'observer ainsi deux amants... Je me sentais concerné par eux et j'éprouvais une vive compassion... Oui, c'était exactement ça, de la compassion. Et je ne m'en expliquais pas la raison, sinon par le fait que, venant de mon temps dans le leur, je les savais plus vulnérables et plus proches de la mort que moi, puisqu'ils étaient redevenus poussière depuis déjà six siècles au moins.

« Faites aussi attention à Joanna, conseilla Isolda. Elle n'est pas plus près d'épouser John qu'elle ne l'était voici deux ans, et ça n'a pas contribué à la rendre meilleure. Elle pourrait bien traiter la femme de John comme elle a traité son propre mari.

— Elle n'oserait pas, ni John non plus.

— Elle oserait n'importe quoi si cela devait lui profiter. Elle n'hésiterait pas davantage à s'en prendre à vous, si vous lui faisiez obstacle. Elle n'a qu'une idée en tête : que John soit châtelain de Restormel et gouverneur de Cornouailles, avec elle pour épouse, afin qu'elle puisse jouer à la reine en tant que Lady Carminowe.

— Si cela se produisait, je ne pourrais l'empêcher...

— Etant son frère, vous devriez au moins essayer

et, en tout cas, empêcher ce moine d'être sans cesse près d'elle avec ses mixtures empoisonnées.

— Joanna a toujours été extrêmement volontaire et a toujours fait ce qu'il lui plaisait. Il m'est impossible de la surveiller continuellement. Mais je pourrais peut-être dire un mot à Roger...

— A l'intendant ? Il est tout autant qu'elle de connivence avec le moine, déclara Isolda avec mépris. Je vous le répète, Otto, ne vous fiez pas à lui, pas plus en ce qui concerne Joanna que pour nous-mêmes. S'il garde secrètes nos quelques rencontres, c'est uniquement parce que ça lui convient. »

Je regardai une fois de plus Roger et eus conscience de son air sombre. Je souhaitais que quelqu'un l'appelât hors de la pièce, afin qu'il ne pût continuer d'écouter. S'entendre démasquer de la sorte et avec tant de mépris ne pouvait que le monter contre Isolda.

« En octobre dernier, il s'est rangé à mes côtés et ne manquerait pas de le faire à nouveau.

— S'il l'a fait, c'est parce qu'il s'est rendu compte qu'il y avait avantage. Mais, maintenant que vous ne pouvez faire grand-chose pour lui, pourquoi risquerait-il encore de perdre sa situation ? Il suffirait d'un mot dit à Joanna, laquelle le répéterait à John, pour que cela parvienne jusqu'à Oliver, et c'en serait fait de nous !

— Oliver est à Londres.

— Aujourd'hui, oui... Mais demain il peut être aussi bien à Bere ou Bockenod, et le jour d'après à Tregest ou Carminowe, si quelque propos malveillant parvenait jusqu'à lui. Oliver ne se soucie absolument pas de moi et il a des femmes partout où il va, mais son orgueil, je le sais, ne tolérerait pas que son épouse puisse lui être infidèle. »

Il y avait maintenant comme un nuage entre eux, et le ciel aussi s'obscurcissait au-dessus des collines.

Cette journée d'été avait perdu tout son éclat. L'instant de totale innocence dont j'avais eu conscience s'était évanoui, emportant du même coup leur sérénité. Et la mienne aussi. Des siècles avaient beau me séparer d'eux, je me sentais partager leur culpabilité.

« Quelle heure est-il ? questionna Isolda.

— Près de six heures, d'après le soleil, répondit-il. Pourquoi ?

— Les enfants doivent partir avec Alice. Elles peuvent venir à ma recherche et il ne faut pas qu'elles nous voient ici.

— Roger est avec elles. Il veillera à ce qu'elles nous laissent seuls.

— Il me faut néanmoins aller leur dire bonsoir, sinon elles ne voudront jamais monter sur leurs poneys. »

Comme elle s'éloignait du banc, l'intendant sortit aussi de son recoin et traversa le hall. Je le suivis, intrigué. Ainsi donc, ils ne séjournaient pas là, mais dans un autre endroit, à Bockenod peut-être. Mais le Boconnoc que je connaissais était bien éloigné pour que des enfants pussent s'y rendre en fin d'après-midi sur des poneys; elles n'étaient certainement pas en mesure d'y arriver avant la nuit.

Nous sortîmes dans la cour d'accès et, en passant sous l'arche, nous gagnâmes celle des écuries. Le frère de Roger, Robbie, était en train d'y seller les poneys, aidant les petites à s'y jucher, tout en riant et plaisantant avec la nourrice qui, déjà en selle, avait quelque peine à faire tenir tranquille sa monture.

« Il sera beaucoup plus calme s'il en a deux sur le dos, lança Roger. Robbie va se joindre à toi et te tiendra chaud. Tu le veux devant ou derrière ? Dis ce que tu préfères; pour lui, c'est pareil. Pas vrai, Roger ? »

La nourrice, une fille de la campagne aux joues rouges, pouffa d'un air ravi en protestant qu'elle pouvait très bien chevaucher seule, mais les rires se turent instantanément sur un froncement de sourcils de Roger, car Isolda arrivait dans la cour. Il se porta aussitôt au-devant d'elle, la tête respectueusement inclinée.

« Les enfants ne courent aucun risque avec Robbie, assura-t-il. Mais je peux les escorter si vous préférez ?

— Oui, je le préfère, merci », répondit-elle d'un ton bref.

Il s'inclina derechef et elle alla rejoindre les enfants qui se tenaient très bien en selle.

« Je vais rester encore un peu ici, leur dit-elle en les embrassant et je rentrerai plus tard. Surtout ne fouettez pas les poneys pour qu'ils avancent plus vite et faites bien tout ce que vous dira Alice.

— Nous ferons tout ce que lui nous dira, déclara la plus jeune en pointant son petit fouet en direction de Roger, ou sinon il nous tordra la langue pour voir si elle ne devient pas noire.

— Sans doute, répondit Isolda. Ou bien il trouvera quelque autre moyen de vous contraindre au silence. »

L'intendant eut un sourire confus, mais elle ne le regarda même pas. Prenant dans chaque main la bride des poneys montés par les fillettes, Roger les conduisit vers l'arche tandis que, d'un mouvement de tête, il signifiait à Robbie d'en faire autant avec la monture de la nourrice. Isolda nous accompagna jusqu'à la porte du mur d'enceinte. Là, je me sentis tiraillé entre l'impulsion qui me poussait à suivre le petit groupe conduit par Roger et le désir de rester auprès d'Isolda qui agitait la main en regardant ses filles s'éloigner.

Je savais que je ne devais pas la toucher. Je savais que si je le faisais, cela n'aurait pas plus d'effet qu'un courant d'air... et même pas, car je n'avais jamais existé dans son monde et ne pourrais jamais y exister puisqu'elle était en train d'y vivre, alors que je n'y étais qu'un invisible fantôme. Si je me donnais le vain plaisir d'effleurer sa joue, il n'y aurait pas de contact, mais Isolda disparaîtrait instantanément et je me retrouverais en proie aux tourments de la nausée, du vertige et du remords. Par chance, Isolda ne me laissa pas le choix. Ayant agité une dernière fois la main, elle regarda à travers moi, puis s'en retourna vers la maison.

Je suivis donc ceux qui partaient. Isolda et Bodrugan allaient rester seuls pendant quelques heures. Peut-être en profiteraient-ils pour s'aimer. Je le souhaitais, car ils m'inspiraient une sorte de sympathie désespérée et j'avais le sentiment que le temps fuyait à tire-d'aile pour eux comme pour moi.

Le chemin descendait vers le gué où le ru du moulin, après avoir couru dans la vallée, se mêlait à l'eau salée de la crique. Comme c'était marée basse, on pouvait passer le gué et, quand les fillettes l'atteignirent, Roger lâcha les brides puis, administrant une grande claque sur la croupe des poneys, il les fit partir au galop dans un éclaboussement d'eau qui ravit les enfants. Il fit de même pour le troisième poney où son frère était juché avec la nourrice et celle-ci poussa un cri strident qui dut s'entendre des deux côtés de la vallée. Le maréchal-ferrant, dont la forge se trouvait de l'autre côté du ruisseau, contourna son enclume et sortit de son antre en riant. Prenant le soufflet que tenait son aide, il le braqua vers la nourrice dont les jupons étaient déjà trempés par le passage à gué.

« Pour la réchauffer, colle-lui donc la barre qui rougit dans ta forge ! » lui cria Roger.

Le maréchal-ferrant fit mine d'obéir en brandissant la barre dans une pluie d'étincelles, cependant que Robbie, à demi étranglé par l'étreinte hystérique de la nourrice et plié en deux par le rire, enfonçait ses talons dans les flancs du poney afin de le faire sauter encore davantage. Le spectacle attira le meunier et son compagnon. Je vis que c'étaient des moines et dans la cour du moulin, il y avait une carriole où deux autres moines chargeaient des sacs de farine. Ils interrompirent leur travail, en riant comme le forgeron, et l'un d'eux, mettant ses mains en porte-voix, imita le cri du hibou, cependant que son compagnon agitait rapidement les bras au-dessus de sa tête, comme si c'eût été des ailes.

« Fais ton choix, Alice, cria Roger. Le feu et le soufflet de Rob Rosgof dans sa forge, ou préfères-tu que les frères attachent ta cotte à la roue du moulin ?

— La roue du moulin, la roue du moulin ! » hurlèrent les enfants qui, dans leur surexcitation, croyaient qu'Alice allait être vraiment plongée dans l'eau. Puis tout d'un coup, aussi soudainement qu'il avait commencé, l'amusement cessa. Roger s'avança dans le ruisseau qu'il traversa avec de l'eau jusqu'à mi-cuisse et, parvenu sur l'autre rive, il reprit la bride des poneys montés par les fillettes pour tourner à droite, pendant que Robbie suivait avec la nourrice.

Je m'apprêtais à passer le gué comme lui lorsqu'un des moines travaillant dans la cour du moulin cria de nouveau. Je crus du moins que c'était le moine et je me retournai pour voir ce qu'il voulait mais me trouvai confronté avec une petite auto dont le conducteur, furieux, venait de freiner à fond derrière moi.

« Pourquoi ne vous achetez-vous pas un Sonotone ? » me cria-t-il en repartant et manquant plonger dans le fossé pour m'éviter.

Je demeurai figé sur place tandis que les trois personnes endimanchées qui occupaient la banquette arrière, se retournaient pour me jeter des regards indignés.

Le changement s'était de nouveau opéré, trop vite, trop tôt. Il n'y avait plus de moulin ni de ruisseau ni de forge. Je me tenais au milieu de la route de Treesmill, au creux de la vallée.

Je m'appuyai contre le petit pont qui enjambait le

marais. Il s'en était fallu de peu que la voiture culbu-
tât là-dedans avec moi. Il était trop tard pour m'excuser, car l'auto avait déjà disparu en haut de la colline
opposée. Je m'assis sur le parapet bas dans l'attente
de la réaction, mais il ne s'en produisit pas. Mon
cœur battait un peu plus vite que de coutume, cela
n'avait toutefois rien d'étonnant après l'émotion que
venait de me causer la voiture. J'avais vraiment eu de
la chance. Il n'y avait rien à reprocher au conducteur : tout était de ma faute.

Je remontai jusqu'au tournant où j'avais laissé ma
propre voiture et m'assis derrière le volant. Je craignais d'être de nouveau en proie à une certaine confusion d'esprit et il ne me fallait pas retourner à
l'église avant d'avoir les idées parfaitement claires.
L'image de Roger escortant les poneys des fillettes
après avoir passé le gué demeurait présente à mon esprit, mais je savais qu'elle appartenait à cet autre
monde déjà disparu. La maison au-dessus des bancs
de sable était redevenue la carrière du Gratten, couverte d'herbe, où il n'y avait plus que des buissons
d'ajoncs parmi de vieilles boîtes de conserve. Bodrugan et Isolda ne faisaient plus l'amour. J'avais repris
pied dans la réalité actuelle.

Consultant ma montre, je la regardai avec stupeur.
Les aiguilles marquaient une heure et demie. A Saint-
Andrews, le service divin avait dû se terminer vers
midi.

En proie à un sentiment de culpabilité, je m'empressai de remettre la voiture en marche. La drogue
m'avait joué un tour, car je n'étais certainement pas
resté plus d'une demi-heure au manoir, à quoi s'étaient
ajoutées une dizaine de minutes passées à suivre Roger
et les enfants jusqu'au gué. Tout s'était passé très rapidement car j'avais simplement écouté un moment à
la fenêtre avant que les enfants s'en aillent. En roulant vers le haut de la colline, j'étais beaucoup plus

préoccupé par cet effet de la drogue que par la perspective de me retrouver en présence de Vita et de devoir lui raconter que je m'étais encore égaré en me promenant. Pourquoi ce décalage dans l'écoulement du temps ? Je me rendis alors compte que lorsque je m'en allais dans le passé, je ne regardais jamais ma montre. Cela ne me venait jamais à l'idée, si bien que je n'avais aucun moyen de mesurer l'écoulement du temps. Leur soleil n'était pas plus mon soleil que leur ciel n'était le mien. Je n'avais aucun contrôle, aucun moyen de déterminer combien durait l'effet de la drogue. Comme toujours lorsque les choses tournaient mal, j'en rendais Magnus responsable. Il aurait dû m'avertir.

J'arrêtai la voiture devant l'église mais, bien entendu, il n'y avait plus personne. Vita avait dû attendre avec les garçons en rageant de plus en plus, puis demander à quelqu'un de bien vouloir les déposer, à moins qu'elle eût déniché un taxi.

Tout en regagnant Kilmarth, je m'efforçai d'imaginer une meilleure excuse que celle de m'être égaré ou que ma montre s'était arrêtée. L'essence. Pouvais-je m'être trouvé en panne d'essence ? Une crevaison. Pourquoi pas une crevaison ? Oh ! quelle barbe que cette histoire !

Je tournai dans l'allée d'accès et m'arrêtai au bas du jardin dont je gravis les degrés pour entrer par le hall. La porte de la salle à manger était fermée. Mrs. Collins, le visage inquiet, émergea du couloir menant à la cuisine.

« Je crois qu'ils ont fini, me dit-elle d'un ton d'excuse, mais je vous ai gardé votre part au chaud. Vous avez eu une panne ?

— Oui », lui dis-je avec gratitude.

J'ouvris la porte de la salle à manger. Les garçons débarrassaient la table, mais Vita était encore assise et buvait son café.

« Le diable emporte cette bon sang de voiture... »,
commençai-je.

Les garçons se retournèrent, ne sachant s'ils devaient rire ou s'éclipser. Manifestant un tact soudain,
Teddy jeta un coup d'œil à Micky. Tous deux se hâtè-
rent de quitter la pièce, Teddy emportant le plateau
avec la vaisselle sale.

« Je suis absolument désolé, ma chérie, continuai-je. Pour rien au monde, je n'aurais voulu que
pareille chose se produise. Tu n'as pas idée...

— Oh ! si, j'ai très nettement idée que nous t'avons
gâché ton dimanche. »

Mais elle faisait de l'ironie en pure perte. J'hésitai,
me demandant si je persistais ou non dans mon histoire de panne.

« Le pasteur s'est montré extrêmement gentil, continua-t-elle. Son fils nous a ramenés dans leur voiture.
Et lorsque nous sommes arrivés, Mrs. Collins m'a remis ceci. »

Elle m'indiquait un télégramme posé près de son
assiette.

« On l'a apporté juste après notre départ pour
l'église. Pensant que ça pouvait être important, je l'ai
ouvert. C'est de ton professeur, bien entendu. »

Elle me tendit le télégramme, qui avait été expédié
de Cambridge.

*Te souhaite un bon voyage pendant le week-end.
Espère que tu verras ta petite amie. Penserai à toi.
Tous mes vœux.* MAGNUS.

Je relus deux fois ce texte, puis regardai Vita, mais
elle se dirigeait déjà vers la bibliothèque environnée
par la fumée de sa cigarette. Et, sur ces entrefaites,
Mrs. Collins entra avec une énorme assiettée de rosbif
chaud.

XII

Si Magnus avait voulu me jouer un tour de cochon, il n'aurait pu mieux faire, mais c'était hors de question. Il croyait Vita encore à Londres et que j'étais seul. Le libellé de son télégramme n'en était pas moins fâcheux, pour ne pas dire catastrophique. En le lisant, Vita avait dû aussitôt m'imaginer en train de filer avec mon nécessaire à raser et ma brosse à dents pour aller passer le week-end aux Sorlingues en compagnie de quelque poule. J'allais avoir du mal à lui prouver mon innocence. Je la rejoignis dans la bibliothèque.

« Maintenant, écoute-moi, dis-je d'un ton décidé en fermant la porte de communication afin que Mrs. Collins ne pût entendre. Ce télégramme est une plaisanterie de mauvais goût, due à Magnus. N'aie pas la bêtise de le prendre au sérieux. »

Elle se retourna pour me faire face, dans la pose classique de l'épouse outragée, une main sur la hanche, l'autre tenant la cigarette, cependant que ses yeux s'étrécissaient dans son visage figé :

« Peu m'importe le professeur ou ses plaisanteries, me dit-elle. Tu en as déjà tellement partagé avec lui dont j'étais exclue, que cela ne me fait plus rien. Si ce télégramme était une plaisanterie, grand bien vous fasse à tous deux ! Je le répète, je suis navrée de t'avoir gâché ton week-end. Cela dit, tu ferais mieux de retourner manger avant que ce soit froid. »

Elle prit un journal et fit mine de s'absorber dans sa lecture, mais je le lui arrachai des mains.

« Non ! Je t'ai dit de m'écouter ! »

Et lui prenant aussi sa cigarette, je l'écrasai dans le cendrier. Après quoi, la saisissant par les poignets, je l'obligeai à me faire face.

« Tu sais très bien que Magnus est mon plus vieil ami, lui dis-je. Qui plus est, il nous prête gracieusement cette maison, en y ajoutant Mrs. Collins pour faire bonne mesure. En retour de quoi, j'effectue des classements et des recherches se rapportant à son travail. Ce télégramme était simplement sa façon de me souhaiter bonne chance. »

Mes paroles ne firent aucune impression et son visage demeura de glace.

« Tu n'es pas un scientifique. Alors, quelles recherches peux-tu bien faire pour lui ? Et où devais-tu aller ? »

Je lâchai ses poignets en soupirant, comme quelqu'un qui se sent sur le point de perdre patience parce qu'on fait exprès de ne pas vouloir le comprendre.

« Je ne devais aller nulle part, rétorquai-je en soulignant *nulle part* avec emphase. J'avais tout au plus vaguement projeté de faire une randonnée en voiture, le long de la côte, pour visiter un ou deux sites auxquels Magnus s'intéresse.

— Comme c'est vraisemblable ! Je me demande bien pourquoi le professeur n'entreprend pas de donner des cours ici, avec toi pour principal adjoint. Tu devrais le lui suggérer. Comme je pourrais gêner, il vaudrait mieux que je m'en aille, mais je pense qu'il préférerait voir les garçons rester ici.

— Oh ! au nom du Ciel ! m'exclamai-je en rouvrant

la porte de la salle à manger. Tu te conduis vraiment comme une épouse de vaudeville pour tournées de province ! Le plus simple sera que tu téléphones à Magnus demain matin et lui annonces que tu demandes le divorce parce que tu me soupçonnes d'avoir rendez-vous à Land's End avec quelque bonniche. Il s'en étranglera de rire ! »

Je retournai dans la salle à manger et m'assis à table. La sauce commençait à se figer, mais je n'en avais cure. Je me servis un grand verre de bière pour faire descendre le rosbif et les légumes qui l'accompagnaient, avant de m'attaquer à la tarte aux pommes. Observant un silence plein de tact, Mrs. Collins apporta le café qu'elle posa sur le chauffe-plat puis disparut de nouveau. Ne sachant que faire, les garçons donnaient des coups de pied dans le gravier, devant la maison. Je me levai et ouvris la fenêtre pour leur crier :

« Je vous emmènerai vous baigner tout à l'heure ! »

Leurs visages s'éclairèrent et ils s'élancèrent vers le porche.

« J'ai dit : « tout à l'heure » ! Laissez-moi d'abord prendre mon café et voir ce que Vita veut faire. »

Leurs visages se rembrunirent. M'man allait probablement contrer ce projet.

« Ne vous tracassez pas ! leur lançai-je avant de refermer la fenêtre. Du moment que je vous l'ai promis, vous irez vous baigner ! »

Je retournai dans la bibliothèque. Vita était étendue sur le divan, les yeux clos. Je m'agenouillai près d'elle et l'embrassai.

« Cesse de te faire des idées, lui dis-je. Pour moi, il n'y a qu'une femme au monde et tu le sais très bien. Si je ne t'emporte pas dans la chambre pour te le prouver incontinent, c'est parce que j'ai promis aux gosses de les emmener se baigner et que tu ne veux sûrement pas leur gâcher leur dimanche... N'est-ce pas ?

— Tu as bien réussi à me gâcher le mien, dit-elle en ouvrant un œil.

— Oh ! là, là ! fis-je. Et mon week-end alors ? Veux-tu que je te raconte ce que je me proposais de faire avec cette petite mignonne ? Nous serions allés voir un spectacle de strip-tease à Newquay. Et maintenant plus un mot ! »

Je l'embrassai de nouveau avec vigueur. Elle ne répondit pratiquement point à cet élan, mais ne me repoussa pas.

« J'aimerais pouvoir te comprendre, me dit-elle.

— Oh ! non, alors, protestai-je. Les maris détestent avoir des femmes qui les comprennent. Cela engendre la monotonie. Viens donc te baigner. Il y a une plage absolument déserte, en bas de la falaise. Le soleil est brûlant et il ne pleuvra pas. »

Elle ouvrit l'autre œil :

« Qu'as-tu fait au juste, ce matin, pendant que nous étions au temple ?

— Je suis allé flâner dans une vieille carrière, qui se trouve à moins de deux kilomètres du village. Elle a des attaches avec l'ancien monastère, auquel Magnus et moi nous intéressons. Mais je n'arrivais pas à faire repartir la voiture, que j'avais maladroitement garée dans une sorte de fossé.

— C'est tout nouveau pour moi que ton professeur soit un historien en sus d'un scientifique.

— Eh bien, c'est une bonne nouvelle, non ? Ça change agréablement de tous ces embryons dans des bocaux. C'est pourquoi je l'encourage dans cette voie.

— Tu l'encourages dans n'importe quoi qu'il fasse. C'est pour cela qu'il se sert toujours de toi.

— Par nature, je me suis toujours adapté facilement à tout. Allez, viens ! Les garçons brûlent de sortir. Va te faire belle en bikini, mais mets quelque chose par-dessus pour ne pas effrayer les vaches.

— Des vaches ! s'écria-t-elle. Ah ! non, merci... Pas

question que j'aille dans un champ où il y a des vaches !

— Elles sont on ne peut plus douces, car elles mangent une certaine herbe qui les pousse à ne se déplacer que lentement. Les vaches de Cornouailles sont célèbres à cause de cela. »

J'eus l'impression qu'elle le croyait. Quant à savoir si elle avait avalé aussi mon histoire concernant la carrière, c'était une autre paire de manches. Enfin, pour l'instant, elle paraissait calmée. C'était toujours ça.

Nous passâmes sur la plage un long après-midi de paresse. Nous nous baignâmes tous les quatre et ensuite, tandis que les garçons cherchaient de flaque en flaque des crevettes inexistantes, Vita et moi nous étendîmes sur le sable, que nous nous amusions à faire couler entre nos doigts. Moment paisible entre nous.

« As-tu pensé un peu à l'avenir ? questionna-t-elle soudain.

— L'avenir ? » répétai-je.

J'étais en train de considérer la baie en me demandant si Bodrugan avait réussi à partir cette nuit-là, en dépit de la marée montante, après qu'Isolda et lui se furent dit au revoir. Il avait parlé de la Pointe de la Chapelle. Je me rappelai une fois où le capitaine de frégate Lane nous avait emmenés en bateau de Fowey jusqu'à Mevagissey et nous avait montré la Pointe de la Chapelle, qui faisait saillie à bâbord, juste avant qu'on entre dans le port de Mevagissey, de l'autre côté de la baie. L'habitation de Bodrugan devait donc se trouver à proximité de cet endroit. Peut-être le nom subsistait-il encore. Auquel cas je devais pouvoir le trouver sur la carte.

« Oui, j'y ai pensé, répondis-je. S'il fait beau demain, nous prendrons le bateau. Si la mer est aussi calme qu'aujourd'hui, tu ne risques absolument pas d'être malade. Nous traverserons la baie et irons jeter l'ancre près de ce promontoire là-bas. Nous emporterons de quoi déjeuner.

— Soit, acquiesça-t-elle. Toutefois je ne parlais pas de l'immédiat, mais d'un avenir plus lointain.

— Oh ! fis-je. Alors, ma chérie, non, franchement, je n'y ai pas encore réfléchi. J'ai eu trop à faire ici.

— Tout ça, c'est très bien, dit-elle, mais Joe ne peut attendre indéfiniment. Il compte avoir très bientôt dè tes nouvelles à cet égard.

— Je le sais. Mais je dois d'abord être absolument sûr de moi. Pour toi, ça va tout seul : c'est ton pays. Mais ce n'est pas le mien et il n'est pas facile de se déraciner ainsi...

— Tu as déjà commencé à le faire, en lâchant ce boulot que tu avais à Londres. A parler net, tu n'as plus de racines. Alors, ça ne devrait pas être tellement compliqué. »

Sur le plan pratique, elle avait raison.

« Que ce soit en Angleterre ou aux Etats-Unis, il te faut bien faire quelque chose, poursuivit-elle. Et repousser l'offre de Joe alors que personne ici ne t'a proposé quoi que ce soit, serait proprement insensé. Je reconnais que j'ai un parti pris, ajouta-t-elle, en posant sa main sur la mienne, et que je serais heureuse de retourner m'installer au pays. Mais à condition que tu en aies envie toi aussi. »

Je n'en avais aucune envie, c'était bien ça l'ennui. Et je ne désirais pas davantage reprendre une occupation du même genre, dans une agence littéraire ou chez un éditeur. J'étais parvenu à un moment décisif de mon existence. Le passé, c'était fini, terminé, mais je ne pouvais pas encore faire des projets d'avenir.

« Ne discutons pas de ça maintenant, ma chérie, dis-je. Prenons chaque instant comme il vient. Aujourd'hui, demain... Très bientôt, je réfléchirai à tout cela de façon constructive, je te le promets. »

Elle soupira et abandonna ma main pour fouiller dans la poche de son peignoir de bain.

« Comme tu voudras, fit-elle. Mais il ne faudra pas t'en prendre à moi si Joe finit par te laisser en plan. »

Les garçons revenaient en courant pour nous exhiber différents trophées : étoiles de mer, moules et un énorme crabe, mais mort depuis longtemps et qui le faisait sentir. L'instant de vérité était passé. Il était temps de rassembler nos affaires et d'entamer l'escalade de la colline pour regagner Kilmarth. Fermant le convoi, je me retournai à un moment donné pour regarder l'autre côté de la baie. La côte en était clairement dessinée et les maisons blanches bâties sur la Pointe de la Chapelle, distantes de quinze kilomètres à vol d'oiseau, baignaient dans les rayons du soleil couchant.

> *Par une nuit semblable je crois, Otto,*
> *Aux murs de Bodrugan, envoyait dans un soupir*
> *Son âme vers la crique de Treesmill où dormait*
> *[Isolda.*

Mais y dormait-elle ? Elle avait dû sûrement rejoindre ses enfants après le départ d'Otto. Où cela ? A Bockenod, où habitait le frère de son mari, Sir John, si pénétré de son importance ? C'était trop loin. Il me manquait un détail. Isolda avait mentionné un autre nom. Treg quelque chose. Il me faudrait regarder sur la carte. L'ennui était que, en Cornouailles, une ferme sur deux portait un nom commençant par Tre. Ce n'était pas Trevennor, Treveryan ou Trenadlyn... Alors où était-ce donc qu'Isolda et ses enfants avaient couché cette nuit-là ?

« Je ne me vois pas recommençant cela souvent, se plaignit Vita. Quelle colline, mes aïeux ! Elle me rappelle les pentes du Vermont où nous faisions du ski. Laisse-moi prendre ton bras... »

Un fait était certain : ils avaient traversé le ru au-dessous du moulin et, sur l'autre rive, avaient tourné à droite. Après quoi, ils avaient disparu à ma vue, à cause de cette voiture survenant derrière moi. Ensuite, ils pouvaient être allés n'importe où. Toutefois, Roger était à pied. A marée montante, le gué devait donc être impraticable pour lui. J'essayai de me rappeler s'il y avait une barque au-dessous de chez le forgeron, que Roger pût emprunter pour rentrer.

« Après tant de grand air et d'exercice, je devrais bien dormir cette nuit, déclara Vita.

— Oui », acquiesçai-je.

Il y avait une barque. Elle était à sec, sur le bord de la crique. A marée haute, elle devait servir à assurer le passage des gens entre la forge du maréchal-ferrant et Treesmill.

« Tu ne te soucies guère, hein, de la nuit que je passerai et si je suis morte de fatigue ? »

Je m'arrêtai pour regarder Vita.

« Bien sûr que si, ma chérie. Excuse-moi, mais pourquoi revenir maintenant sur la mauvaise nuit que tu as passée ?

— Parce que je te sentais à des kilomètres de moi par la pensée.

— A sept kilomètres au plus, répliquai-je. Si tu tiens vraiment à le savoir, je pensais à deux enfants montées sur des poneys que j'ai vues ce matin. Je me demandais où elles allaient.

— Des poneys ? »

Nous continuions d'avancer, avec Vita accrochée à mon bras comme un poids mort.

« C'est bien la première bonne idée qui te soit venue depuis notre arrivée. Les garçons adorent l'équitation. Peut-être ces poneys venaient-ils d'un endroit où l'on peut en louer ?

— Ça m'étonnerait, dis-je. J'imagine plutôt qu'ils appartenaient à quelque ferme.

— Enfin, tu pourras toujours te renseigner. Elles avaient l'air comme il faut, ces petites ?

— Oui, très. Il y avait avec elles une jeune femme, qui semblait être leur nurse, et deux hommes.

— Tous montés sur des poneys ?

— L'un des hommes allait à pied et tenait par la bride les montures des enfants.

— Alors il doit s'agir d'une école d'équitation. Renseigne-toi. Cela procurerait aux garçons une autre distraction que toujours se baigner ou faire du bateau.

— Oui », dis-je.

Comme c'eût été pratique si j'avais pu faire venir Roger du passé et lui dire de seller des poneys de Kilmarth pour Teddy et Micky, que j'aurais ensuite envoyés galoper sur les sables de Par en compagnie de Robbie ! Roger aurait su comment prendre Vita. Il eût exaucé ses moindres désirs et lui eût procuré l'extrait de jusquiame, subtilisé à frère Jean au monastère, pour qu'elle repose bien la nuit et si cela n'avait pas suffi... Je souris.

« Qu'y a-t-il de si drôle ?

— Rien, déclarai-je en lui montrant du doigt les digitales dont les hautes tiges surgissaient en masses pourprées des haies clôturant les prés au-dessous de Kilmarth. Mais si tu souffres du cœur, pas de problème. Voilà d'où provient la digitaline. Tu n'as qu'un mot à dire pour que j'en exprime les graines.

— Grand merci. Je ne doute pas que le laboratoire de ton professeur en soit plein, ainsi que d'autres plantes empoisonnées et Dieu seul sait quelles sinistres mixtures ! »

Comme elle avait raison ! Mais mieux valait détourner ses pensées de Magnus.

« Nous voici arrivés. Par cette barrière, nous allons pénétrer dans le jardin. Je m'en vais te préparer une bonne boisson bien fraîche, et pour les garçons aussi.

Après quoi, je m'occuperai du dîner. Nous avons de la viande froide et de la salade. »

Il fallait que l'ambiance fût à la gaieté, que mon empressement fît oublier les mécomptes de la matinée, jusqu'à l'heure du coucher et au-delà.

Les choses s'arrangèrent au mieux, grâce à la baignade, la longue ascension du retour, et les qualités soporifiques de l'air de Cornouailles. Après avoir bâillé tant qu'elle pouvait en regardant une pièce à la télévision, Vita monta se coucher vers dix heures et elle dormait profondément quand je me glissai près d'elle une heure plus tard. A en juger par le ciel, il ferait beau le lendemain et nous irions en bateau à la Pointe de la Chapelle. Sur la carte, après le dîner, j'avais découvert que Bodrugan existait toujours.

*

Un souffle de brise nous fit sortir du port de Fowey. Le patron du bateau, Tom, un robuste gaillard au sourire facile, s'affairait avec les voiles, aidé — ou gêné — par les garçons, tandis que je restais à la barre. J'en savais juste assez sur ce chapitre pour ne pas amener le bateau vent debout ou avoir les voiles pendantes mais, l'ignorant, Vita et les garçons paraissaient dûment impressionnés par mon air d'efficience. Bientôt plusieurs lignes traînèrent à l'arrière du bateau pour pêcher le maquereau; les garçons les tiraient en s'interpellant avec excitation dès qu'ils sentaient la moindre traction due à un mouvement de vague ou un morceau d'algue. Vita, elle, s'était allongée près de moi. Comme la plupart des Américaines, elle avait une ligne du tonnerre, et les jeans lui allaient bien de même que son chandail rouge.

« C'est divin, déclara-t-elle en se serrant contre moi et appuyant sa tête sur mon épaule. Tu as eu une merveilleuse idée d'organiser cette sortie en mer.

Pour une fois, tu mérites un bon point. On navigue comme sur du velours ! »

L'ennui, c'est que ça ne durait pas longtemps. J'avais souvenir que, passé le cap Griggin, un vent d'ouest accélérait la vitesse du voilier à la grande joie de tout barreur se passionnant pour la manœuvre, ce qui était le cas du père de Magnus. Mais cela faisait aussi pencher le bateau, si bien que le passager assis du côté sous le vent se trouvait soudain à quelques centimètres de l'eau. Et en l'occurrence, ce passager était une passagère, Vita.

« Ne ferais-tu pas mieux de laisser l'homme prendre la barre ? » me demanda-t-elle avec nervosité quand, après s'être secoué trois fois à la façon d'un cheval rétif, le bateau demeura fermement penché de son côté avec le bord à fleur d'eau.

C'était de ma faute : je m'étais tenu trop près du vent.

« Mais non ! lui assurai-je gaiement. Passe sous la voile et va t'asseoir côté du vent. »

En s'efforçant de suivre mes indications, elle se cogna douloureusement la tête et je dus me pencher pour l'aider à dégager la cheville qu'elle s'était prise dans un cordage. Mais, ce faisant, mon attention de barreur se relâcha et j'embarquai une courte lame qui nous trempa tous, y compris moi.

« Un peu d'eau salée n'a jamais fait de mal à personne ! » criai-je. Mais, cramponnés côté du vent, les garçons n'en parurent pas convaincus et, avec leur mère, ils cherchèrent vivement refuge dans la petite cabine dont le plafond bas les obligea à demeurer tassés comme des bossus sur le minuscule caisson, tandis que le bateau continuait ses fantaisies.

« Bon petit vent frais ! apprécia Tom en riant de toutes ses dents. Nous allons être à Mevagissey en un rien de temps ! »

Je montrai aussi mes dents pour faire croire que je

partageais son assurance, mais les trois visages blêmes levés vers moi à l'intérieur de la cabine manquaient d'enthousiasme, et j'eus le sentiment très net que Tom était le seul à apprécier ce petit vent frais.

Il m'offrit une cigarette, mais, après trois bouffées, je compris que j'avais eu tort de l'accepter et je la laissai tomber par-dessus bord tandis qu'il tournait le dos pour allumer une pipe nauséabonde, dont une partie de la fumée gagna la cabine où elle demeura en nappe tournoyante.

« La petite dame serait moins secouée si elle s'asseyait dans le cockpit, conseilla Tom. Et les garçons aussi. »

Je regardai les garçons. Pour l'instant, le bateau se comportait relativement bien, mais, parqués dans la cabine obscure, ils ressentaient chaque coup et je voyais une grimace de mauvais augure s'accentuer sur le visage de Micky. Les yeux vitreux, Vita semblait fascinée par le ciré de Tom qui, accroché à un clou près de la porte de la cabine, se balançait au rythme du bateau, à la façon d'un pendu.

Tom et moi échangeâmes un regard; cela suffit. Tandis qu'il prenait la barre en vidant sa pipe, je halai toute ma petite famille dans le cockpit, où Vita et son plus jeune fils vomirent presque aussitôt. Teddy échappa à la contagion, sans doute parce qu'il garda la tête obstinément tournée de l'autre côté.

« Nous serons bientôt à l'abri du cap Noir, dit Tom, et là, ils ne sentiront plus rien. »

Sa main semblait avoir un effet magique sur la barre, à moins que ce ne fût une simple coïncidence. En tout cas, le bateau avait cessé de faire des bonds de cheval sauvage pour s'abandonner à un doux balancement, à peine marqué. Les visages retrouvèrent quelque couleur, les dents cessèrent de s'entrechoquer. Peu après, les pâtés de viande préparés par Mrs. Collins furent déballés des serviettes qui les calaient dans le panier et tous, même Vita, nous les engloutîmes avec voracité. Nous passâmes Mevagissey et jetâmes l'ancre sur le côté ouest de la Pointe de la Chapelle. Il n'y avait pas le moindre frémissement ni dans le ciel ni dans l'eau, et le soleil était brûlant.

« C'est vraiment extraordinaire que le vent soit tombé et que le bateau n'ait presque plus bougé dès que Tom a eu pris la barre, remarqua Vita tout en retirant son chandail pour s'en faire un oreiller.

— Non, dis-je, nous nous rapprochions de la terre, voilà tout.

— Une chose est certaine, en tout cas, déclara ma femme, c'est que Tom tiendra la barre pour le retour. »

Ledit Tom était en train d'aider les garçons à prendre place dans le dinghy. Ils étaient en short de bain, avec une serviette sous le bras, et Tom avait appâté des lignes.

« Si vous préférez rester à bord avec la dame, monsieur, je veillerai sur les garçons. Cette plage est très sûre pour s'y baigner. »

Je ne désirais nullement rester à bord avec la dame. Je voulais monter à travers champs, à la recherche de Bodrugan.

Vita se redressa et, ôtant ses lunettes de soleil, regarda autour d'elle. On était à mi-marée et la plage paraissait tentante, mais je constatai avec joie qu'elle était pour l'instant occupée par une demi-douzaine de vaches, lesquelles la parcouraient nonchalamment en laissant sur le sable les habituelles traces de leur passage.

« Je reste à bord, dit Vita d'un ton ferme. Si j'ai envie de nager, je plongerai du bateau. »

Je bâillai, comme c'était souvent le cas lorsque j'éprouvais un sentiment de culpabilité.

« Alors je vais aller à terre, me dégourdir un peu les jambes, déclarai-je. De toute façon, après ce que nous avons mangé, il est trop tôt pour se baigner.

— Fais ce que tu veux, me dit Vita. Ici, c'est vraiment parfait. Avec ces jolies maisons blanches, on pourrait se croire en Italie. »

Je la laissai à cette illusion et pris place dans le dinghy avec les autres.

« Déposez-moi par là, à gauche, dis-je à Tom.

— Qu'est-ce que tu vas faire ? s'enquit Teddy.

— Marcher, déclarai-je d'un ton ferme.

— On peut pas rester dans le dinghy pour pêcher des lieus ?

— Bien sûr que si, répondis-je. C'est même mieux ainsi. »

Je sautai à terre parmi les vaches, libéré de toute entrave. Les garçons parurent non moins ravis d'être débarrassés de moi. Je demeurai un instant à regarder le dinghy s'éloigner. Sur le bateau à l'ancre, Vita agita vaguement la main. Alors, me détournant, j'entrepris de gravir la colline.

Un sentier courait parallèlement à un ruisseau; il vira à droite pour contourner un cottage et la mer disparut à ma vue. Le sentier continuait vers le haut de la colline, menant à un portail entre de vieux murs après avoir laissé sur sa gauche ce qui semblait être les ruines d'un moulin. Je m'aventurai au-delà du portail, et eus dès lors la ferme de Bodrugan autour de moi. A ma gauche, il y avait une grande mare et à ma droite, un joli bâtiment recouvert d'ardoises, qui me parut dater du début du XVIIIe siècle, comme le Kilmarth de Magnus. Mais je voyais aussi des granges aux murs épais, beaucoup plus anciennes, et qui devaient déjà exister du temps d'Otto. Deux gamins jouaient sous les fenêtres de la maison mais ils ne me prêtèrent aucune attention et, traversant la vaste cour, je pénétrai dans la grange la plus éloignée.

Actuellement c'était une grange et il en était sans doute depuis longtemps ainsi, mais six cents ans auparavant, il y avait peut-être là une salle à manger et d'autres pièces, tandis que ce bâtiment long et bas, que j'apercevais en face, avait pu être la chapelle. En tout cas, il s'agissait d'un grand domaine, beaucoup plus vaste que l'espace délimité par les monticules herbeux du Gratten, où se dressait autrefois la demeure des Champernoune. Je comprenais maintenant que Joanna Bodrugan, née et élevée là, ait pu trouver qu'elle perdait au change en allant habiter, lorsqu'elle avait épousé Henry Champernoune, la maison au-dessus de la crique de Treesmill.

Ressortant de la grange, je suivis les murs de pierre, peu élevés, qui entouraient la ferme. Comme cette dernière était bâtie à flanc de coteau, je m'élevai au-dessus d'elle et, ainsi, vis de nouveau la mer. Là, tout en haut de la propriété, il y avait un tertre ayant pu, jadis, constituer un avant-poste ou une tour de guet, qui commandait la baie. Je me demandai combien de fois Otto était venu jusque-là regarder, au-delà du cap Noir, ces falaises qui, au loin, descendaient graduellement vers la baie de Tywardreath et l'estuaire sinueux dont un bras s'enfonçait dans la vallée de Lampetho, un autre du côté du monastère, tandis que le troisième s'éloignait vers Treesmill et les terres des Champernoune. Par temps clair, il devait distinguer tout cela, peut-être même le toit bas de Kilmarth et le petit bois se trouvant au-delà.

Si j'avais eu la fiole dans ma poche, j'aurais pu voir Otto se penchant aux créneaux de cette tour de guet et, au-dessous de lui, dans cette anse abritée où les garçons étaient maintenant en train de pêcher, son bateau à l'ancre, prêt à prendre le large. Ou, remontant encore plus loin dans le temps, le voir partir plus jeune et plus tête chaude, pour cette première rébellion contre Edouard II en 1322, rébellion qui avait échoué et lui avait valu une amende de mille marcs. Champion de causes perdues, amateur de fruits défendus, combien de fois avait-il traversé cette baie, en laissant sa morne épouse Margaret, la sœur d'Henry Champernoune, bien à l'abri à Bodrugan ou dans leur autre domaine de Trelawn, dont j'ignorais l'emplacement et sur lequel les Champernoune semblaient aussi avoir des droits ?

Je redescendis vers la plage, en sueur et étrangement las. C'était curieux, mais il m'en coûtait davantage de rejoindre les miens ainsi, sans avoir avalé la drogue et fait une incursion dans l'autre monde, que ce n'eût été le cas autrement. Je me sentais frustré, vidé de toute énergie et, en même temps, en proie à une bizarre inquiétude. Il ne me suffisait pas d'imaginer; je regrettais ardemment cette expérience qui m'avait été déniée et que j'aurais pu vivre si j'avais emporté avec moi quelques gouttes de cette drogue dont le flacon était soigneusement enfermé dans l'ancienne buanderie de Kilmarth. J'aurais pu être témoin de scènes, là haut près de la tour de guet ou dans la grange, que je ne connaîtrais maintenant jamais; d'où ce sentiment de totale frustration.

Les vaches avaient quitté la plage. Les garçons avaient regagné le bateau et, assis dans le cockpit, ils étaient maintenant en train de goûter, tandis que leurs culottes de bain séchaient, accrochées au mât. Debout à l'avant, Vita prenait des photos. Ils semblaient tous heureux et j'étais le seul à ne point partager cette satisfaction.

Je portais un slip de bain sous mon pantalon, je me déshabillai donc et entrai dans l'eau. Elle me parut froide après la randonnée que je venais de faire et des algues flottant à sa surface semblaient les tresses d'Ophélie noyée. Je fis la planche et regardai le ciel, toujours en proie à cet étrange accablement qui relevait presque du désespoir. Il me faudrait vraiment faire un très grand effort pour répondre au joyeux accueil des miens, bavarder, rire et plaisanter comme eux.

M'ayant aperçu, Tom s'en allait avec le dinghy cher-cher mes vêtements sur le rivage. Je nageai vers le ba-teau et parvins à me hisser à bord, grâce à une corde et l'obligeant concours de Vita comme des enfants.

« Regardez, trois lieus ! me cria Micky. M'man dit qu'elle va les faire cuire pour le dîner. Et nous avons trouvé tout un tas de coquillages ! »

Vita s'approcha de moi, avec ce qu'il restait de thé dans la bouteille thermos.

« Tu as l'air exténué, me dit-elle. Tu es allé loin ?

— Non, seulement là-haut. Autrefois, il y avait là une sorte de château mais il n'en subsiste plus rien.

— Tu aurais mieux fait de rester avec moi. Je me suis baignée et l'eau était délicieuse. Tiens, fric-tionne-toi avec cette serviette, je te vois frissonner. Pourvu que tu n'aies pas pris froid ! Il ne faut jamais se baigner lorsqu'on est en sueur. »

Micky déposa dans ma main un biscuit ramolli, qui avait un goût de coton hydrophile, et que je fis couler avec le thé tiède. Sur ces entrefaites, Tom remonta à bord avec mes vêtements. Quand nous repartîmes, Tom installé à la barre, j'enfilai un pull supplémen-taire et allai m'asseoir à l'avant, où Vita ne tarda pas à me rejoindre.

Vers le milieu de la baie, de légers remous lui fi-rent regagner le cockpit où elle s'enveloppa dans le ciré de Tom. Je demeurai seul à regarder devant moi Kilmarth qui se rapprochait, derrière son rideau d'ar-bres. Jadis, naviguant plus près de la côte, Bodrugan devait mieux voir la maison en dirigeant son bateau dans les eaux de l'estuaire qui recouvraient alors les sables de Par. Et, s'il observait son approche du haut des champs, Roger pouvait lui faire signe que tout al-lait bien. Je me demandai qui éprouvait le plus de fiè-vre : Bodrugan tandis qu'il contournait l'entrée du chenal en sachant qu'elle l'attendait dans cette mai-son déserte, ou Isolda lorsqu'elle repérait le grand mât et distinguait le frémissement de la voile. Nous passâmes près de la balise de Cannis avec le soleil à l'arrière et gagnâmes Fowey où, à la grande excitation des garçons, nous entrâmes dans le port comme en sortait, escorté par deux remorqueurs, un grand bateau aux ponts bien soulignés de blanc.

« Est-ce qu'on pourra recommencer demain? demandèrent-ils à l'unisson quand je payai Tom et le remerciai de la promenade.

— Nous verrons », dis-je en recourant à cette formule dilatoire qu'affectionnent les grandes personnes et que les jeunes doivent trouver tellement exaspérante. On verra quoi ? auraient-ils pu me demander. Si les adultes sont disposés et si l'harmonie règne entre eux ? La réussite ou non de leur journée dépendait entièrement de l'état des relations entre leur mère et moi.

Mon premier souci, lorsque nous eûmes rallié Kilmarth, fut de téléphoner à Magnus avant qu'il m'appelle, ce qu'il se proposait certainement de faire maintenant que le week-end était terminé. Je me faufilai dans la bibliothèque pour y attendre un moment favorable, mais les garçons survinrent et allumèrent la télévision, si bien que je fus obligé de monter dans la chambre. Vita était dans la cuisine, à s'occuper du dîner; c'était l'occasion ou jamais. Je composai le numéro de Magnus et il décrocha aussitôt.

« Ecoute, lui dis-je vivement, je ne vais pas pouvoir te parler longtemps. Le pire est arrivé. Vita et les garçons ont rappliqué samedi matin sans crier gare. Ils m'ont surpris presque en flagrant délit. Tu comprends? Et ton télégramme aussi a été catastrophique. Vita l'a ouvert. Depuis lors, le moins qu'on puisse dire, c'est que je me trouve dans une situation délicate.

— Allons bon..., fit Magnus du ton qu'aurait pu prendre une vieille demoiselle soudainement confrontée avec un menu problème domestique.

— Il n'y a pas d'« allons bon » ! C'est plutôt « enfer et damnation » qu'il conviendrait de dire! explosai-je. En ce qui me concerne, plus question de voyages. Tu t'en rends bien compte, n'est-ce pas?

— Du calme, mon cher garçon, du calme... Tu dis qu'elle est arrivée et t'a surpris en plein voyage?

— Non, je venais juste d'en terminer un. A sept heures du matin. Je ne peux pas entrer dans les détails maintenant.

— Un voyage utile?

— J'ignore ce que tu considères comme utile ou non. Il s'agissait d'une tentative de rébellion contre la Couronne. Otto Bodrugan était présent, et Roger aussi, bien sûr. Je vais t'écrire demain pour te raconter tout ça, ainsi que le voyage de dimanche.

— Parce que tu as récidivé en dépit de la famille? Quel courage!

— J'ai profité qu'ils étaient à l'église pour aller faire un tour du côté du Gratten. Mais il y a un élément temps, Magnus, qui me joue des tours. Le voyage m'a paru être d'une demi-heure, quarante minutes au plus, mais en réalité, mon « absence » a duré deux heures et demie.

— Quelle dose as-tu prise?

— La même que vendredi soir, c'est-à-dire quelques gouttes de plus que lors des premiers voyages.

— Oui, je vois... »

Il demeura un instant silencieux, pesant ce que je venais de lui apprendre.

« Eh bien? questionnai-je. Qu'est-ce que ça veut dire?

— Je ne puis me prononcer avec certitude. Il faut que j'étudie ça. Mais ne te tracasse pas : à ce stade, ça n'est pas grave. Comment te sens-tu, au fait?

— Ma foi, physiquement, je me sens plutôt bien. Nous avons fait du bateau toute la journée. Mais tu parles d'une contrainte mentale!

— Je vais voir comment s'organise ma semaine et tâcher de te rejoindre. Dans quelques jours, j'aurai des résultats du labo et nous pourrons en discuter tous les deux. D'ici là, vas-y mou pour les voyages.

— Magnus... »

Il avait raccroché, ce qui était aussi bien, car il me semblait entendre le pas de Vita dans l'escalier. D'un côté, je me sentais soulagé à l'idée de le revoir, même si cela devait créer des difficultés avec Vita. J'étais sûr qu'il emploierait son charme si particulier à les aplanir; et puis il serait là pour endosser la responsabilité de ses actes, Vita ne s'en prendrait plus uniquement à moi. Mais par ailleurs, je me tracassais au sujet de la drogue. Cet abattement, cette angoisse que j'éprouvais, étaient peut-être un effet postopératoire.

Je me regardai dans le miroir placé au-dessus du lavabo de la salle de bain. Mon œil droit était comme injecté de sang et le blanc, traversé par une sorte de raie rouge. Un petit vaisseau s'était peut-être rompu, ce qui était sans gravité, mais jamais encore pareille chose ne m'était arrivée. J'espérai que Vita ne remarquerait rien.

Le dîner se passa bien, les garçons n'arrêtant pas de reparler gaiement de leur journée et se régalant du lieu qu'ils avaient pêché. (Personnellement, je ne connais pas de poisson qui ait moins de goût, mais je m'en serais voulu de doucher leur joie.) Nous étions en train de débarrasser la table quand le téléphone sonna.

« J'y vais, dit vivement Vita. Ce doit être pour moi. »

En tout cas, ça n'était sûrement pas Magnus. Avec l'aide des garçons, je chargeai soigneusement la machine à laver la vaisselle et je venais de la mettre en marche quand Vita nous rejoignit dans la cuisine. Son visage avait une expression que je connaissais bien, où la détermination se mêlait à une sorte de défi.

« C'étaient Bill et Diana, m'informa-t-elle.

— Ah oui ? » fis-je.

Les garçons disparurent dans la bibliothèque, pour regarder la télévision. J'avais préparé du café pour nous deux et je le servis.

« Ils sont en ce moment à Exeter, d'où ils comptent se rendre à Dublin par avion. »

Puis, avant que j'aie pu émettre le moindre commentaire, elle se hâta d'ajouter :

« Comme ils brûlaient de voir la maison, je leur ai suggéré de retarder leur départ de quarante-huit heures et d'arriver demain pour le déjeuner. Ils ont accepté avec joie et passeront la nuit ici. »

Je reposai ma tasse sans avoir goûté au café et me laissai tomber sur la chaise de cuisine.

« Seigneur ! » soupirai-je.

XIII

IL n'est guère dans la vie plus pénible contrainte que d'attendre la venue de fâcheux. Après avoir soupiré mon mécontentement, je n'avais rien ajouté mais, jusqu'à l'heure du coucher, Vita et moi étions demeurés séparés, elle regardant la télévision dans la bibliothèque avec les garçons, moi écoutant du Sibelius dans la salle de musique.

Le lendemain matin, Vita s'installa sur ce qu'elle se plaisait à appeler la « terrasse », devant les portes-fenêtres de la salle de musique, guettant le coup de klaxon qui signalerait l'arrivée de ses amis. Pendant ce temps, m'étant administré un gin-and-tonic, je faisais les cent pas en gardant un œil sur la pendule et me demandant ce qui était le plus pénible : cette attente de l'instant affreux où leur voiture arriverait en bas du jardin ou bien le moment où ils seraient complètement installés, parlant à tue-tête, avec leurs cardigans jetés sur les fauteuils, le ronronnement de leurs caméras et l'odeur de l'inévitable cigare de Bill ? A tout prendre, il me sembla que lorsque je serais en plein dans la bataille, je souffrirais moins que d'attendre ainsi l'appel du clairon.

« Les voilà ! » hurlèrent les garçons, en dévalant les degrés du jardin tandis que, m'avançant au-delà de la porte-fenêtre, j'avais l'impression de m'exposer à un tir de mortier.

Vita se révéla une incomparable hôtesse : par ses soins, Kilmarth fut instantanément transformé en une sorte d'ambassade américaine, où il ne manquait que la bannière étoilée flottant en haut d'un mât. L'alcool coulait à flots, la fumée de cigarette emplissait l'air. Il était deux heures quand nous nous mîmes à table et trois heures et demie quand nous la quittâmes, après un déjeuner où Mrs. Collins, triomphante et empressée, s'était surpassée. On promit aux garçons qu'ils iraient se baigner plus tard et ils débarrassèrent le plancher en allant jouer au cricket dans le verger. Les femmes, ayant mis des lunettes de soleil, traînèrent des transats hors de portée d'oreille pour pouvoir papoter à leur aise. Bill et moi nous installâmes dans le patio; j'avais espéré que ce serait pour y faire la sieste mais, comme tous les diplomates, Bill n'aimait rien tant que s'écouter parler. Il parla donc, d'abord de politique mondiale, puis de politique intérieure et finit par aborder le sujet de mes projets d'avenir avec un détachement bien propre à me convaincre que la chose lui avait été soufflée par Diana.

« J'ai entendu dire que vous alliez vous associer avec Joe. C'est épatant, ça !

— Rien n'est encore arrêté, répondis-je. Il reste beaucoup de choses à discuter.

— Oh ! oui, naturellement... On ne peut pas décider de son avenir comme ça, à pile ou face... Mais quelle splendide occasion! Sa firme est actuellement . en pleine expansion et vous n'aurez sûrement pas lieu de regretter cette association. D'autant, si j'ai bien compris, que vous n'avez rien à perdre de ce côté-ci ? »

Je ne répondis pas. J'étais bien décidé à ne pas me laisser entraîner dans une longue discussion sur ce point.

« Vita a ce don merveilleux de créer un « chez

soi » n'importe où elle est, continua-t-il. Et avec un appartement à New York, plus une maison de week-end à la campagne, vous mènerez tous les deux une vie merveilleuse où, de surcroît, les occasions de voyager ne manqueront pas. »

J'émis un grognement et tirai le vieux panama légué par le père de Magnus, afin que le bord cachât mon œil droit toujours injecté de sang. Jusqu'à présent, Vita n'y avait pas pris garde.

« Je ne voudrais pas vous donner à penser que je me mêle de vos affaires, mais vous savez comme les femmes parlent entre elles. Vita se tracasse beaucoup à cause de vous. Elle a dit à Diana que vous ne sembliez plus du tout avoir envie d'aller aux Etats-Unis, sans qu'elle pût s'expliquer pour quelle raison. Et les femmes, en pareil cas, sont toujours portées à penser le pire... »

Il se lança alors dans une longue et pesante histoire à propos d'une fille qu'il avait connue à Madrid pendant que Diana se trouvait aux Bahamas avec ses parents.

« Elle avait dix-neuf ans et j'en étais fou. Mais, bien entendu, nous savions l'un comme l'autre que ça ne pourrait durer. Elle travaillait à l'ambassade de Madrid et je devais regagner Londres où Diana me rejoindrait quand ses vacances seraient terminées. J'étais tellement amoureux de cette petite que, lorsque nous avons dû nous dire adieu, j'ai eu l'impression de me couper la gorge. Il n'empêche que je m'en suis remis et elle aussi; je ne l'ai même jamais revue. »

J'allumai une cigarette pour lutter contre les nuages de fumée provenant de son satané cigare.

« Si vous pensez que j'ai une liaison dans les parages, vous ne pouvez vous tromper davantage, lui dis-je.

— Alors, tant mieux, tant mieux... Remarquez bien

que si c'était le cas, ce n'est pas moi qui vous en ferais le reproche, du moment que vous vous arrangez pour que Vita n'en sache rien. »

Une longue pause suivit, durant laquelle je suppose qu'il chercha quelque autre tactique à adopter. Mais il dut finalement estimer que la discrétion était préférable, car il me demanda brusquement :

« Les garçons n'ont-ils pas dit qu'ils avaient envie de se baigner ? »

Nous nous mîmes en quête de nos épouses respectives, que nous trouvâmes en pleine conversation. Diana était de ces blondes bien en chair dont on dit qu'elles sont très amusantes en société et de vraies tigresses chez elles. Je n'avais aucune envie de vérifier l'une ou l'autre chose. Vita me déclarait volontiers n'avoir pas d'amie plus loyale et je la croyais sur parole. La conversation s'interrompit lorsque nous parûmes et Diana changea aussitôt de sujet, comme elle ne manquait jamais de le faire dès qu'un homme se trouvait à proximité.

« Vous êtes bronzé, Dick, et ça vous va rudement bien. Bill, lui, devient comme une écrevisse dès qu'il s'expose au soleil.

— Et c'est un hâle dû à l'air marin, précisai-je. Pas synthétique comme le vôtre. »

Elle avait près d'elle une bouteille d'huile solaire dont elle enduisait la liliale blancheur de ses jambes.

« Nous allons jusqu'à la plage pour nous baigner, annonça Bill. Allez, lève-toi, mon chien... Ça te fera perdre un peu de cette graisse superflue ! »

S'ensuivit l'habituel badinage auquel se livrent les gens mariés quand ils sont avec un autre couple. Je réfléchis que les amants n'agissent pas de la sorte; ils jouent le jeu en silence et le trouvent ainsi bien plus délectable.

Emportant maillots et serviettes, nous descendîmes

le long sentier menant à la plage. C'était marée basse et, pour entrer dans l'eau, il fallut d'abord marcher parmi les algues et les rochers aux arêtes coupantes, expérience toute nouvelle pour nos hôtes mais qu'ils prirent du bon côté, pataugeant à cœur joie dans les flaques, démontrant une fois de plus ce que je me plais à répéter : il est plus facile de distraire les gens dehors que chez soi.

Je ne m'étais pas trompé en pensant que la plus rude épreuve serait la soirée. Bill avait apporté sa propre bouteille de bourbon, et je vidai le réfrigérateur de tous ses glaçons pour qu'il pût le boire « on the rocks ». Le muscadet que nous prîmes pendant le dîner fit avec le bourbon un trop riche mélange et tandis que le lave-vaisselle ronronnait dans la cuisine, nous gagnâmes la salle de musique d'un pas légèrement vacillant. Je n'avais pas à me tracasser pour mon œil injecté de sang; chez Bill, c'étaient les deux yeux qui semblaient avoir été piqués par des guêpes, et nos épouses avaient le visage congestionné de serveuses officiant dans un bar à matelots.

J'empilai des disques sur l'électrophone sans me soucier de faire un choix; l'essentiel était qu'il y eut de la musique pour nous dispenser de parler. En règle générale, Vita buvait modérément, mais quand elle avait un verre de trop, je la trouvais gênante. Sa voix faisait alors alterner des intonations stridentes avec d'autres, d'une douceur mouillée. Ce soir-là, la douceur était pour Bill, nonchalamment vautré près d'elle sur un des divans, tandis que, sur l'autre, Diana tapotait avec un sourire complice le coussin voisin du sien pour m'inciter à y prendre place.

Je me rendis compte avec dégoût que les deux femmes avaient dû combiner ça entre elles, et que nous allions droit à une de ces horribles soirées où chacun flirte avec le conjoint de l'autre, en guise d'apéritif pour le devoir conjugal. Ça ne me souriait aucunement. Je n'avais qu'une envie et c'était de me mettre au lit, mais seul.

« Parlez-moi, Dick ! me demanda Diana, et elle était si proche de moi que je dus tourner la tête de côté comme la poupée d'un ventriloque. Je veux tout savoir de votre grand ami le professeur Lane !

— Vous voulez être documentée sur ses travaux ? On a publié à cet égard un article vraiment très bien dans *Le Biochimiste* voici quelques années. Je dois en avoir un exemplaire à Londres. Je vous le ferai passer.

— Ne dites donc pas de bêtises ! Vous savez parfaitement que je n'y comprendrais rien. Ce que je désire connaître, c'est quel genre d'homme il est, quels sont ses amis et ses distractions ? »

Distractions... En l'occurrence, le mot évoqua pour moi l'image d'un savant distrait se livrant à la chasse aux papillons.

« A vrai dire, je crois que sa distraction préférée, c'est encore son travail. Mais il est mélomane et aime tout particulièrement la musique d'église, le chant grégorien et le plain-chant.

— C'est cet amour de la musique qui vous a réunis ?

— Oui, cela a commencé ainsi. Un soir, nous nous sommes retrouvés côte à côte sur le même banc, à la chapelle de King's College, pendant un service chanté. »

A vrai dire, nous n'y étions pas allés pour les chants mais pour contempler un certain enfant de chœur que son auréole de cheveux blonds faisait ressembler au petit Samuel. Bien que cette première rencontre eût été fortuite, elle fut suivie de beaucoup d'autres. Ce n'était pas que je fusse porté sur les enfants de chœur, mais ce mélange d'innocence sacrée, d'*adeste fideles* et d'auréole bouclée procurait à nos vingt ans une telle jouissance esthétique que nous la renouvelâmes plusieurs jours durant.

« Teddy m'a dit qu'il y avait dans le sous-sol une pièce barricadée, qui est pleine de têtes de singes, continua Diana. Ça me paraît aussi délicieusement excitant qu'un film d'épouvante !

— Pour être exact, il n'y a qu'une seule tête de singe, parmi d'autres spécimens contenus dans des bocaux. Tout cela est extrêmement toxique et il ne faut pas y toucher.

— Vous entendez ça, Bill ? » dit Vita sur l'autre divan.

Je m'aperçus avec dégoût qu'il la tenait par la taille et qu'elle appuyait sa tête contre lui.

« Cette maison est bâtie sur de la dynamite, continua-t-elle. Un seul faux mouvement et nous serions tous projetés dans les airs !

— Un faux mouvement ? répéta Bill en me décochant un clin d'œil outrageant. A supposer que nous nous rapprochions encore davantage, que se passera-t-il ? Si cette dynamite doit nous projeter au premier étage, je n'y verrai personnellement aucun inconvénient, mais il vaut mieux que je demande d'abord la permission à Dick.

— Dick, reste là, déclara Diana. Si la tête de singe explose, et vous propulse au premier étage, Dick et moi descendrons au sous-sol. Comme cela, nous serons tous également heureux mais dans des mondes différents. N'est-ce pas, Dick ?

— Oh ! absolument, acquiesçai-je. De toute façon, j'ai soupé du monde où nous nous trouvons en ce moment. Alors, si vous avez envie de vous empiler tous les trois sur le même divan, allez-y et grand bien vous fasse. Je vous abandonne ma part de bourbon. Je monte me coucher. »

Je me levai et quittai la pièce. Maintenant que je n'étais plus là, on allait automatiquement cesser de se peloter et tous trois passeraient une heure au moins à discuter gravement des différents aspects de mon caractère, se demander si j'avais changé ou non, ce qu'on pouvait faire pour moi, et ce que nous réservait l'avenir.

Je me déshabillai, me passai la tête sous le robinet d'eau froide, ouvris les doubles rideaux et me mis au lit où je m'endormis instantanément.

La lune me réveilla. Elle se faufilait par la fente des rideaux, que Vita avait refermés, et coulait un de ses rayons sur mon oreiller. Couchée sur le côté, ma femme ronflait la bouche ouverte, ce qui lui arrivait rarement. Ils avaient dû finir le bourbon. Je consultai ma montre : trois heures et demie. Je m'extirpai du lit et enfilai un pantalon ainsi qu'un pull-over.

Sur le palier, je prêtai l'oreille en direction de la chambre d'amis. Pas un bruit. Silence aussi à l'autre bout du couloir où dormaient les garçons. Je descendis au rez-de-chaussée, puis au sous-sol et gagnai le laboratoire. J'étais parfaitement sobre et lucide, ni surexcité ni déprimé; de ma vie, je ne m'étais senti plus normal. J'étais décidé à entreprendre de nouveau le voyage, et voilà tout. Verser quatre mesures dans la fiole, sortir la voiture du garage, descendre la côte jusqu'à la vallée de Treesmill, garer la voiture et aller ensuite à pied jusqu'au Gratten. La lune resplendissait avec éclat et lorsqu'elle pâlirait, l'aube serait proche. Si le temps me jouait de nouveau des tours et que le voyage se prolonge jusqu'au petit déjeuner, quelle importance ? Je m'en reviendrais quand ce serait le moment, que ça plaise ou non à Vita et ses amis.

Par une nuit semblable... avec qui allais-je avoir un rendez-vous ? Le monde d'aujourd'hui était endormi et mon autre monde ne s'éveillerait pas tant que je ne serais point sous l'emprise de la drogue. Tywardreath que je contournai avait l'air d'un village fantôme, mais je savais que, dans mon temps secret, j'étais en train de traverser le pré communal face au monastère qui se dressait derrière ses murs de pierre. Je descendis la route de Treesmill tandis que le clair de lune baignait la vallée, faisant luire les toits gris des cages de la ferme à visons située de l'autre côté. Je garai la voiture le plus près possible du fossé et escaladai la barrière qui fermait le champ. Après quoi, je me dirigeai vers le trou proche de la carrière que je savais faire partie de l'ancien hall. Et là, près d'une souche d'arbre éclairée par la lune, je bus le contenu de la fiole. Tout d'abord il ne se produisit rien, sauf un bourdonnement dans mes oreilles que je n'avais encore jamais constaté. Je m'appuyai contre la souche et attendis.

Quelque chose remua dans la haie — un lapin, peut-être — et le bourdonnement s'intensifia. Un vieux bout de ferraille tinta dans la carrière, derrière moi. Le bourdonnement devint universel, s'intégra au monde qui m'environnait en devenant le bruit fait par la fenêtre du hall que secouait un vent rugissant au-dehors. Tombant obliquement d'un ciel gris, la pluie s'en venait frapper les carreaux de parchemin huilé. M'approchant davantage de la fenêtre, je vis que l'eau était haute et agitée dans l'estuaire où la marée précipitait de courtes lames crêtées de blanc. Les arbres se trouvant sur le flanc de l'autre colline ployaient à l'unisson dans un tourbillonnement de feuilles d'automne; une nuée d'étourneaux survint en une masse jacassante qui disparut en direction du nord. Debout près de moi, Roger regardait aussi la crique, le visage soucieux. Quand une nouvelle rafale de vent secoua la fenêtre, il en coinça le montant avec soin et secoua la tête en murmurant :

« Fasse le Ciel qu'il ne s'aventure pas dans cette tempête ! »

Regardant autour de moi, je vis que le hall était divisé en deux par un rideau, au travers duquel parvenait un bruit de voix. Je suivis Roger quand il traversa le hall et écarta le rideau. L'espace d'un instant, je crus que le temps m'avait joué un tour et me faisait revivre une scène dont j'avais déjà été témoin car, contre un des murs, il y avait un lit de paille sur lequel quelqu'un était étendu, cependant que Joanna Champernoune était assise au pied et que le moine Jean se tenait près de l'oreiller. Toutefois, en me rapprochant, je vis que le malade n'était pas son mari mais Henry Bodrugan, fils aîné d'Otto et neveu de Joanna; à l'écart, se couvrant la bouche avec un mouchoir, se tenait Sir John Carminowe. En proie de toute évidence à une forte fièvre, le jeune homme cherchait constamment à se dresser sur sa couche et appelait son père, tandis que le moine essuyait la sueur qui lui mouillait le front et s'employait à le faire rester étendu.

« Impossible de le laisser ici, alors que les serviteurs sont à Trelawn et qu'il n'y a personne pour s'occuper de lui, dit Joanna. Même si nous voulions le transporter là-bas par une telle tempête, nous ne pourrions y arriver avant la nuit. Alors qu'il peut être chez nous, à Bockenod, dans moins d'une heure.

— Je n'ose en courir le risque, répondit Sir John. S'il s'agit de la petite vérole, comme le craint le moine, personne de ma famille ne l'a eue. Il n'y a donc pas d'autre issue que de le laisser ici aux soins de Roger. »

Par-dessus le mouchoir, il regarda l'intendant d'un air inquiet et je pensai qu'il devait faire bien piètre figure aux yeux de Joanna, en manifestant une telle crainte d'attraper lui-même la maladie. Il ne rayonnait plus d'arrogance comme à la réception de l'évêque. Il avait pris du poids et ses cheveux étaient devenus gris. Toujours aussi respectueux devant ses maîtres, Roger inclina la tête, mais il y avait dans ses yeux baissés un regard de mépris qui ne m'échappa point.

« Je ferai ce que milady me commandera, dit-il. J'ai

eu la petite vérole lorsque j'étais enfant, car mon père en est mort. Le neveu de milady est jeune et fort, il devrait donc en réchapper. D'ailleurs, nous ne sommes même pas sûrs qu'il s'agisse de la petite vérole. Bien des fièvres commencent de cette façon et peut-être sera-t-il complètement rétabli dans vingt-quatre heures. »

Se levant, Joanna s'approcha du lit. Elle portait encore sa coiffure de veuve et je me rappelai ce que l'élève de Magnus avait noté aux Archives : « Licence pour Joanna, veuve d'Henry Champernoune, de se remarier avec qui elle voudra ayant prêté serment d'allégeance au roi. » Si c'était toujours Sir John qu'elle souhaitait épouser, le mariage n'avait pas encore eu lieu...

« Espérons-le, dit-elle, mais je partage l'opinion du moine. Je connais les symptômes de la petite vérole, car Otto et moi l'avons eue aussi étant enfants. S'il était possible d'envoyer un message à Bodrugan, Otto viendrait lui-même le chercher pour l'emmener chez lui... Où en est la marée ? demanda-t-elle à Roger. Peut-on encore passer à gué ?

— Il y a plus d'une heure que le gué est recouvert, milady, et la marée continue de monter. Il n'est donc pas possible de passer à gué avant la marée descendante, sans quoi j'irais moi-même à Bodrugan prévenir Sir Otto.

— Alors, force nous est de laisser Henry à vos soins, bien qu'il n'y ait plus aucun service ici... »

Elle se tourna vers Sir John :

« Je vais vous suivre à Bockenod et repartirai dès l'aube pour Trelawn, afin de prévenir Margaret. C'est elle qui devrait être au chevet de son fils. »

Bien qu'il s'occupât constamment du jeune Henry, le moine n'avait pas perdu un mot de ce qui se disait.

« Il y a encore une autre solution, milady, dit-il alors. La chambre d'hôte du monastère est libre, et ni

moi ni mes frères en religion ne craignons la petite
vérole. Henry Bodrugan serait beaucoup mieux sous
notre toit qu'ici, je le veillerais jour et nuit. »

Le visage de Sir John exprima le soulagement et celui de Joanna aussi. Quoi qu'il arrivât, leur responsabilité serait dégagée.

« Nous aurions dû prendre cette décision tout de
suite, dit Joanna. De la sorte, nous serions repartis
avant que la tempête éclate. Qu'en pensez-vous, John ?
N'est-ce pas la meilleure solution ?

— Si, j'en ai bien l'impression, s'empressa-t-il d'acquiescer. A condition que l'intendant puisse assurer
le transfèrement au couvent. Nous ne pouvons risquer la contagion en le mettant dans votre chariot.

— La contagion pour qui ? se moqua Joanna. C'est
à vous que vous pensez, n'est-ce pas ? Vous n'aurez
qu'à nous escorter à cheval, en continuant de plaquer
un mouchoir sur votre visage ! Allez, nous avons
perdu suffisamment de temps comme cela... »

La décision prise, Joanna ne se préoccupa plus de
son neveu. Escortée par Sir John, elle se dirigea vers
la porte du hall que son compagnon ouvrit toute
grande, manquant aussitôt d'être renversé par la
force du vent.

« Je crois que vous seriez mieux avisé, lui dit
Joanna avec ironie de voyager confortablement avec
moi, en dépit de notre malade, plutôt que de devoir
sans cesse lutter contre ce vent.

— Ce n'est pas pour moi que je crains, dit-il et,
voyant que l'intendant les rejoignait, il ajouta :
« Vous comprenez, ma femme et mes fils sont de
santé délicate. Le risque serait trop grand.

— Trop grand, en effet, Sir John, et vous devez
faire montre de prudence. »

« Prudence, mon œil ! » pensai-je et à en juger par
leur expression, je me rendis compte que Roger ainsi
que Joanna partageaient mon sentiment.

212

Le lourd chariot fut amené devant le porche de l'enceinte et pour y accompagner la veuve, nous traversâmes la cour dans le déchaînement rageur du vent, tandis que Sir John montait sur son cheval. Après quoi nous regagnâmes de nouveau le hall, où le moine empilait des couvertures sur Henry à demi inconscient.

« Ils sont prêts et attendent, annonça Roger. A nous deux, nous allons pouvoir transporter le matelas. Mais, maintenant que nous sommes seuls, quelles chances de guérir lui donnez-vous ? »

Le moine esquissa un haussement d'épaule :

« Comme vous l'avez dit vous-même, il est jeune et robuste, mais j'ai vu des chétifs guérir là où mouraient des êtres vigoureux. Quand il sera au couvent, confié à mes soins, j'essaierai certains remèdes.

— Soit, mais faites bien attention, lui recommanda Roger. Si vous échouiez, vous auriez à en répondre devant le père d'Henry et, en l'occurrence, le prieur lui-même serait dans l'impossibilité de vous protéger. »

Le moine sourit :

« D'après ce que j'ai entendu, je crois que Sir Otto Bodrugan aurait suffisamment à faire pour se protéger lui-même, répondit-il. Vous savez que Sir Oliver Carminowe a couché à Bockenod la nuit dernière et en est reparti à l'aube, sans dire aux serviteurs quelle était sa destination ? Or, s'il a chevauché ainsi en secret le long de la côte, ça ne peut être que dans un seul but : rechercher l'amant de sa femme et le tuer.

— Qu'il essaie donc ! se moqua Roger. A l'épée, Bodrugan est bien meilleur que lui ! »

De nouveau, le moine haussa les épaules :

« C'est possible, mais lorsqu'il se battait contre ses ennemis en Ecosse, Oliver Carminowe avait recours à certaines méthodes. Si Bodrugan tombe dans une embuscade, je ne donne pas cher de sa vie. »

L'intendant lui fit vivement signe de se taire, car le jeune Henry ouvrait les yeux.

« Où est mon père ? demanda-t-il. Où m'emmenez-vous ?

— Votre père est chez lui, messire, dit Roger. Nous l'envoyons quérir et il sera près de vous dans la matinée. Vous allez passer cette nuit au monastère, soigné par frère Jean. Puis, si vous vous sentez plus gaillard et que votre père le souhaite, vous pourrez être transporté à Bodrugan ou à Trelawn. »

Le regard du jeune homme allait sans cesse de l'un à l'autre de ses interlocuteurs :

« Je n'ai aucune envie de passer la nuit au couvent. J'aimerais mieux rentrer à la maison dès ce soir.

— Ce n'est pas possible, messire, lui répondit gentiment Roger. Il fait une violente tempête et les chevaux ne sauraient aller aussi loin. Milady vous attend dans le chariot et va vous conduire au couvent. Dans moins d'une demi-heure, vous serez bien au chaud dans le lit de la chambre d'hôte. »

Il continua de protester faiblement tandis qu'ils le transportaient sur le matelas, à travers le hall puis la cour jusqu'au chariot, où ils le déposèrent aux pieds de sa tante. Le moine prit alors place dans la voiture. Par la fenêtre ouverte, Joanna regarda l'intendant. Le vent ayant rejeté son voile en arrière, je remarquai que ses traits avaient épaissi depuis la dernière fois que je l'avais vue. Sa bouche était plus lasse et elle avait des poches sous les yeux. Elle se pencha à la portière de façon que son neveu ne pût entendre.

« Il m'est revenu, dit-elle à mi-voix, qu'il pourrait y avoir du vilain entre Sir Oliver et mon frère. J'ignore si Sir Oliver est ou non dans les parages, mais c'est une des raisons pour lesquelles je souhaite m'en aller au plus vite !

— A vos ordres, milady, répondit l'intendant.

— Ni Sir John ni moi ne désirons être mêlés à leur

dispute, continua-t-elle. Elle ne nous concerne pas. S'ils en viennent aux coups, mon frère est capable de se défendre. Mes ordres sont donc que vous ne preniez parti ni pour l'un ni pour l'autre, ne vous occupant que de mes seules affaires. Vous comprenez ?

— Parfaitement, milady. »

Elle eut un hochement de tête approbateur, puis porta son attention vers le jeune Henry étendu à ses pieds. Roger fit signe au conducteur du chariot et le lourd véhicule s'ébranla sur la route boueuse, en direction du monastère; Sir John et un domestique suivaient à cheval, tous deux courbés sur leurs montures, fouettés par le vent et la pluie. Dès qu'ils eurent disparu au tournant, Roger franchit vivement l'arche de la cour des écuries et appela Robbie. Son frère arriva aussitôt, les cheveux rabattus sur le visage, tenant par la bride un poney.

« Chevauche bride abattue jusqu'à Tregest, lui dit Roger et préviens Lady Isolda de ne pas en sortir. Bodrugan devait venir cette nuit en bateau jusqu'à la crique, mais il ne s'y risquera jamais par une telle tempête. Je doute que Sir Oliver soit avec elle, mais même si c'est le cas, arrange-toi pour lui faire la commission, sans faute ! »

Le jeune homme sauta sur le dos du poney et coupa à travers champs, mais en direction de l'est, vers notre côté de la vallée, et je me rappelai avoir entendu Roger dire que le gué était impraticable à cause de la marée. Il allait donc devoir traverser le courant plus haut dans la vallée, si cet endroit appelé Tregest se trouvait sur l'autre rive. Le nom n'évoquait rien pour moi. Je savais qu'il n'y avait pas de Tregest sur ma carte d'état-major.

Roger traversa la cour et, par la porte creusée dans le mur, il gagna le flanc de la colline, au-dessus de la crique. La force du vent y était telle qu'il faillit être renversé, mais il n'en continua pas moins sa progression vers la rivière, à travers la pluie diluvienne, en suivant le sentier qui menait au quai. Son visage avait une expression inquiète, presque hagarde, très différente de l'air assuré qu'il affichait habituellement et, tout en marchant ou plutôt en courant, il regardait sans cesse l'embouchure de la rivière, là où elle rejoignait le large estuaire de Par. J'étais de nouveau en proie à cette angoisse qui m'avait assailli lorsque j'étais revenu de l'expédition de l'autre côté de la baie, et je me rendais compte qu'elle habitait aussi Roger; pour je ne sais quelle raison, nous partagions la même peur.

Quand nous atteignîmes le quai, nous nous trouvâmes un peu protégés par la colline qui était derrière nous, mais la rivière elle-même était déchaînée, charriant sur de courtes et hautes vagues toutes sortes de débris, branches brisées, planches, algues, écumés par une nuée de mouettes hurlantes qui, de leurs ailes déployées, s'efforçaient de lutter contre le vent.

Nous dûmes voir le bateau en même temps, car nos yeux étaient tournés vers la mer. Mais il n'avait plus la fière allure que j'avais admirée, par un après-midi d'été, lorsqu'il était à l'ancre. On eût dit un vaisseau ivre, avec son mât brisé et ses voiles pendant comme des suaires. Son gouvernail avait dû aussi être emporté, car il était visiblement à la merci du vent et de la marée qui le faisaient avancer, mais par le travers. Je ne pouvais dire combien d'hommes se trouvaient à bord, mais j'en voyais au moins trois s'employant désespérément à mettre à l'eau une petite embarcation prise dans les voiles et les cordages tombés. Mettant ses mains en porte-voix, Roger cria, mais ils ne l'entendirent pas, à cause du vent. Alors, grimpant sur le mur du quai, il agita les bras. L'un de ceux qui étaient à bord — ce devait être Otto Bodrugan — l'aperçut et lui répondit du geste, en indiquant la rive opposée.

216

« De ce côté-ci ! De ce côté-ci ! » hurla Roger, mais sa voix se perdit dans le vent et ils ne l'entendirent pas car ils continuaient de faire tous leurs efforts pour détacher l'embarcation du bateau.

Sans aucun doute, Bodrugan devait bien connaître le chenal et s'ils réussissaient la mise à l'eau, ils n'auraient pas trop de mal à atteindre le rivage, en dépit des vagues qui venaient se briser de chaque côté sur les bancs de sable. Ce n'était pas comme en pleine mer; bien que la rivière fût large à cet endroit, tout ce que risquait le bateau, c'était de s'échouer jusqu'à la marée descendante.

Ce fut alors seulement que je vis ce qui motivait la peur de Roger et l'incitait à des efforts désespérés pour attirer sur le quai Bodrugan et ses matelots. Des cavaliers progressaient en ligne sur la colline opposée, qui devaient être au moins une douzaine. A cause de la configuration du terrain, ceux du bateau ne pouvaient les voir, car les arbres masquaient leur avance.

Roger continua de crier et d'agiter les bras, mais ceux du bateau prirent cela pour un encouragement parce qu'ils avaient enfin réussi à mettre l'embarcation à l'eau et ils répondirent de la même façon. Puis, tandis que le bateau dérivait dans le chenal, les trois hommes prirent place dans l'autre esquif. Une haussière avait été attachée à l'avant du bateau qui le reliait à la proue de la petite embarcation et, pendant que deux des hommes peinaient sur les avirons en direction de l'autre rive, à l'arrière Bodrugan tirait de toutes ses forces sur la haussière pour tâcher d'entraîner le bateau à leur suite.

Ils avaient trop à faire pour prêter plus longtemps attention à Roger et tandis qu'ils se rapprochaient lentement de l'autre rive, je vis les cavaliers descendre de leurs montures derrière le rideau d'arbres, puis ils progressèrent en rampant vers la crique, jusqu'à l'endroit où la terre s'avançait brusquement dans la mer en formant une langue de sable. Roger hurla de plus belle en agitant désespérément les bras et, oubliant mon état de fantôme, je fis comme lui sans émettre le moindre son, plus impuissant que le spectateur d'un match de football encourageant l'équipe perdante. Les occupants de la petite barque se rapprochaient lentement du rivage dans le même temps que, derrière les arbres, leurs ennemis arrivaient au promontoire sablonneux.

La haussière cassa brusquement lorsque le grand bateau s'échoua. Perdant l'équilibre, Bodrugan tomba à la renverse sur ses compagnons, la frêle embarcation chavira et tous trois furent précipités dans l'eau. Mais ils étaient déjà suffisamment proches du rivage pour avoir pied. Bodrugan fut le premier à se redresser, avec de l'eau jusqu'à la poitrine, tandis que les deux autres continuaient à barboter près de lui, et il répondit à l'ultime avertissement de Roger par un cri de triomphe.

Ce fut son dernier cri. Avant que ses compagnons ou lui aient eu le temps de tourner la tête pour se défendre, les autres furent sur eux. Ils étaient douze contre trois et avant que la pluie ne se remette à tomber plus fortement que jamais, les escamotant à nos yeux, je vis avec écœurement que, au lieu de tirer leurs victimes sur la langue de sable pour les y achever à la dague ou l'épée, ils leur plongeaient la tête dans l'eau. L'un des hommes était déjà mort, l'autre se débattait encore, mais il en fallut huit pour venir à bout de Bodrugan. Roger s'était mis à courir vers le moulin, mais je savais que c'était en vain, que tout serait fini longtemps avant que nous ayons pu trouver de l'aide.

Nous atteignîmes le gué, au-dessous du moulin, et comme Roger l'avait dit à Joanna, je vis qu'il était impraticable, l'eau arrivant presque jusqu'à la porte de la forge. De nouveau, Roger mit ses mains en porte-voix :

« Rob Rosgof ! appela-t-il. Rob Rosgof ! »

L'air effrayé, le maréchal-ferrant apparut sur la porte, avec sa femme derrière lui.

Roger pointa le doigt en aval, mais l'autre fit un geste des deux mains en secouant la tête, avant d'indiquer du pouce la colline derrière lui, montrant clairement par cette mimique qu'il était au courant de l'embuscade et n'y pouvait rien. Repoussant sa femme à l'intérieur de la forge, il en barricada la porte. En désespoir de cause, Roger se rabattit vers le moulin, et les trois moines que j'avais vus travailler là le dimanche matin, lorsque les enfants d'Isolda avaient passé le gué, se précipitèrent au-devant de lui.

« Bodrugan et ses hommes ont été jetés à la côte ! leur cria l'intendant. Son bateau s'est échoué et une embuscade leur était tendue... Ils sont trois hommes à bout de forces, contre une douzaine avec des armes ! »

Je n'aurais su dire ce qui l'emportait sur son visage : la colère, le chagrin ou le désespoir de ne pouvoir intervenir.

« Où est Lady Champernoune ? demanda l'un des moines. Et Sir John Carminowe ? Tout l'après-midi nous avons vu leur chariot là-haut...

— Son neveu, le fils de Bodrugan, est malade, répondit Roger. Ils l'ont transporté au couvent et sont maintenant en route vers Bockenod. J'ai envoyé Robbie à Tregest pour mettre en garde les gens de là-bas et je prie Dieu qu'aucun d'eux ne sorte, car leurs vies pourraient être aussi en danger ! »

Nous nous tenions à l'entrée de la cour du moulin, ne sachant si nous devions repartir ou rester là, et durant tout ce temps nos regards demeuraient tournés vers la rivière, mais la berge arrondie qui dominait la crique nous dissimulait aussi bien le navire échoué que la scène tragique se déroulant sur la langue de sable.

« Qui a tendu cette embuscade ? demanda le moine. Autrefois Bodrugan avait des ennemis, mais maintenant que le roi est fermement installé sur le trône, cela appartient au passé...

— Sir Oliver Carminowe, bien sûr ! répondit vivement Roger. En 22, lors de la rébellion, ils étaient dans des camps opposés et il a aujourd'hui une autre raison de le tuer. »

On n'entendait que le vent et le tumulte de la rivière traversé par les cris des mouettes. Soudain l'un des moines montra l'autre côté de la crique en riant :

« Ils ont remis le bateau à flot ! »

Ce n'était plus vraiment le bateau, mais seulement, pour autant qu'on en pût juger à cette distance, une partie du bordage qu'ils avaient effectivement remis à l'eau et qui dérivait comme une épave emportée par le courant. Quelque chose y était attaché qui, de temps à autre, émergeait de l'eau pour s'y enfoncer de nouveau l'instant d'après. Je regardai Roger qui regarda les moines et tous, d'un commun accord, nous courûmes vers le bord de la crique où le courant venait déposer des débris de toute sorte. Tandis que nous attendions là, l'épave continuait de se soulever, s'enfoncer, et avec elle, ce qui y était attaché. Il y eut des appels émanant de la rive opposée et les cavaliers, leur chef en tête, surgirent de derrière le rideau d'arbres. Ils firent un petit galop sur la route, jusque devant la forge où ils s'immobilisèrent, observant en silence.

Nous plongeâmes dans la rivière pour tirer le radeau sur la berge, aidés par les moines, et celui qui était à la tête des cavaliers cria :

« C'est un présent d'anniversaire pour ma femme, Roger Kylmerth ! Veillez à ce qu'elle le reçoive avec mes compliments, et dites-lui que je l'attends à Carminowe quand elle aura fini de s'en occuper ! »

Il éclata de rire et ses hommes avec lui, puis fai-

sant opérer une volte-face à leurs chevaux, ils reparti-
rent vers le haut de la colline.

Roger et l'un des moines tirèrent l'épave sur le rivage. Les autres se signèrent puis commencèrent à
prier, l'un d'eux se mettant à genoux au bord de
l'eau. Bodrugan ne présentait aucune blessure, aucune
trace de violence. L'eau coulait de sa bouche et ses
yeux étaient ouverts; ils l'avaient noyé avant de l'atta-
cher à ce radeau.

Roger dénoua les restes de la haussière et emporta
le corps ruisselant dans ses bras, en direction du
moulin.

« Dieu miséricordieux ! Comment vais-je pouvoir la
mettre au courant ? » dit-il.

Mais il n'eut pas à le faire. Comme nous marchions
vers le moulin nous vîmes arriver deux poneys, l'un
monté par Robbie, l'autre par Isolda, les cheveux dé-
noués, les pans de son manteau volant autour d'elle.
Du premier coup d'œil, Robbie comprit ce qui s'était
passé et, saisissant la bride de l'autre poney, il
s'efforça de faire rebrousser chemin à Isolda, mais en
un rien de temps elle eut sauté à terre et s'élança vers
nous.

« Oh ! mon amour... Oh ! non.. oh ! non... non...
non... »

Sa voix, d'abord claire et vibrante, sombra dans un
gémissement.

Déposant son fardeau sur le sol, Roger courut au-
devant d'elle et je l'imitai. Quand nous saisîmes ses
mains tendues vers nous, elles nous échappèrent.
Isolda tomba et, au lieu de tenir son manteau, je me
retrouvai à demi effondré sur les bottes de paille em-
pilées contre un hangar de tôle qui se dressait au
bord de la route, face à la ferme de Treesmill.

XIV

Je demeurai étendu là, attendant que se calment la nausée et le vertige. Je savais qu'il me fallait les endurer mais qu'ils passeraient d'autant plus vite que je resterais tranquille. Il faisait déjà jour et j'eus le réflexe de regarder ma montre. Cinq heures vingt. Si je m'accordais un quart d'heure, sans bouger, tout irait bien. A supposer même que les gens de Treesmill fussent déjà levés, personne ne traverserait la route pour s'en venir près de ce hangar adossé au mur d'un vieux verger. Le ruisseau coulant à quelques mètres de moi, était tout ce qui subsistait de la crique.

Mon cœur battait à grands coups, mais il se calma progressivement et les tournements de tête que j'appréhendais tant, ne furent pas aussi mauvais que la précédente fois où j'étais venu au Gratten et avais rencontré le docteur sur l'accotement, au sommet de la colline.

Cinq minutes, dix, quinze... Je me remis péniblement debout et, sortant du verger, entrepris lentement l'ascension de la côte. Jusque-là tout se passait bien. Je montai dans la voiture et y demeurai encore cinq minutes immobile, les bras croisés sur le volant, puis je mis le moteur en marche et regagnai Kilmarth en roulant prudemment. J'aurais largement le temps de rentrer la voiture dans le garage, d'enfermer la fiole dans le laboratoire et, ensuite, le plus sage serait de me remettre au lit pour tâcher de prendre un peu de repos.

Je me disais qu'il n'y avait rien d'autre que je pusse faire. Roger reconduirait Isolda jusqu'à ce Tregest, où qu'il se trouvât, et la dépouille du pauvre Bodrugan, confiée à ces moines, serait en de bonnes mains. Quelqu'un devrait aller prévenir Joanna, à Bockenod. Je ne doutais pas que Roger s'en chargerait. J'éprouvais maintenant pour lui une certaine considération, presque de l'affection, après l'avoir vu si bouleversé par l'atroce fin de Bodrugan, dont nous avions tous deux partagé l'horreur. Je n'avais donc pas été trompé par ce pressentiment éprouvé sur la plage, à la Pointe de la Chapelle, avant de reprendre le bateau pour Fowey avec Vita et les garçons. Vita et les garçons...

Je repensai à eux au moment où j'entrais dans le garage et avec la mémoire me revint aussi le sens de la réalité. Je compris que j'étais rentré à la maison dans ce monde-ci alors que mon esprit était encore dans l'autre. J'avais roulé vers la maison avec une partie de mon cerveau sensible au fait que je tenais le volant entre mes mains et que j'appartenais au présent, tandis que le reste demeurait encore dans le passé, pensant que Roger allait reconduire Isolda à Tregest.

Je me sentis brusquement trempé de sueur. Je demeurai assis au volant, les mains tremblantes. Il ne fallait pas que cela recommence. Je devais absolument me ressaisir. Il n'était que six heures du matin. Vita et les garçons dormaient encore, tout comme nos satanés invités, et Roger, Isolda, Bodrugan étaient morts depuis plus de six cents ans. Je vivais au XXe siècle.

Je rentrai par la porte de derrière et allai ranger la

fiole. Il faisait maintenant grand jour, mais le silence continuait de régner dans la maison. Je gagnai sans bruit la cuisine où je branchai la bouilloire électrique afin de me préparer du thé. Oui, c'était d'une bonne tasse de thé que j'avais besoin. Le ronronnement de la bouilloire me parut étrangement réconfortant et je m'assis devant la table, en me rappelant soudain tout ce que nous avions bu la veille au soir. La cuisine sentait encore la langouste que nous avions mangé, et je me relevai pour aller ouvrir la fenêtre.

J'en étais à ma deuxième tasse de thé quand j'entendis craquer une marche de l'escalier. J'étais prêt à foncer au sous-sol pour m'y terrer quand la porte s'ouvrit, livrant passage à Bill.

« Hello ! fit-il avec un sourire gêné. Deux grands esprits animés par la même pensée. Je me suis réveillé en croyant entendre une voiture et j'ai constaté alors que je mourais de soif. C'est du thé que vous buvez ?

— Oui. Prenez-en donc une tasse. Diana est réveillée ?

— Non, me répondit-il, et si je connais le comportement de ma femme après une cuite, elle n'est pas près d'ouvrir l'œil. Nous étions tous drôlement beurrés, hein ? Vous ne m'en voulez pas, au moins ?

— Mais non, absolument pas. »

Je lui servis une tasse de thé et il s'assit de l'autre côté de la table. Il n'était vraiment pas frais et son pyjama, d'un rose livide, jurait avec son teint grisâtre.

« Vous êtes habillé, constata-t-il. Il y a longtemps que vous êtes levé ?

— Oui, répondis-je. Ne pouvant plus dormir, je suis allé faire un tour.

— Alors c'est votre voiture que j'ai entendue rentrer ?

— Probablement, oui. »

Le thé me faisait du bien, mais il me faisait aussi transpirer. Je sentais la sueur couler sur mon visage.

« Vous m'avez l'air un peu patraque, dit Bill en me considérant d'un œil critique. Ça ne vas pas ? »

Sortant mon mouchoir de ma poche, je m'essuyai le front. Mon cœur s'était remis à taper. L'effet du thé probablement.

« Il se trouve, dis-je lentement — et je m'entendais parler en mangeant les mots comme si, au lieu de thé, j'avais bu une forte dose d'alcool qui m'eût momentanément fait perdre mon équilibre —, que j'ai été l'invisible témoin d'un horrible crime, et que je n'arrive pas à le chasser de mon esprit. »

Il posa brusquement sa tasse en me regardant :

« Qu'est-ce que vous me racontez là ?

— J'éprouvais le besoin de prendre un peu l'air, dis-je en parlant rapidement. Alors je suis allé avec la voiture jusqu'à un endroit que je connais, à environ cinq kilomètres d'ici, près de l'estuaire et j'ai vu un bateau s'échouer. Il faisait une tempête terrible et le type qui était à bord avec son équipage a dû mettre le canot à la mer. Ils ont réussi à atteindre la rive opposée, mais c'est alors que cette horrible chose s'est produite... »

Je me servis une autre tasse de thé, en dépit du tremblement de mes mains.

« Ces bandits, ces assassins... Le malheureux n'avait pas la moindre chance de leur échapper. Ils ne l'ont pas poignardé ni quoi que ce soit, mais ils lui ont maintenu la tête sous l'eau pour qu'il se noie.

— Mon Dieu ! s'exclama Bill. Mon Dieu, mais c'est horrible ! Vous en êtes sûr ?

— Oui, puisque je l'ai vu. J'ai vu noyer ce pauvre diable... »

Quittant la table, je me mis à arpenter la cuisine.

« Qu'allez-vous faire ? s'enquit Bill. Ne vaut-il pas mieux que vous téléphoniez à la police ?

— La police ? répétai-je. Ce n'est pas une affaire pour la police. Je pense au fils de ce malheureux. Il est malade et quelqu'un va devoir le mettre au courant, lui et le reste de la famille.

— Mais, bon sang, Dick, votre devoir est d'alerter la police ! Je comprends que vous ne teniez pas à être mêlé à ça, cependant il s'agit d'un meurtre, n'est-ce pas ? Vous dites que vous connaissez cet homme qui a été noyé, et son fils aussi ? »

Je le regardai fixement. « Seigneur ! pensai-je. Ça s'est produit ! » La confusion. La confusion entre les deux époques... Je me sentis trempé de sueur.

« Non, dis-je, je ne le connais pas personnellement. Je l'ai vu, car il a un yacht de l'autre côté de la baie et j'ai entendu les gens parler de sa famille. Vous avez raison, je ne veux pas être mêlé à ça. D'ailleurs, je n'étais pas le seul témoin. Un autre homme était là, qui a tout vu également. Je suis sûr qu'il rapportera la chose... C'est même probablement déjà fait.

— Vous lui avez parlé ? s'enquit Bill.

— Non, dis-je, non. Il ne m'a pas vu.

— Vraiment, je ne sais pas... Je continue de penser que vous devriez téléphoner à la police. Voulez-vous que je le fasse pour vous ?

— Non, surtout pas. Et pas un mot de tout ceci à Diana ou à Vita. Promettez-le-moi, Bill ! »

Il paraissait extrêmement troublé.

« Non, bien sûr. Ça les bouleverserait. Vous-même, vous avez dû éprouver un drôle de choc...

— Oh ! maintenant ça va, dis-je, ça va. »

Je m'assis de nouveau près de la table.

« Un peu plus de thé ? me proposa Bill.

— Non, merci... Rien.

— Voilà une confirmation de ce que je dis toujours, Dick. La criminalité ne cesse d'aller croissant, dans tous les pays civilisés. Il faut absolument que les autorités fassent quelque chose à cet égard. Enfin, qui voudrait croire qu'une chose pareille a pu se produire ici, en Cornouailles ? Une bande d'assassins,

disiez-vous ? Avez-vous idée d'où ils pouvaient venir ?
Ce n'étaient pas des gens d'ici ? »

Je secouai la tête :

« Non, je ne le pense pas. J'ignore absolument qui
ils pouvaient être.

— Et vous êtes bien certain que l'autre a tout vu,
qu'il va prévenir la police ?

— Oui, il est parti en courant vers la ferme la plus
proche, où ils doivent sûrement avoir le téléphone.

— Fasse le Ciel que vous ne vous trompiez pas... »

Nous demeurâmes un moment silencieux. Il n'arrêtait pas de soupirer en secouant la tête :

« Quel choc cela a dû être pour vous ! Quelle horrible aventure ! »

J'enfonçai mes mains dans les poches de mon veston pour qu'il ne les vît pas trembler.

« Ecoutez, Bill... Je vais monter m'étendre un peu,
mais je ne veux pas que Vita sache même que je suis
sorti. Ni Diana non plus. Je tiens à ce que cette histoire reste absolument entre nous. Il n'y a rien que
vous ou moi puissions faire. Je vous demande d'oublier cette affaire.

— D'accord pour garder ça entre nous... Mais je ne
peux oublier ce que vous m'avez dit et je vais guetter
la nouvelle aux informations. Au fait, nous allons devoir partir vers dix heures si nous voulons prendre
cet avion pour Exeter. Ça ne vous dérangera pas
trop ?

— Bien sûr que non. Je suis seulement navré de
vous avoir gâché votre matinée.

— C'est moi, mon cher Dick, qui suis navré pour
vous. Oui, montez vous étendre et tâchez de dormir
un peu. Ne vous souciez surtout pas de nous dire au
revoir. Vous pourrez toujours raconter que vous cu-
viez votre cuite ! »

Il sourit en me tendant la main et ajouta :

« Nous avons vraiment passé hier une excellente

journée. Mille fois merci pour tout. J'espère que rien
d'autre ne viendra gâcher vos vacances. Je vous écri-
rai d'Irlande.

— Merci, Bill, dis-je. Merci infiniment. »

Je montai me déshabiller dans la pièce attenant à
la chambre, puis je dus aller vomir dans les W.-C. de
la salle de bain. Le bruit réveilla probablement Vita,
car je l'entendis me demander depuis la chambre :

« C'est toi ? qu'est-ce qui se passe ?

— C'est tout ce muscadet après le bourbon... Excuse-moi, mais c'est tout juste si je tiens debout. Je
vais m'étendre ici sur le divan. Il est encore très tôt...
A peine six heures et demie. »

Je refermai la porte de communication et me jetai
sur le divan. J'avais complètement regagné le monde
d'aujourd'hui, mais Dieu seul savait combien de
temps cela durerait. Une chose en tout cas était certaine : dès que Bill et Diana seraient partis, il faudrait que je téléphone à Magnus.

L'inconscient est vraiment une curieuse chose.
J'étais profondément bouleversé par cette totale confusion de pensée qui aurait pu m'amener à raconter
toute l'expérience à Bill, mais cinq minutes environ
après m'être couché sur le divan, j'étais endormi et je
rêvai, non pas de Bodrugan et son horrible fin, mais
d'un match de cricket à Stoneyhurst où l'un des
joueurs, ayant reçu une balle en pleine tête, était
mort d'une hémorragie cérébrale vingt-quatre heures
plus tard. Cela devait faire au moins un quart de siècle que je n'avais repensé à cet accident.

Quand je m'éveillai, peu après neuf heures, je me
sentis parfaitement lucide, la tête claire, sauf que
j'avais une terrible gueule de bois et que mon œil
droit était plus que jamais injecté de sang. Je pris un
bain, me rasai et entendis nos invités s'affairer dans
leur chambre. J'attendis que Bill et Diana fussent descendus au rez-de-chaussée, puis j'appelai le numéro de

Magnus. Pas de chance. Il n'était pas chez lui. Je téléphonai donc à sa secrétaire, à l'université, pour qu'elle l'avertisse que j'avais un urgent besoin de lui parler, mais qu'il valait mieux que je l'appelle plutôt que le contraire. J'ouvris alors la fenêtre de la pièce où je m'étais étendu — et qui donnait sur le patio — pour crier à Teddy de me monter une tasse de café. Mon intention était de descendre souhaiter bon voyage à nos hôtes cinq minutes seulement avant leur départ.

« Qu'est-ce que vous avez à l'œil? Vous êtes tombé du lit ou quoi? me demanda Teddy quand il m'apporta le café.

— Non, je pense que c'est le vent, lundi, qui m'a fait ça.

— En tout cas, vous vous étiez levé de bonne heure. Je vous ai entendu causer avec Bill dans la cuisine.

— J'étais descendu faire du thé. Lui et moi avions trop bu hier soir.

— Je pense que c'est ça plutôt que le vent qui travaille votre œil », me dit-il, et ce faisant, il ressemblait tellement à sa mère lorsqu'elle semblait lire au fond de moi, que je me détournai.

Je me rappelai alors que sa chambre était située au-dessus de la cuisine et qu'il avait peut-être entendu notre conversation.

« De quoi parlions-nous donc, Bill et moi ? lançai-je comme il s'apprêtait à repartir.

— Comment voulez-vous que je le sache ? Vous figurez-vous que j'ai collé mon oreille au plancher pour vous écouter ? »

Non, mais sa mère, en revanche, aurait bien pu le faire si elle m'avait entendu discuter avec notre invité à six heures du matin.

Je finis de m'habiller, bus mon café et surgis sur le palier juste à temps pour aider Bill à descendre les

valises. Il me décocha un regard de conspirateur —
les femmes étaient dans le hall, au-dessous de nous
— et s'enquit dans un murmure :

« Vous avez pu dormir ?

— Oui, dis-je, maintenant ça va. »

Voyant qu'il le regardait, je touchai mon œil en disant :

« Oui, je suis au courant, mais j'ignore ce qui a pu
me faire ça. Le bourbon, probablement. Au fait,
Teddy nous a entendus parler ce matin.

— Je sais. Il l'a dit à Vita. Mais tout est O.K. Ne
vous tracassez pas. »

Il me donna une tape sur l'épaule et nous descendîmes pesamment l'escalier.

« Miséricorde ! s'écria Vita. Qu'as-tu fait à ton œil ?

— Ce doit être une sorte d'allergie, due au bourbon combiné avec la langouste. Il y a des gens à qui
cela fait ça. »

Diana et elle voulurent à toute force examiner l'œil,
suggérant des remèdes allant du bain de camomille
ou collyre à la pénicilline.

« En tout cas, ça n'est sûrement pas le bourbon,
déclara Diana. Je n'ai pas voulu en parler sur l'instant, mais en arrivant, hier, j'avais remarqué que votre œil était rouge. »

Je pris chacune d'elles par le bras et les entraînai
vers le porche en disant :

« Vous ne seriez pas non plus, l'une ou l'autre, en
état de gagner un prix de beauté ce matin ! Et ce
n'est pas le bourbon qui m'a réveillé à l'aube, mais
Vita, tellement elle ronflait. Alors, plus un mot ! »

Nous dûmes poser sur les marches pour que Bill
prenne l'inévitable photo de groupe, et il était près
de dix heures et demie quand ils partirent enfin,
après que Bill m'eut donné une poignée de main complice.

« J'espère, dit-il, que nous aurons ce beau temps en

Irlande. Je regarderai les journaux et écouterai la radio pour savoir comment ça se passe pour vous, en Cornouailles. »

Il me regarda en hochant imperceptiblement la tête, voulant me faire comprendre par là qu'il allait être aux aguets d'un crime commis dans les parages.

« Envoyez-nous des cartes postales ! leur cria Vita. J'aurais bien aimé que nous allions là-bas avec vous !

— Tu pourras toujours les rejoindre quand tu en auras assez d'être ici », lui dis-je.

Ce n'était peut-être pas la remarque à faire et, lorsque nous regagnâmes la maison après avoir longuement agité la main, Vita me dit d'un air pensif :

« Je crois vraiment que tu aurais été heureux si les garçons et moi étions partis avec eux. Comme cela, tu aurais eu de nouveau la maison pour toi tout seul.

— Ne dis donc pas de bêtises.

— Tu me l'as clairement fait comprendre, hier soir, quand tu t'es fourré au lit aussitôt après dîner.

— Je me suis fourré au lit, comme tu dis, parce que ça me barbait de te voir te pelotonner entre les bras de Bill tandis que Diana brûlait d'en faire autant entre les miens. Je ne vaux rien pour ces petits jeux de société, et tu devrais bien le savoir maintenant.

— Oh ! voyons ! s'exclama-t-elle en riant. Il ne s'agissait pas du tout de ça ! Bill et Diana sont mes plus vieux amis. Où est donc ton sens de l'humour, puisque celui des Britanniques est tellement vanté ?

— Il n'est pas du tout au même diapason que le tien, mais beaucoup plus vulgaire. Si je tirais ce tapis sous tes pieds et que tu tombes, ça me ferait rire aux éclats. »

Nous venions de rentrer quand le téléphone se mit à sonner. J'allai répondre dans la bibliothèque et Vita m'y suivit. Je craignais que ce fût Magnus et c'était bien lui.

« Oui ? dis-je avec circonspection.

— On m'a fait ta commission, me déclara-t-il, mais j'ai une journée terriblement chargée. Le moment est-il mal choisi ?

— Oui.

— Vita est dans la pièce ?

— Oui.

— Je comprends. Tu peux me répondre par oui ou par non. Il s'est produit quelque chose ?

— Nous avons eu des amis qui sont arrivés hier et qui viennent de repartir. »

Vita était en train d'allumer une cigarette.

« Si c'est ton professeur — et je ne vois pas qui cela pourrait être en dehors de lui — fais-lui mes amitiés.

— D'accord. Vita t'envoie ses amitiés, dis-je à Magnus.

— Toutes les miennes en retour. Demande-lui si je peux venir vendredi soir, pour passer le week-end avec vous. »

Mon cœur bondit. Quoi qu'il en résultât, ce serait un soulagement d'avoir Magnus pour prendre la direction des opérations.

« Magnus te fait demander s'il peut venir vendredi soir, pour passer le week-end ? dis-je à Vita.

— Bien sûr. C'est nous qui sommes chez lui, après tout. Sa compagnie te procurera certainement plus de plaisir que celle de mes amis.

— Vita dit : « Bien sûr ! » répétai-je à Magnus.

— Parfait. Je te ferai savoir l'heure du train. Ton appel urgent, c'est à propos de l'autre monde ?

— Oui.

— Tu as fait un nouveau voyage ?

— Oui.

— Qui a eu de mauvais effets ? »

Je pris le temps et jetai un coup d'œil à Vita qui ne paraissait nullement vouloir quitter la pièce.

«A vrai dire, déclarai-je, je me sens plutôt mal

foutu. J'ai dû boire ou manger quelque chose qui ne me convenait pas. J'ai vomi et j'ai un œil tout injecté de sang. C'est peut-être dû au fait que j'ai mangé de la langouste après avoir bu du bourbon.

— Le tout s'ajoutant au voyage, oui, c'est bien possible. L'esprit confus ?

— Oui, ça aussi. Quand je me suis réveillé, je n'arrivais pas à penser clairement.

— Je vois. Quelqu'un s'en est aperçu ? »

De nouveau, je jetai un coup d'œil à Vita.

« Ma foi, nous avions tous un peu trop bu hier soir, si bien que les mâles se sont réveillés de bonne heure ce matin. Pour ma part, j'avais eu un terrible cauchemar que j'ai raconté à Bill, l'ami de Vita, tout en prenant une tasse de thé.

— Que lui as-tu raconté ?

— Oh ! simplement ce cauchemar. Mais il m'avait semblé tellement réel... Tu sais comment c'est... J'ai rêvé que je voyais des gens s'acharner sur un homme et le noyer.

— Bien fait pour toi, lança Vita. Tu n'avais qu'à ne pas reprendre deux fois de la langouste. Le bourbon n'y est probablement pour rien.

— Etait-ce un de nos amis ? questionna Magnus.

— Oui. Tu sais ce type qui avait autrefois son bateau du côté de la Pointe de la Chapelle et qui faisait toujours la traversée de Par ? Eh bien, c'est lui que je voyais dans mon cauchemar. J'ai rêvé que son bateau avait été démâté par la tempête et que, après avoir réussi à regagner le rivage, il avait été tué par un mari jaloux qui le soupçonnait de courir après sa femme. »

Vita éclata de rire :

« Si tu veux mon sentiment, ce rêve a été engendré par tes mauvaises pensées ! Tu as cru que j'allais prendre le large avec Bill et il en est résulté ce cauchemar ! Laisse-moi parler à ton professeur. »

Elle traversa la pièce et me prit le récepteur des mains.

« Comment allez-vous, Magnus ? s'enquit-elle en faisant du charme. Je serai ravie de vous recevoir chez vous pendant le week-end. Peut-être réussirez-vous à rendre Dick de meilleure humeur. Il est impossible en ce moment ! »

Elle sourit tout en me regardant.

« Ce qu'a son œil ? répéta-t-elle. Aucune idée. On dirait qu'il vient de perdre un match de boxe. Oui, bien sûr, je vais faire de mon mieux pour qu'il reste tranquille jusqu'à votre arrivée, mais il est très têtu ! Oh ! à propos, vous allez pouvoir me renseigner... Mes fils adorent faire du cheval et dimanche matin, pendant que nous étions au temple, Dick m'a dit avoir vu des enfants sur des poneys, qui s'amusaient beaucoup. Alors j'ai pensé qu'il existait peut-être un manège de l'autre côté de ce village... comment s'appelle-t-il déjà... Tywardreath ? Vous n'en savez rien ? Enfin, peu importe, Mrs. Collins pourra sûrement me renseigner. Comment ? Ne quittez pas, je vais le lui demander... »

Elle se tourna vers moi :

« Il voudrait savoir si ces enfants étaient les deux petites filles d'un nommé Oliver Carminowe et sa femme ? Ce sont de vieux amis à lui.

— Oui, répondis-je. J'en suis à peu près sûr. Mais j'ignore où elles habitent. »

Elle dit dans le téléphone :

« Dick pense que oui, encore que je ne voie pas comment il peut le savoir s'il ne les connaît pas. Sans doute la mère est-elle jolie et l'a-t-il aperçue quelque part avec ses filles... C'est pour cela qu'il s'en est souvenu. (Elle me fit une grimace.) Oui, c'est ça, ajouta-t-elle, et si vous pouviez les joindre durant le week-end, nous les inviterions ici à prendre un verre afin que Dick puisse lui être présenté. A vendredi ! »

Elle me rendit le récepteur et j'entendis Magnus qui riait.

« Tu vas prendre contact avec les Carminowe ? questionnai-je.

— Je m'en suis élégamment tiré, non ? De toute façon, c'est ce que je me propose de faire si nous réussissons à nous débarrasser de Vita et des garçons. Entre-temps, je vais demander à mon gars de se renseigner sur Otto Bodrugan. Il a donc eu une triste fin, et ça t'a bouleversé ?

— Oui.

— Roger était présent, bien entendu ? Y a-t-il prêté la main ?

— Non.

— J'en suis ravi. Ecoute, Dick, c'est important : plus question de voyage pour toi, à moins que nous ne l'entreprenions ensemble. Même si cela te tente énormément, ne recommence pas. Sors-toi ça du sang. Compris ?

— Oui.

— Comme je te l'ai déjà dit, j'aurai les premiers résultats du labo avant la fin de la semaine. D'ici là, abstention. Sur ce, il me faut te quitter. Prends bien soin de toi !

— Je ferai de mon mieux. Au revoir. »

Quand je raccrochai, ce fut comme si je coupais le seul lien existant entre mes deux mondes.

« Allons, réjouis-toi, mon chéri ! dit Vita. Dans moins de trois jours, il sera là. N'est-ce pas merveilleux ? Et maintenant, si tu montais dans la salle de bain, soigner un peu ton œil ? »

Plus tard, lorsque je me fus baigné l'œil et que Vita eut disparu dans la cuisine pour annoncer à Mrs. Collins la venue de Magnus et sans doute discuter avec elle de ses préférences gastronomiques, je pris ma carte d'état-major pour y chercher de nouveau Tregest. Je pus me convaincre ainsi que ce nom n'y figurait pas. Outre Treesmill, il y avait Treveryan, Trenadlyn, Trevennor, qui se trouvaient également sur le rôle des tailles, mais c'était tout. Peut-être Magnus obtiendrait-il le renseignement, par l'intermédiaire de son élève plus ou moins chartiste.

Vita revint dans la bibliothèque :

« J'ai interrogé Mrs. Collins au sujet des Carminowe, mais elle n'a jamais entendu parler d'eux. Sont-ce de très grands amis de Magnus ? »

L'espace d'un instant, je demeurai tout saisi de l'entendre prononcer ce nom. Je savais qu'il me fallait être extrêmement prudent, sinon la confusion risquait de se produire à nouveau.

« Je pense qu'il a dû les perdre de vue depuis pas mal de temps, dis-je, car il ne vient pas souvent ici.

— J'ai regardé dans l'annuaire du téléphone et ils n'y sont pas. Que fait Oliver Carminowe ?

— Ce qu'il fait ? Je n'en sais vraiment rien. Je crois qu'il a été dans l'armée. Il te faudra demander ça à Magnus.

— Et sa femme est très séduisante ?

— Elle l'a sûrement été, oui. Je ne lui ai jamais adressé la parole.

— Mais tu l'as vue depuis que tu es ici ?

— Seulement de loin. Elle ne me reconnaîtrait certainement pas.

— Etait-elle aussi dans les parages du temps que tu étais étudiant ?

— Peut-être, mais je ne l'avais jamais rencontrée, non plus que son mari. Je sais très peu de choses d'eux.

— Suffisamment cependant pour reconnaître ses filles quand tu les as vues l'autre jour ? »

J'avais l'impression de m'enferrer.

« Chérie, dis-je, où veux-tu en venir ? Il arrive à Magnus de mentionner le nom d'amis ou de relations, au nombre desquels se trouvent les Carminowe. C'est tout. Oliver Carminowe avait déjà été marié. Isolda est sa seconde femme et ils ont deux filles. Te voilà satisfaite ?

— Isolda ? Quel prénom romantique !

— Pas plus romantique que Vita, rétorquai-je. Si nous la laissions un peu en repos ?

— C'est drôle que Mrs. Collins n'ait jamais entendu parler d'eux, elle qui est une telle source d'informations pour tout ce qui concerne la localité. En tout cas, elle m'a dit qu'il existe un très bon manège sur la route qui mène à Menabilly Barton. Je vais donc aller m'entendre avec ces gens.

— Excellente idée. Pourquoi n'y vas-tu pas tout de suite ? »

Elle demeura un instant à me considérer fixement, puis me tourna le dos et quitta la pièce. Sortant alors mon mouchoir, je m'essuyai le front qui était de nouveau couvert de sueur. C'était une chance que la lignée des Carminowe fût éteinte, sans quoi Vita aurait fini par découvrir un de leurs descendants qui eût été ahuri de l'entendre l'inviter à déjeuner pour dimanche prochain.

Deux jours, presque trois encore, avant que Magnus vienne à ma rescousse. Lorsque Vita s'intéressait à quelque chose, il était difficile de l'en détourner et que Magnus eût mentionné le nom des Carminowe était un exemple typique de son humour malicieux.

La journée de ce mercredi s'acheva sans incident et aussi, Dieu merci, sans que mon esprit eût été de nouveau en proie à la confusion. Le départ de Bill et Diana me causait un tel soulagement que le reste me paraissait sans grande importance. Les garçons s'en furent faire du cheval et y prirent grand plaisir. Bien que Vita dût se ressentir de ses excès de la veille, elle eut le bon sens de n'en rien dire et elle ne fit aucune allusion non plus à notre partie carrée de l'après-dîner. Nous montâmes nous coucher de bonne heure et dormîmes comme des souches. Le lendemain matin, la pluie tombait sans discontinuer. Personnellement ça m'était égal, mais Vita et les garçons furent déçus, car ils avaient projeté une autre promenade en mer.

« J'espère que nous n'allons pas avoir un week-end humide, dit Vita, car je me demande ce que je pourrais alors bien faire des garçons. Tu ne voudras sûrement pas qu'ils restent toute la journée à la maison quand ton professeur sera ici...

— Ne t'en fais pas pour Magnus. Je suis sûr qu'il débordera de suggestions, aussi bien pour les garçons que pour nous. De toute façon, lui et moi aurons sans doute du travail à faire.

— Quel genre de travail ? Vous n'allez quand même pas vous enfermer dans cette pièce du sous-sol ? »

Elle ne s'imaginait sûrement pas être si près de la vérité.

« Je ne le sais pas au juste, répondis-je vaguement. Magnus a mis de côté un tas de papiers qu'il voudra sans doute examiner avec moi. Comme je te l'ai dit, il s'est pris de passion pour la recherche historique.

— Eh bien, ça intéressera sûrement Teddy. Moi aussi, au fond, je trouverais très amusant qu'on aille pique-niquer en quelque lieu historique.... A Tintagel, par exemple. Mrs. Collins dit que tout le monde se doit d'aller voir Tintagel.

— Ce n'est pas exactement le genre de choses qui intéressent Magnus. Et puis, en outre, c'est plein de touristes. Quand il arrivera, nous verrons bien ce que souhaite Magnus. »

Je me demandai comment diable nous arriverions à nous libérer d'eux si Magnus voulait visiter le Gratten. Enfin, ce serait à lui de se débrouiller et non plus à moi.

Cette journée du jeudi s'étira interminablement et

une morne promenade jusqu'à Par ne contribua pas à l'égayer. Magnus m'avait dit de « me sortir ça du sang ». Et, ce soir-là, je compris que ce n'était pas seulement une image. Je n'étais pas de ces gens qui transpirent facilement. Cela m'arrivait à la culture physique lorsque j'étais jeune, mais jamais autant que certains de mes camarades. Or, maintenant, après le moindre effort, parfois même quand j'étais assis sans bouger, je transpirais par tous les pores et ma sueur avait une odeur acide que j'espérais ardemment être le seul à percevoir.

La première fois que cela se produisit, après la promenade le long des dunes de Par, je pensai que c'était simplement dû à l'exercice et pris un bain avant le dîner. Mais, au cours de la soirée, pendant que Vita regardait la télévision avec les garçons et que j'étais tranquillement assis dans la salle de musique à écouter des disques, cela recommença. Une impression de froid humide, puis la sueur se mit à couler sur mon front, dans mon cou, le long de mon buste, sous mes aisselles, partout. Cela ne dura guère plus de cinq minutes, mais, lorsque ça s'arrêta, ma chemise était bonne à tordre. Tout comme le mal de mer, c'est une chose qui prête à rire lorsqu'elle arrive à quelqu'un d'autre que soi-même; mais elle m'emplit d'une sorte de panique, car je me rendais compte que c'était certainement là un autre effet postopératoire de la drogue. Arrêtant l'électrophone, je montai me laver et me changer pour la deuxième fois de la soirée, en me demandant ce qui se passerait si jamais ça se reproduisait quand je serais au lit avec Vita.

Rien que l'appréhension suffisait déjà à me rendre nerveux, mais Vita se trouvait en outre d'humeur causante et n'arrêta pas de me parler durant tout le temps du déshabillage. Quand nous fûmes couchés, je me sentis aussi inquiet qu'un jeune marié lors de sa nuit de noces, et je me poussai le plus possible sur le

côté du lit, en faisant mine d'étouffer d'énormes bâil-
lements pour bien montrer que j'étais recru de fatigue. Nous éteignîmes les lampes de chevet et j'entrepris alors de simuler la lourde respiration de qui se
trouve au bord du sommeil. J'ignore si cela réussit à
abuser Vita mais, après une ou deux tentatives de
rapprochement que j'affectai d'ignorer, elle se tourna
de son côté et fut bientôt endormie.

Je demeurai éveillé, pensant à la façon dont j'allais
sonner les cloches à Magnus lorsqu'il arriverait. Vo-
missements, vertiges, confusion d'esprit, œil injecté
de sang et maintenant cette sueur acide, tout cela
pour quoi ? Pour aller passer un moment dans une
époque depuis longtemps révolue, moment qui ne
pouvait en aucune façon nous aider, lui ou moi, dans
notre vie présente, et dont le monde ne tirerait pas
plus profit que d'un vieil album de photos oublié
dans un tiroir poussiéreux. Je raisonnai ainsi jusqu'aux alentours de minuit, mais le bon sens a l'habitude de disparaître lorsque le démon de l'insomnie
nous tenaille durant les petites heures. Et, tandis que
je voyais les aiguilles lumineuses de ma pendulette de
voyage marquer deux heures, puis trois, je me rappelai que je me mouvais dans cet autre monde avec la
liberté du rêve, mais aussi avec toute la conscience
d'un homme éveillé. Roger n'était pas une photo jau-
nie arrachée à l'album du temps; maintenant encore,
dans cette quatrième dimension où j'avais surgi par
inadvertance — mais selon les conditions de Magnus
— Roger se déplaçait, mangeait et dormait au-dessous
de moi, dans sa maison de Kylmerth; le moment qu'il
vivait côtoyait mon présent et c'était ainsi qu'ils finis-
saient par se confondre.

Suis-je le gardien de mon frère ? Cette protestation
que Caïn jetait à la face de Dieu prenait soudain pour
moi une signification nouvelle, tandis que je regardais
les aiguilles de la pendulette s'approcher de trois heu-

res dix. Roger était mon gardien et j'étais le sien. Il n'y avait ni passé, ni présent, ni futur. Tout ce qui vivait faisait partie d'un tout. Nous étions tous rattachés les uns aux autres, à travers le temps et l'éternité; et lorsque nos sens seraient ouverts à une nouvelle perception de l'existence, comme les miens l'avaient été par la drogue de Magnus, la fusion s'opérerait, il n'y aurait plus de séparation, il n'y aurait plus de mort... Voilà à quoi aboutirait finalement l'expérience : grâce à cette possibilité de déplacement dans le temps, la mort serait abolie. C'était ce que Magnus n'avait pas encore compris. Pour lui, la drogue provoquait à l'intérieur du cerveau le complexe brassage qui nous restituait le passé dont nous avions hérité. Pour moi, elle prouvait que le passé demeurait toujours vivant, que nous étions tous à la fois participants et témoins. J'étais Roger, j'étais Bodrugan, j'étais Caïn et j'étais ainsi plus véritablement moi-même...

Je me sentais sur le point de faire une découverte extraordinaire lorsque je succombai au sommeil.

XV

Il était plus de dix heures quand je me réveillai et je vis ma femme debout près du lit, tenant un plateau sur lequel il y avait une assiettée de toasts et du café.

« Hello ! fis-je. Je sens que j'ai dû dormir long-temps.

— Oui », confirma-t-elle, puis, me considérant d'un œil critique, elle me demanda : « Tu vas bien ? »

Je m'assis dans le lit et la débarrassai du plateau.

« Très bien. Pourquoi ?

— Tu n'as cessé de t'agiter durant toute la nuit, et tu as transpiré énormément. Regarde, la veste de ton pyjama est toute mouillée. »

C'était exact et je m'empressai de la retirer.

« Quelle chose extraordinaire ! dis-je. Sois un ange, et passe-moi une serviette de toilette. »

Elle alla m'en chercher une dans la salle de bain et je m'essuyai le torse avant de prendre mon café.

« J'ai dû faire un peu trop d'exercice avec les gar-çons, hier sur la plage de Par.

— Je n'en avais pas eu l'impression, dit-elle en me regardant d'un air intrigué. Et, de toute façon, tu avais ensuite pris un bain. Je n'ai encore jamais connu personne que l'exercice fasse transpirer ainsi.

— Il y a pourtant des gens à qui cela arrive. Le fait de l'âge peut-être... Mon andropause qui se manifeste prématurément.

— J'espère bien que non ! »

Vita s'approcha de la coiffeuse et se regarda dans le miroir, comme si elle pensait y lire la réponse à ce problème.

« C'est drôle, reprit-elle, mais toutes les deux, Diana et moi, nous avons trouvé que tu ne paraissais pas bien dans ton assiette, en dépit de ton hâle. »

Elle se retourna brusquement vers moi :

« Tu dois bien convenir que tu n'es pas cent pour cent toi-même en ce moment. Je ne sais à quoi cela tient, mon chéri, mais ça me tracasse. Tu es distrait, ombrageux, comme si tu avais quelque chose qui te préoccupe. Et puis cet œil injecté de sang...

— Oh ! pour l'amour du Ciel, laisse un peu mon œil tranquille ! l'interrompis-je. Je reconnais que j'ai été de mauvaise humeur lorsque Bill et Diana étaient ici, et je m'en excuse. Nous nous sommes tous trop laissés aller à boire et le mal vient de là. Mais devons-nous sans cesse épiloguer là-dessus ?

— Là, tu vois ! fit-elle. Toujours sur la défensive ! J'espère que la venue de ton professeur te remettra d'aplomb.

— Sans aucun doute, rétorquai-je, à moins que cette inquisition ne continue durant tout le week-end. »

Elle rit, ou plus exactement sa bouche se tordit comme se tord la bouche de toute femme qui s'apprête à blesser son mari :

« Je ne me permettrais pas d'exercer la moindre « inquisition », comme tu dis, en ce qui concerne le professeur. Je n'ai pas à me préoccuper de sa santé ni de sa conduite, mais il en va différemment des tiennes. Car il se trouve que je suis ta femme et que je t'aime. »

Elle quitta la chambre en me décochant cette dernière phrase et redescendit au rez-de-chaussée. « Eh bien, pensai-je tout en beurrant un toast, voilà qui promet ! Vita offensée, moi n'arrêtant pas de transpirer, et Magnus qui arrive ce soir ! »

Quand j'eus dégarni le porte-toasts, je découvris une carte de Magnus qui était cachée derrière. Je me demandai si Vita avait fait exprès de la dissimuler ainsi. Magnus m'annonçait qu'il partirait de Londres par le train de seize heures trente et serait à Saint-Austell aux environs de dix heures du soir. Je me sentis soulagé. De la sorte, Vita et les garçons pourraient monter se coucher ou, en tout cas, attendre simplement l'arrivée du voyageur pour se retirer; après quoi, Magnus et moi pourrions parler tout à notre aise. Réconforté par cette perspective, je me levai, pris un bain et m'habillai avec la ferme résolution de détendre l'atmosphère en faisant amende honorable devant Vita et les garçons.

« Magnus n'arrivera pas avant dix heures ce soir, criai-je dans l'escalier. Donc pas de problème pour le dîner. Il mangera dans le train. Qu'est-ce que vous avez envie de faire tantôt ?

— Du bateau ! clamèrent les garçons, qui traînaient dans le hall comme tous les enfants qui sont incapables d'organiser eux-mêmes leur journée.

— Il n'y a pas de vent, dis-je après avoir jeté un rapide coup d'œil par la fenêtre de l'escalier.

— Eh bien, loue un bateau à moteur », dit Vita en émergeant de la cuisine.

Comme j'étais résolu à leur faire plaisir, nous partîmes de Fowey avec un panier de pique-nique et Tom, notre maître après Dieu, qui nous embarqua non plus sur son voilier, mais sur un ancien canot de sauvetage transformé par ses soins à l'aide d'un moteur hors-bord, le tout faisant ses cinq nœuds à l'heure et pas un centimètre de plus. Au sortir du port, nous partîmes vers l'est pour jeter l'ancre dans la baie de Lantivit. Là nous commençâmes par déjeuner, puis chacun fit ce qu'il voulait, ce qui rendit tout le monde heureux. Durant la traversée de retour, Teddy et Micky pêchèrent une demi-douzaine de maquereaux, ce qui les ravit plus que leur mère ainsi contrainte de modifier ses plans pour le dîner. Cette sortie avait vraiment été une réussite.

« Oh ! dis qu'on pourra recommencer demain ! » supplièrent les deux garçons; mais après m'avoir jeté un coup d'œil, Vita leur déclara que cela dépendrait du professeur. Je les vis se rembrunir et devinai ce qu'ils pouvaient penser. Quoi de plus déprimant que la perspective de devoir se conformer aux désirs de cet ami de leur beau-père, pour lequel ils sentaient instinctivement que leur mère n'éprouvait pas une sympathie débordante ?

« Même si Magnus et moi faisons autre chose, vous pourrez toujours prendre le bateau avec Tom », leur dis-je.

« Comme ça, pensai-je, Magnus et moi serons tranquilles, car il était peu probable que Vita laissât ses fils partir seuls avec Tom. »

Nous regagnâmes Kilmarth vers les sept heures et, tandis que je montais prendre un bain et me changer, Vita passa dans la cuisine pour s'occuper des maquereaux. Ce fut seulement vers huit heures moins dix, lorsque je redescendis et m'en fus faire un tour dans la salle à manger, que je vis le morceau de papier mis à ma place, contre le verre, et sur lequel Mrs. Collins avait écrit : *On a téléphoné un télégramme disant que le professeur Lane prendrait le train de 14 h 30 au lieu de 16 h 30 et qu'il arriverait à Saint-Austell à 19 h 30*

Seigneur ! Plus de vingt minutes déjà que Magnus faisait le pied de grue à la gare de Saint-Austell !

« Regarde ! criai-je en me ruant dans la cuisine. Je viens de trouver ce mot à table ! Magnus a pris un train qui partait plus tôt... Pourquoi diable n'a-t-il pas téléphoné ? Oh ! quel fichu contretemps ! »

Vita regarda les maquereaux à demi frits.

« Alors, il va être là pour le dîner ? Mon Dieu, je ne peux quand même pas lui servir ça ! Mais je trouve qu'il aurait pu nous témoigner un peu de considération. S'il...

— Mais si, il mangera du maquereau ! lui criai-je tout en dévalant l'escalier de derrière. Ça lui rappellera le temps où il était étudiant ! Et puis nous avons du fromage, des fruits... Tu n'as pas à te faire de bile ! »

Tout en fonçant vers la voiture, j'étais bien d'accord avec Vita : sachant que nous pouvions nous absenter pour toute la journée, Magnus ne s'était guère soucié du dérangement qu'il pouvait nous causer en modifiant ainsi l'heure de son arrivée. Mais cela, c'était Magnus tout craché : ça l'arrangeait de partir plus tôt, alors il partait plus tôt. Si je le faisais trop attendre, il était capable de prendre un taxi et de me saluer ironiquement de la main lorsque je le croiserais sur la route.

Je jouai de malchance. Il y avait eu un accident sur la route de Saint-Austell et cela avait créé un embouteillage, si bien qu'il était neuf heures moins le quart quand j'arrivai enfin devant la gare. Pas trace de Magnus, mais je ne pouvais lui reprocher d'avoir manqué de patience. Le quai était désert et tout semblait déjà fermé. Je finis quand même par dénicher un employé de l'autre côté de la gare. Il se montra vague, se bornant à me dire que le 19 h 30 était à l'heure.

« Je le pense bien, et là n'est pas la question, lui répliquai-je. Mais je devais venir chercher quelqu'un qui arrivait par ce train, et il n'est pas là.

— Eh bien, monsieur, fit-il en souriant, c'est sans doute qu'il se sera fatigué d'attendre et aura pris un taxi.

« — Dans ce cas, il aurait téléphoné ou alors il m'a laissé un message au guichet des billets. Etiez-vous là quand le train est arrivé ?

— Non, me répondit-il. Le guichet rouvrira pour le prochain train, à dix heures moins le quart.

— Ça ne fait pas du tout mon affaire », lui dis-je, exaspéré.

Le pauvre diable, ce n'était pas sa faute !

« Ecoutez, monsieur, tout ce que je peux faire, c'est aller voir si votre ami a laissé un message. »

Nous rentrâmes dans la gare et, durant que je tremblais d'impatience, il entreprit laborieusement de mettre une clef dans la serrure et d'ouvrir la porte. Je le suivis de l'autre côté du guichet et la première chose que je remarquai fut une valise, rangée contre le mur, sur le cuir de laquelle étaient gravées les initiales M.A.L.

« Tenez, dis-je, c'est sa valise ! Mais pourquoi l'a-t-il laissée ici ? »

L'employé alla jusqu'au bureau du guichetier et y prenant un papier, il lut : « *La valise avec les initiales M.A.L. déposée par le contrôleur de 19 h 30 pour être remise à Mr. Richard Young.* C'est vous, ce monsieur Young ?

— Oui, dis-je, mais où est le professeur Lane ? »

L'employé reprit sa lecture :

« *Le propriétaire de la valise, le professeur Lane, a fait dire par le contrôleur qu'il avait changé d'idée et décidé de descendre à Par, pour continuer à pied. Il a ajouté que Mr. Young comprendrait.* »

L'employé me tendit le papier pour que je puisse constater par moi-même.

« Mais je ne comprends pas, dis-je, plus exaspéré que jamais. Je ne pensais même pas que les trains de Londres s'arrêtaient à Par...

— Non, en effet, ils ne s'arrêtent qu'à Bodmin et les voyageurs voulant aller à Par doivent descendre là pour prendre la correspondance. C'est ce que votre ami a dû faire.

— Mais quelle idée absurde ! »

L'employé rit :

« Ben, ma foi, c'est une belle soirée pour se promener, et y en a qui aiment marcher. »

Je le remerciai pour son obligeance et, regagnant ma voiture, jetai la valise sur la banquette arrière. Je me demandais vraiment pourquoi Magnus s'était mis dans la tête de changer ainsi toutes les dispositions qu'il avait prises avec moi. A l'heure actuelle, il devait être à Kilmarth en train de manger du maquereau, avec Vita et les enfants, tout en riant de la mésaventure. Je rentrai à fond de train et arrivai à neuf heures et demie, absolument furieux. Comme je gravissais les marches du porche, Vita, qui avait mis une robe sans manches et refait son maquillage, apparut sur le seuil de la salle de musique.

« Que vous est-il donc arrivé ? demanda-t-elle et le sourire d'accueil de la parfaite maîtresse de maison disparut quand elle vit que j'étais seul. Où est-il ?

— Tu veux dire qu'il n'est pas encore là ? m'exclamai-je.

— Mais comment serait-il là ? dit-elle en me regardant d'un air ahuri. Tu es bien allé le chercher à la gare, n'est-ce pas ?

— Oh ! Seigneur, mais que se passe-t-il donc ? fis-je en secouant la tête avec lassitude. Ecoute... Je suis allé à la gare de Saint-Austell, mais Magnus n'y était pas. Je n'y ai trouvé que sa valise. Il avait chargé le contrôleur du train de 19 h 30 de me faire dire qu'il était descendu à Par pour continuer à pied. Ne me demande pas pourquoi ! Encore une de ses bon sang d'idées ! Mais, maintenant, il devrait être arrivé... »

J'allai dans la salle de musique me servir un whisky bien tassé et Vita m'y suivit, tandis que les garçons couraient jusqu'à la voiture pour y prendre la valise.

« Je me répète, mais, vraiment, je m'attendais à un peu plus de considération de la part de ton professeur. Il commence par prendre un autre train, puis descend à une autre gare et, pour couronner le tout, ne se donne même pas la peine d'arriver jusqu'ici. Je pense qu'il a dû dénicher un taxi à Par et s'en aller dîner quelque part.

— Peut-être, dis-je, mais pourquoi n'a-t-il pas donné un coup de fil pour nous prévenir ?

— C'est ton ami, chéri, pas le mien. Tu es censé connaître ses façons d'agir. En tout cas, je ne l'attends pas plus longtemps, car je meurs de faim. »

Le maquereau qui restait à cuire fut mis de côté pour le petit déjeuner de Magnus, bien que je fusse certain qu'il préférerait un jus d'orange et du café noir. Vita et moi mangeâmes sur le pouce un pâté de viande qu'elle s'était rappelé avoir apporté de Londres et mis au fond du réfrigérateur. Pendant ce temps, Teddy essaya de téléphoner à la gare de Par, mais sans résultat. Ça ne répondait pas.

« Et si le professeur avait été enlevé par une organisation secrète désireuse de s'approprier ses découvertes ? suggéra-t-il alors.

— C'est très possible, en effet, dis-je. J'attends encore une demi-heure avant d'alerter Scotland Yard.

— Ou bien, dit Micky, il a pu mourir d'une crise cardiaque en grimpant la côte de Polmear. Mrs. Collins m'a raconté que son grand-père était mort comme ça, voici trente ans, parce qu'il avait raté le car. »

Je repoussai mon assiette et bus le reste de mon whisky.

« Tu es de nouveau en nage, mon chéri, remarqua Vita. Certes, cette fois, ça n'a rien d'étonnant, mais ne ferais-tu pas mieux de changer de chemise ? »

J'acquiesçai et montai aussitôt. Au passage, j'entrai jeter un coup d'œil dans la chambre à donner. Pourquoi diable Magnus n'avait-il pas téléphoné pour nous faire part de ses intentions ? Ou, à tout le moins, remis un mot au contrôleur, au lieu de le charger ainsi d'une commission verbale qui avait sans doute été mal répétée ? Je fermai les rideaux et allumai la lampe de chevet, ce qui fit paraître la chambre plus douillette. La valise de Magnus était posée sur la chaise, au pied du lit. J'en essayai les fermoirs et, à ma surprise, ils s'ouvrirent.

Magnus ne me ressemblait pas et faisait sa valise avec méthode. Le pyjama bleu ciel et la robe de chambre à ramages étaient sur le dessus, protégés par plusieurs épaisseurs de papier de soie; les babouches de cuir bleu avaient trouvé place à côté, dans leur étui de cellophane. Venaient ensuite deux complets et des sous-vêtements de rechange. Mais, après tout, il n'était ni dans un hôtel, ni dans une résidence à nombreuse domesticité; il n'aurait qu'à défaire lui-même sa valise. Le seul geste de l'hôte à l'égard de l'invité — ou n'était-ce pas plutôt l'inverse ? — serait de placer le pyjama sur l'oreiller et de draper la robe de chambre sur le dossier de la chaise.

En les sortant de la valise, je découvris en dessous une grande enveloppe bulle sur laquelle étaient dactylographiés ces mots :

OTTO BODRUGAN. — *Ordonnance d'enquête, 10 octobre 1331 (Edouard III).*

L'étudiant avait dû faire de nouvelles recherches. Je m'assis au bord du lit et ouvris l'enveloppe. Elle contenait la copie d'un document donnant les noms des terres et des manoirs que possédait Otto Bodrugan au moment de sa mort. Le manoir de Bodrugan figurait sur cette liste mais, apparemment, il en payait le

250

loyer à Joanna « Veuve d'Henry de Campo Arnulphi » (ce qui devait correspondre à Champernoune). La liste était suivie d'un paragraphe disant : *Henry son fils, âgé de plus de vingt et un ans, qui était son premier hoir, décéda trois semaines après son père, de sorte qu'il n'eut point saisine de ladite hoirie, et n'eut même point connaissance de la mort de son père. William, fils dudit Otto, et frère puîné dudit Henry, âgé de vingt ans au lendemain de la fête de Saint-Giles dernièrement passée, est son prochain hoir.*

Cela me fit une étrange impression de lire là, assis sur le lit, quelque chose que je savais déjà. Les moines avaient fait de leur mieux — ou peut-être de leur pire — sans pouvoir sauver le jeune Henry qui avait été transporté au monastère. J'étais heureux qu'il n'ait jamais appris la mort de son père.

Il y avait une autre longue liste des propriétés qu'Henry, s'il avait vécu, eût héritées d'Otto et une note extraite de l'Inventaire des « Fine Rolls » :

Westminster, 10 octobre 1331. — Ordre du sénéchal de-çà la Trent de saisir au nom du Roi les terres de feu Otto de Bodrugan, tenant-en-chef décédé.

Au bas de la page, l'étudiant avait marqué T.S.V.P. et, en la tournant, je découvris un autre extrait de l'Inventaire des « Fine Rolls », mais daté de Windsor et du 14 novembre 1331.

Ordre au sénéchal de-çà la Trent, de saisir au nom du Roi les terres de feu John de Carminowe, tenant-en-chef décédé. Même ordre touchant les terres de Henry, fils d'Otto de Bodrugan.

Ainsi donc Sir John avait contracté la maladie qu'il redoutait tant et en était mort peu après, privant ainsi Joanna du second mari qu'elle s'était choisi...

J'oubliai le présent, le malentendu de la gare, pour ne plus penser qu'à cet autre monde, me demandant si Roger avait conseillé Joanna, déçue, et dans quel sens. La mort des deux Bodrugan avec pour héritier son neveu mineur, avait dû lui donner tout espoir d'une plus grande emprise sur les terres de Bodrugan. Or, juste comme elle les avait à portée de la main, voilà que le sort lui devenait contraire et que le châtelain de Restormel et Tremerton mourait aussi. J'en avais presque de la peine pour elle. Et pour Sir John également qui, l'infortuné, avait en vain serré un mouchoir sur sa bouche. Qui allait lui succéder comme garde des châteaux, bois et parcs du comté de Cornouailles ? J'espérais bien que ce ne serait pas son frère Oliver, l'odieux assassin...

« Que vas-tu faire ? » me cria Vita depuis le bas de l'escalier.

Faire ? Que pouvais-je faire ? Oliver était reparti avec ses hommes de main, laissant Roger prendre soin d'Isolda. Je ne savais toujours pas ce qui était arrivé à cette dernière...

J'entendis Vita gravir les marches et, instinctivement, je remis les papiers dans l'enveloppe que je fourrai dans ma poche, tout en refermant la valise. Il me fallait revenir au présent. Ce n'était pas le moment de confondre les deux mondes.

« J'ai sorti le pyjama et la robe de chambre de Magnus, dis-je quand ma femme me rejoignit, car il arrivera certainement claqué.

— Pourquoi ne lui fais-tu pas aussi couler son bain ? Tu pourrais également lui préparer le plateau de son petit déjeuner ? Tu ne m'avais pas paru entourer d'autant de petits soins Bill et Diana. »

Ignorant le sarcasme, j'allai changer de chemise. Le murmure de la télévision me parvenait de la pièce du dessous.

« Il est l'heure que les garçons montent se coucher, dis-je sans conviction.

— Je leur ai promis qu'ils pourraient attendre le professeur, répondit Vita. Mais, effectivement, il n'y a aucune raison pour qu'ils restent debout plus longtemps. Ne crois-tu pas que tu devrais faire un saut jusqu'à Par avec la voiture ? Il est peut-être dans quelque bar en train de se soûler.

— Ce n'est pas le genre de Magnus de fréquenter les bars.

— Alors, il a peut-être rencontré de vieux amis avec lesquels il aura préféré dîner plutôt qu'avec nous.

— C'est vraiment peu probable. Et je trouve très incorrect qu'il n'ait pas téléphoné », répliquai-je.

Nous descendîmes l'escalier ensemble et dans le hall, je dis :

« D'ailleurs, à ma connaissance, il n'a pas d'amis par ici.

— Mais j'y suis ! s'exclama soudain Vita. Il a dû rencontrer les Carminowe ! Et ils n'ont pas le téléphone. Tout s'explique. Il a dû les rencontrer à Par et ils l'auront emmené dîner avec eux. »

Je la regardai fixement, l'esprit plein de confusion. De quoi diable parlait-elle ? Et, brusquement, le message du contrôleur m'apparut très clair et plein de signification : *Le propriétaire de la valise, le professeur Lane, a fait dire par le contrôleur qu'il avait changé d'idée et décidé de descendre à Par, pour continuer à pied. Il a ajouté que Mr. Young comprendrait.*

Magnus avait pris la correspondance de Bodmin à Par, parce que ce train-là traverserait moins rapidement que l'express la vallée de Treesmill. D'après les précisions que je lui avais données, il savait que, passé la ferme de Treesmill, il lui suffirait de regarder à gauche et vers le haut pour voir le Gratten. Ensuite, parce qu'il faisait encore jour lorsque le train était arrivé à Par, il avait dû partir à pied sur la route de Tywardreath, puis couper à travers champs pour aller inspecter le site.

« Seigneur ! m'exclamai-je. Que j'ai donc été bête !

Ça ne m'était même pas venu à l'idée. Mais c'est ça, bien sûr !

— Tu veux dire qu'il est allé voir les Carminowe ? » questionna Vita.

Je pense que je devais être fatigué, excité aussi, et soulagé également. Les trois à la fois; alors je ne pris pas la peine de m'expliquer ou d'imaginer quelque autre mensonge. Il était tellement plus facile de simplement acquiescer.

« Oui ! dis-je en dévalant les marches du jardin pour rejoindre la voiture.

— Mais tu ne sais pas où ils habitent ! » me cria Vita.

Je ne répondis pas et me bornai à agiter la main. Je claquai la portière de la voiture et, quelques instants plus tard, je débouchai sur la route.

Il faisait très sombre, avec juste une lune pâlote qui n'était pas d'un grand secours. Je pris le raccourci contournant le village, sans rencontrer personne en chemin, et garai la voiture sur l'accotement. Si Magnus la voyait avant que je l'aie retrouvé, il la reconnaîtrait et m'y attendrait. Il n'était pas facile de marcher à travers champs dans l'obscurité et je me tordais les pieds. Lorsque je ne risquais plus d'être entendu de la maison la plus proche, j'appelai Magnus, mais il ne me répondit pas. Je parcourus tout le site, en regardant bien autour de moi, sans trouver aucune trace de lui. Je pris le sentier descendant dans la vallée, jusqu'à la ferme de Treesmill; mais il n'était pas là non plus. Alors, par la route, je rejoignis le haut de la colline et la voiture. Elle était comme je l'avais laissée, vide. Je roulai ensuite jusqu'au village et fis à pied le tour du cimetière. L'horloge de l'église marquait onze heures et demie; il y avait plus d'une heure que je cherchais Magnus.

Entrant dans la cabine téléphonique qui se trouvait

devant la boutique du coiffeur, j'appelai Kilmarth. Vita décrocha aussitôt.

« Alors ? » me demanda-t-elle.

Mon cœur se serra. J'avais espéré que Magnus serait arrivé entre-temps.

« Rien, dis-je, aucune trace de lui.

— Et les Carminowe ? Tu as trouvé où ils habitent ?

— Non, dis-je, non, mais je pense que nous étions là sur une fausse piste. J'ai réagi de façon stupide. Je n'ai absolument aucune idée où ils habitent.

— Quelqu'un doit tout de même bien le savoir. Pourquoi ne vas-tu pas le demander à la police ?

— Non, ça ne servirait à rien. Je m'en vais descendre jusqu'à la gare, puis rentrer à la maison en roulant très doucement. C'est tout ce que je peux faire. »

Mais la gare de Par semblait fermée pour la nuit et je fis deux fois le tour du village sans apercevoir qui que ce fût.

Je me mis à prier : « Oh ! mon Dieu, faites que je le trouve sur la côte de Polmear ! » Je me représentais très bien comme il m'apparaîtrait lorsque la clarté des phares le cueillerait sur le bord de la route, haute silhouette anguleuse marchant à grands pas. Je klaxonnerais bruyamment et il se retournerait. Alors, je lui crierais : « Quelle bon sang d'idée t'a pris de... »

Mais il n'était pas sur la côte. Là non plus, il n'y avait personne. Je regagnai donc Kilmarth et gravis lentement les marches du jardin. Vita m'attendait sous le porche et laissa aussitôt paraître son inquiétude.

« Il lui est arrivé quelque chose, Dick ! Nous devrions téléphoner à la police. »

Passant devant elle, je montai directement à l'étage en disant :

« Je vais défaire sa valise... Il y a peut-être un mot... »

Je sortis les deux complets et les accrochai dans la penderie, disposai le nécessaire à raser sur la tablette de la salle de bain. Je me répétais que, d'un instant à l'autre, j'allais entendre, une voiture, un taxi, déboucher dans l'allée et Magnus en descendre tout rieur. Vita me crierait d'en bas : « Il est là ! Il est arrivé ! »

Il n'y avait pas de mot dans la valise. Je fouillai toutes les poches des costumes. Rien. Puis je passai à celles de la robe de chambre que j'avais déballée en premier. Dans la poche de gauche, ma main se referma sur quelque chose de rond, un petit flacon que je reconnus immédiatement. Il portait une étiquette : « B ». C'était le flacon que j'avais expédié la semaine précédente à Magnus, et il était vide.

XVI

Avant de rejoindre Vita au rez-de-chaussée, j'enfermai dans ma propre valise le flacon ainsi que les documents concernant Bodrugan.

« As-tu trouvé quelque chose ? » me demanda ma femme.

Je secouai la tête. Elle me suivit dans la salle de musique où je me servis un whisky en lui disant :

« Tu ferais bien d'en prendre un, toi aussi.

— Je n'en ai pas envie, répondit-elle en s'asseyant sur le divan et allumant une cigarette. Je suis convaincue que nous devrions téléphoner à la police.

— Parce que Magnus s'est mis dans la tête d'aller vagabonder à travers la campagne ? Voyons, il sait ce qu'il fait. A des kilomètres à la ronde, il doit connaître la région comme sa poche. »

Dans la salle à manger, l'horloge sonna minuit. Si Magnus était descendu du train à Par, cela faisait quatre heures et demie qu'il marchait.

« Toi, monte te coucher, dis-je à Vita, car tu as l'air exténuée. Moi, je vais rester ici, pour le cas où il arriverait. Si j'en éprouve le besoin, je pourrai toujours m'étendre sur ce divan. Puis, dès que je me réveillerai, s'il fait jour et que Magnus n'est pas encore là, je prendrai la voiture pour partir de nouveau à sa recherche. »

Je ne cherchais pas à me débarrasser de Vita. Elle paraissait vraiment recrue de fatigue. Elle se leva d'un air hésitant, fit quelques pas en direction de la porte, puis me regarda par-dessus son épaule.

« Il y a dans toute cette histoire quelque chose de bizarre, dit-elle lentement. J'ai l'impression que tu en sais plus que tu ne veux en convenir. »

N'ayant aucune réponse prête, je gardai le silence.

« Enfin, conclut-elle, tâche de dormir et de prendre un peu de repos. Quelque chose me dit que tu vas en avoir besoin. »

Quand j'eus entendu la porte de la chambre se refermer, je m'étendis sur le divan, les mains sous la tête, cherchant à réfléchir. Il n'y avait que deux explications possibles. La première — celle qui m'était tout d'abord venue à l'esprit — était que Magnus, ayant décidé d'aller explorer le site du Gratten, s'était égaré ou foulé la cheville et avait décidé de rester où il était en attendant le lever du jour. La seconde explication était celle que je redoutais. Magnus avait entrepris un « voyage ». Il avait versé le contenu du flacon B dans quelque chose pouvant tenir dans la poche de son veston et, ayant quitté le train à Par, il était allé à pied au Gratten, à l'église, ou dans n'importe quel autre lieu du secteur; là, il avait absorbé la drogue et attendu qu'elle fît son effet. Une fois sous l'empire de la drogue, il n'était plus responsable de ses actes. Transporté dans cet autre monde que nous connaissions tous deux, il n'y verrait pas forcément ce que j'y avais vu, il pouvait être témoin d'une scène différente, se situant plus tôt ou plus tard. Mais s'il touchait quelqu'un, il en serait puni de la même façon que moi par des nausées, des vertiges et une certaine confusion d'esprit. Cela il ne l'ignorait pas. Toutefois, à ma connaissance, cela devait faire trois ou quatre mois que Magnus n'avait touché à la drogue. De ce fait, bien qu'il en fût l'inventeur, il n'avait peut-être pas autant de force et de résistance que moi, le cobaye, pour endurer ses effets.

Fermant les yeux, j'essayai de me le représenter s'éloignant à pied de la gare, gravissant la colline, marchant à travers champs vers le Gratten, puis buvant la drogue en riant sous cape : « Je m'en vais devancer Dick ! » Puis le saut dans le temps, l'estuaire au-dessous de la maison dont les murs l'environnent, et Roger à côté de lui... Le menant où ? Vers quelle rencontre dans les collines ou sur le rivage ? Et en quel mois de quelle année ? Verrait-il, comme moi, le bateau chancelant, démâté, entrer dans la crique, et les cavaliers sur la colline d'en face ? Verrait-il noyer Bodrugan ? Dans l'affirmative, ses réactions pourraient ne pas être les mêmes que les miennes. Etant donné son goût du dramatique, il pouvait très bien plonger dans la rivière et nager vers la rive opposée... alors qu'il n'y aurait pas de rivière, mais uniquement la vallée avec ses taillis, ses arbres, son marécage. Magnus y gisait peut-être en ce moment même, appelant à l'aide sans personne pour l'entendre. Mais il n'y avait rien que je pusse faire avant le lever du jour.

Je dormis tant bien que mal, me réveillant en sursaut de quelque cauchemar, aussitôt oublié, pour me rendormir de nouveau. A l'approche de l'aube, mon sommeil avait dû se faire plus profond, car je me rappelai avoir regardé ma montre à cinq heures et demie, en pensant que je pouvais me reposer encore une vingtaine de minutes... et quand j'avais rouvert les yeux, il était sept heures dix.

Je me préparai une tasse de thé, puis montai sur la pointe des pieds au premier étage où je me lavai et me rasai. Vita était déjà réveillée, mais elle ne me questionna même pas. Elle savait que Magnus n'avait pas reparu.

« Je vais aller à la gare de Par, lui annonçai-je. Ils

sauront me dire si Magnus leur a remis son billet. Dans l'affirmative, je m'efforcerai de reconstituer ce qu'il a fait ensuite. Quelqu'un a dû le voir.

— Ce serait tellement plus simple, insista-t-elle, si tu allais prévenir la police.

— Je le ferai si je ne trouve, à la gare, personne qui puisse me donner le moindre renseignement utile. »

A la gare, je me cassai le nez; un passant m'informa que le guichet n'ouvrirait pas avant encore une demi-heure. Pour tuer le temps, je marchai jusqu'au pont qui enjambait la voie ferrée et d'où l'on avait une vue sur la vallée. Jadis il y avait eu là un large estuaire; le navire de Bodrugan, démâté par la tempête, avait dû passer à ce même endroit, poussé par le vent et la marée, cherchant refuge dans la crique et y trouvant la mort qui l'attendait. Aujourd'hui, c'était moitié broussailles et moitié marécage, mais il était encore relativement facile d'y relever le cours suivi autrefois par la rivière. Sous ces arbustes qui se pressaient les uns contre les autres, un homme, malade ou blessé pouvait demeurer étendu pendant des jours, des semaines, sans que personne ne s'en doute. Même le marais où s'élevait la gare, la vaste et plate étendue séparant Par de Saint-Blazey demeurait encore un terrain en grande partie inculte, où personne ne s'aventurait. Sauf, peut-être, quelqu'un voyageant à travers le temps et dont l'esprit suivait un navire sur l'eau bleue, alors que son corps trébuchait parmi les broussailles et les fossés.

Quand je regagnai la gare, le guichet était ouvert et j'eus pour la première fois confirmation de l'arrivée de Magnus. Non seulement l'employé avait son billet, mais il se rappelait le monsieur qui le lui avait remis. Il me le décrivit comme un homme de haute taille, grisonnant, nu-tête, vêtu d'un pantalon foncé et d'une veste de sport. Il souriait aimablement et avait une canne. Non, l'employé n'avait pas vu de quel côté il se dirigeait au sortir de la gare.

Je repris la voiture et roulai jusqu'à mi-hauteur de la colline, là où un sentier s'en allait vers la gauche. Magnus avait pu le prendre; je fis donc de même et me dirigeai vers le Gratten à travers la campagne. La matinée était chaude et brumeuse, laissant présager une journée torride. Le fermier à qui appartenait cette terre avait dû ouvrir une barrière quelque part depuis la nuit précédente, car je voyais maintenant des vaches paître à flanc de colline, parmi les buissons d'ajoncs et les monticules herbeux; certaines eurent même la curiosité de me suivre jusqu'à l'entrée de la carrière. J'inspectai les moindres recoins de celle-ci sans rien trouver. Par-dessus la voie ferrée, mon regard se porta alors dans la vallée, vers l'enchevêtrement d'arbres et de buissons qui recouvrait l'ancien lit de la rivière. On eût dit une tapisserie tissée dans toutes les nuances du vert doré. Si Magnus était là, il faudrait des chiens policiers pour le retrouver.

Il ne me restait plus qu'à prendre la décision que j'aurais dû prendre beaucoup plus tôt, dès la nuit précédente. Je devais aller trouver la police, comme l'aurait fait n'importe qui ne voyant pas arriver, après plus de douze heures d'attente, l'invité qui avait pourtant bien pris le train prévu et remis son billet en sortant de la gare.

Je me rappelai qu'il y avait un poste de police à Tywardreath et, rebroussant chemin une fois de plus, je m'y rendis aussitôt. Je me sentais gêné et coupable, comme toute personne n'ayant jamais eu maille à partir avec la police que pour des histoires de circulation ou de stationnement interdit.

« Je viens signaler une disparition », dis-je au sergent.

Immédiatement, j'eus la vision d'une affiche où le visage d'un criminel était surmonté des mots, en lettrès énormes, ON RECHERCHE. Je me ressaisis et fis le récit de tout ce qui s'était passé la veille.

Le sergent se montra très obligeant et me manifesta immédiatement sa sympathie en disant :

« Je n'ai jamais eu le plaisir de rencontrer le professeur Lane mais, bien entendu, tout le monde ici le considère comme une personnalité locale. Vous avez dû passer une bien pénible nuit.

— Oui, dis-je.

— Aucun accident ne nous a été signalé, mais je vais prendre tout de suite contact avec Liskeard et Saint-Austell. Voulez-vous une tasse de thé, monsieur Young ? »

J'acceptai son offre avec reconnaissance, tandis qu'il s'affairait au téléphone. J'éprouvais, au creux de l'estomac, cette douleur que l'on ressent dans la salle d'attente d'un hôpital où un être aimé est opéré d'urgence. Il n'y avait plus rien que je pusse faire.

Le sergent me rejoignit en disant :

« Chez eux non plus, aucun accident n'a été signalé. Ils alertent les voitures-radio qui patrouillent dans le secteur, et aussi les autres postes de police. Je crois que le mieux pour vous, monsieur, est de regagner Kilmarth où nous vous préviendrons dès que nous saurons quelque chose. Le professeur Lane aura peut-être passé la nuit dans une ferme, à la suite d'une entorse ou de quelque chose comme ça, mais la plupart des fermes ont maintenant le téléphone et ce serait curieux qu'il ne vous ait pas donné un coup de fil pour vous mettre au courant. Il n'a jamais eu de crises d'amnésie, par hasard ?

— Non, jamais ! Et il était en parfaite condition physique lorsque j'ai dîné avec lui, à Londres, voici quelques semaines à peine.

— Alors, ne vous tourmentez pas trop, monsieur. Tout finira probablement par s'expliquer de façon très simple. »

J'avais toujours l'estomac noué en regagnant la voiture et je roulai jusqu'à l'église. La chorale devait répéter, car j'entendis l'orgue. J'entrai dans le cimetière et m'assis sur une des tombes proches du mur dominant le verger qui, jadis, avait été celui du couvent. Le dortoir des moines devait se trouver à l'endroit où j'étais, orienté au sud et tout proche de la chambre d'hôte où le jeune Henry Bodrugan était mort de la petite vérole. Dans cet autre temps, il pouvait être encore en train d'agoniser tandis que le moine, Jean, préparait quelque infernal breuvage destiné à l'achever. Après quoi, il ferait dire à Roger d'aller prévenir la mère et la tante, Joanna Champernoune. Dans ce monde comme dans l'autre, j'étais environné de mauvaises nouvelles. Roger, le moine, le jeune Bodrugan, Magnus, nous étions tous les maillons d'une même chaîne et nous rattachions les uns aux autres à travers les siècles.

> *Par une nuit semblable,*
> *Médée cueillait les herbes magiques*
> *Qui rajeuniraient le vieux Jason.*

Magnus avait pu s'asseoir là pour boire la drogue. Il avait pu aller aussi bien dans n'importe quel autre endroit où j'avais été. Reprenant la voiture, je me rendis à la ferme où vivait Julian Polpey, six siècles auparavant, et où le facteur m'avait découvert la semaine précédente. De là, je suivis à pied le chemin menant à Lampetho. Puisque j'avais traversé de nuit le marais, alors que mon esprit était dans le passé et mon corps dans le présent, Magnus avait pu faire de même. Bien qu'il n'y eût plus maintenant ni rivière ni marée, rien que la prairie marécageuse et les ajoncs, je retrouvais mon chemin, tel un souvenir émergeant d'un rêve oublié. Le sentier toutefois se fondait dans le marais et je ne voyais aucun moyen de traverser pour atteindre l'autre côté de la vallée. Dieu seul savait comment j'avais pu y parvenir, la nuit, en suivant dans ce monde antérieur Otto et les autres conspirateurs. Je rebroussai chemin jusqu'à la ferme de Lampetho où un vieil homme sortit d'un des bâtiments pour appeler son chien qui courait vers moi en aboyant. Il me demanda si je m'étais égaré et je lui répondis que non, en m'excusant d'avoir pénétré sur ses terres.

« Vous n'auriez pas vu, par hasard, hier soir, passer un homme de haute taille, grisonnant, avec une canne à la main ? »

Il secoua la tête.

« Les gens qui viennent par ici sont rares, car ce chemin ne mène qu'à la ferme. Les touristes restent sur la plage de Par. »

Je le remerciai et repris ma voiture, mais je n'étais pas convaincu. Vers huit heures et demie, neuf heures, le vieil homme pouvait être enfermé dans la maison et ne pas voir passer Magnus qui gisait peut-être quelque part dans le marais... Mais quelqu'un avait quand même bien dû l'apercevoir ? Et s'il avait pris la drogue, l'effet de celle-ci avait dû cesser depuis longtemps; à supposer qu'il l'eût bue vers huit heures et demie ou neuf heures, il aurait dû reprendre pied dans le temps présent vers dix heures, onze heures, minuit au plus tard.

Quand j'arrivai à Kilmarth, une voiture de la police était arrêtée devant la maison et lorsque je pénétrai dans le hall, j'entendis Vita dire :

« Ah ! voici mon mari... »

Elle était dans la salle de musique, avec un inspecteur de police qu'accompagnait un de ses hommes.

« Je crains de n'avoir rien de bien précis à vous apprendre, monsieur Young, me dit l'inspecteur. Nous avons juste un petit indice, qui nous mènera peut-être à quelque chose. Un homme répondant au signalement du professeur a été vu hier soir, entre neuf heures et la demie, sur le chemin de Stonybridge, au-dessus de Treesmill et plus loin que la ferme de Trenadlyn.

— La ferme de Trenadlyn ? » répétai-je.

Mon visage dut exprimer la surprise, car il me demanda aussitôt :

« Vous la connaissez ?

— Oui, dis-je. C'est la petite ferme, située bien plus haut que Treesmill, et juste au bord du chemin ?

— Exactement. Voyez-vous, monsieur Young, une raison pour laquelle le professeur Lane aurait pu s'en aller à pied de ce côté-là ?

— Non, dis-je avec hésitation. Non... Il n'y avait rien qui puisse l'attirer par là... Je me serais attendu à ce qu'il soit passé plus bas dans la vallée, plus près de Treesmill.

— Eh bien, il nous a été rapporté qu'on avait vu un monsieur passer à pied devant Trenadlyn, hier soir, entre neuf heures et neuf heures trente. Mrs. Richards, la femme du propriétaire de cette ferme, l'a aperçu de sa fenêtre, mais le frère de Mrs. Richards, qui exploite le Grand Treveryan, plus haut sur le même chemin, n'a vu personne. Si le professeur Lane se rendait ici, c'était là un grand détour, même pour quelqu'un désirant faire un peu d'exercice après avoir été assis dans le train.

— Oui, je suis d'accord avec vous, acquiesçai-je. Toutefois, le professeur Lane s'intéresse beaucoup aux sites historiques et c'est peut-être la raison de ce détour. Je pense qu'il devait être à la recherche d'un vieux manoir qui, selon lui, s'élevait jadis dans ces parages. Mais s'il s'était agi de l'une ou l'autre des fermes que vous venez de mentionner, il y serait certainement entré. »

Je savais maintenant pourquoi Magnus — car c'était sûrement lui, d'après la description faite par cette fermière — avait été vu passant devant Trenadlyn sur le chemin de Stonybridge. C'était par là qu'étaient arrivés Isolda et Robbie, lorsqu'ils avaient chevauché jusqu'à Treesmill puis jusqu'à la crique pour y trouver Bodrugan noyé, assassiné. C'était la seule route menant à ce Tregest que je n'avais toujours pas situé, quand le gué de Treesmill était inutilisable. Lorsqu'il était passé devant la ferme de Trenadlyn, Magnus marchait dans l'autre temps. Il devait suivre Roger et peut-être aussi Isolda.

Incapable de se contenir, Vita se tourna impulsivement vers moi :

« Chéri, ces recherches historiques sont à côté de la question. Ne sois pas fâché si j'interviens, mais ça me paraît essentiel... Inspecteur, continua-t-elle à l'adresse du policier, je suis convaincue — tout comme mon mari l'était hier soir — que le professeur est allé voir de vieux amis à lui, des nommés Carminowe. Oliver Carminowe n'est pas dans l'annuaire du téléphone, mais il habite quelque part du côté où l'on a vu le professeur. Il me paraît donc évident que monsieur Lane se rendait alors chez ces gens-là et il importe de prendre au plus vite contact avec eux. »

Après cette intervention véhémente, il y eut un moment de silence. Puis l'inspecteur me regarda. Son expression soucieuse fit place à une surprise, nuancée de désapprobation.

« Est-ce exact, monsieur Young ? Vous ne nous aviez pas dit que le professeur avait pu se rendre chez des amis ? »

Je sentis un pâle sourire vaciller sur mes lèvres :

« Non, inspecteur, bien sûr que non, pour la raison que c'est totalement exclu. Je crains que le professeur n'ait fait marcher ma femme au téléphone et j'ai eu le tort de prolonger la plaisanterie au lieu de la détromper aussitôt. Il n'y a pas de Carminowe. Ces gens-là n'existent pas.

— N'existent pas ? répéta Vita. Mais, dimanche matin, tu as vu leurs enfants montées sur des poneys, deux petites filles avec leur nurse... Tu me l'as dit toi-même ?

— Je le sais bien mais, je te le répète, il s'agissait d'une blague. »

Elle me regarda avec incrédulité. Je lus dans ses yeux ce qu'elle pensait : je mentais pour nous tirer, Magnus et moi, d'une situation délicate. Alors elle haussa les épaules et, après avoir jeté un rapide coup d'œil au policier, elle alluma une cigarette :

« Eh bien, je trouve ce genre de plaisanterie stupide... Toutes mes excuses, inspecteur.

— Vous n'avez pas à vous excuser, madame Young, répondit-il avec, me sembla-t-il, un peu plus de raideur que précédemment. Il arrive à tout le monde d'être victime d'une blague, et c'est même fréquent dans la police. »

Il se tourna vers moi :

« Vous êtes bien certain de ça, monsieur Young ? Vous ne connaissez personne chez qui le professeur Lane aurait pu se rendre, après être descendu du train à la gare de Par ?

— Personne, confirmai-je. Pour autant que je sache, nous sommes les seuls amis qu'il ait ici et il venait passer le week-end avec nous. Cette maison lui appartient, vous ne l'ignorez pas, et il nous la prête pour la durée des vacances. Franchement, inspecteur, jusqu'à ce matin, je n'étais pas trop inquiet. Notre ami connaît très bien la région car son père habitait déjà cette maison. Certain qu'il ne pouvait se perdre, je me disais qu'il allait finir par arriver, avec une explication à laquelle nous n'avions pas pensé.

— Je vois », fit l'inspecteur.

L'espace d'un instant, personne ne parla plus et j'eus l'impression que, à l'instar de Vita, le policier doutait de ma sincérité. Tous deux devaient penser que Magnus avait quelque inavouable rendez-vous et que je m'efforçais de noyer le poison. Ce qui, tout compte fait, était l'exacte vérité.

« Je me rends compte maintenant, dis-je, que j'ai eu tort de ne pas vous alerter dès hier soir. Le professeur Lane a dû se fouler une cheville et appeler à l'aide sans que personne l'entende. Après la tombée de la nuit, il ne passe sans doute guère de gens sur ce chemin...

— Non, convint mon interlocuteur, mais à Trenadlyn comme à Treveryan on se lève tôt le matin, et s'il était arrivé au professeur quelque accident sur le chemin, les gens l'auraient sûrement vu ou entendu à l'heure actuelle. Il a dû, beaucoup plus probablement, grimper jusqu'à la grand-route et là, il aura aussi bien pu continuer vers Lostwithiel que rebrousser chemin en direction de Fowey.

— Est-ce que le nom de Tregest vous dit quelque chose ? m'enquis-je avec circonspection.

— Tregest ? répéta l'inspecteur. Il réfléchit un instant, puis secoua la tête : « Non, vraiment pas. C'est le nom d'une propriété ?

— Je crois que, à une certaine époque, il a dû y avoir dans les parages une ferme portant ce nom. Il se pourrait que, toujours à cause de ses recherches historiques, le professeur Lane ait tenté de la localiser... »

Puis il me vint brusquement une autre idée.

« Trelawn, dis-je. Où est-ce exactement ?

— Trelawn ? répéta l'inspecteur d'un ton surpris. C'est une propriété située après Looe et qui doit être au moins à une trentaine de kilomètres d'ici. Le professeur Lane n'aurait quand même pas essayé de s'y rendre à pied, après neuf heures du soir ?

— Non, dis-je, bien sûr que non ! C'est simplement que j'essaie de me rappeler des noms de vieilles demeures présentant un intérêt historique.

— Oui, mon chéri; mais, comme te le dit l'inspecteur, intervint Vita, Magnus ne se serait pas mis en quête d'un endroit de ce genre, situé à des kilomètres d'ici, sans nous donner d'abord un coup de fil. Ce que je n'arrive pas à comprendre, c'est pourquoi il n'a pas téléphoné.

— Il n'a pas téléphoné, madame Young, dit le policier, parce qu'il pensait, apparemment, que M. Young devinerait où il était allé.

— Oui, opinai-je, mais je n'en ai malheureusement aucune idée. Pas plus maintenant qu'hier soir. »

Comme en écho à nos pensées, le téléphone se mit à sonner.

« J'y vais ! » dit Vita qui était la plus proche de la porte.

Elle traversa vivement le hall et entra dans la bibliothèque, tandis que nous demeurions dans la salle de musique, sans parler, écoutant ce qu'elle disait.

« Oui, il est ici... Je vais le chercher. »

Vita nous rejoignit en disant à l'inspecteur que la communication était pour lui. L'espace de trois ou quatre minutes, qui nous parurent interminables, nous l'entendîmes répondre par monosyllabes, d'une voix sourde. Je regardai ma montre. Midi et demi exactement. Je n'aurais pas pensé qu'il était aussi tard.

Quand le policier nous rejoignit, ce fut moi qu'il regarda, et, rien qu'à voir son expression, je compris que quelque chose était arrivé.

« Je suis désolé, monsieur Young, dit-il, mais je crains que les nouvelles ne soient mauvaises.

— Ah ? Qu'y a-t-il ? »

On n'est jamais prêt au choc. Dans les moments d'atroce inquiétude, on persiste quand même à croire que tout finira par s'arranger; même alors, après tant d'heures que Magnus avait disparu, j'espérais que c'était parce qu'il avait eu une crise d'amnésie et été transporté dans un hôpital.

Vita s'approcha de moi, mit sa main dans la mienne.

« C'était une communication de la police de Liskeard, me dit l'inspecteur. Une de nos patrouilles a signalé la découverte du corps d'un homme, ressemblant au professeur Lane, près de la voie ferrée, de ce côté-ci du tunnel de Treveryan. Il semble avoir été heurté à la tête par un train qui passait, sans que le conducteur ni personne s'en soit rendu compte. Il a réussi, apparemment, à se traîner jusqu'à une petite cabane désaffectée qui se trouve en bordure de la voie, et là, il s'est effondré. Il semble que la mort remonte à plusieurs heures déjà. »

Je demeurais immobile, regardant fixement l'inspecteur. Le choc me privait de réaction, de sentiment. On eût dit que la vie s'était retirée de moi, me laissant pareil à un coquillage vide, tout comme Magnus. Je n'avais conscience que de la main de Vita étreignant la mienne.

« Je comprends, dis-je, mais d'une voix qui n'était pas la mienne. Que désirez-vous que je fasse ?

— Ils vont le transporter à la morgue de Fowey, monsieur Young. Je m'en veux de vous déranger en un pareil moment, mais le mieux serait, je pense, que nous vous emmenions directement là-bas pour identifier le corps. Je voudrais espérer, pour vous comme pour Mme Young, que ça n'est pas le professeur Lane... Mais, vu les circonstances, il n'y a guère place pour le doute.

— Non..., dis-je, hélas ! non... »

Lâchant la main de Vita, je me dirigeai vers la porte et, sortant de la maison, plongeai sous le soleil brûlant. Dans le champ, au-delà de la prairie de Kilmarth, des scouts étaient en train de dresser des tentes. Je les entendais rire et s'interpeller en enfonçant les piquets dans le sol.

XVII

La morgue était un petit bâtiment de brique rouge, pas très éloigné de la gare de Fowey. Personne ne s'y trouvait quand nous arrivâmes : la seconde voiture-radio était encore en chemin. Quand je descendis de l'auto, l'inspecteur me considéra un instant, puis me dit :

« Monsieur Young, nous allons devoir attendre un peu. Puis-je vous offrir une tasse de café et un sandwich au bar qui est un peu plus loin ?

— Merci, dis-je, ça va très bien comme ça.

— Je ne veux pas insister, mais, vraiment, ce serait préférable. Vous vous sentirez mieux. »

Je cédai et le laissai m'emmener au bar en question, où nous prîmes un café auquel s'ajouta pour moi un sandwich au jambon. Assis là, je repensai aux nombreuses fois où, lorsque nous étions étudiants, Magnus et moi étions arrivés par le train pour séjourner chez ses parents, à Kilmarth. Le fracas rythmé dans l'obscurité et répercuté par l'écho du tunnel puis, brusquement, ce jaillissement à la lumière, avec des champs verdoyants de chaque côté. Durant sa jeunesse, Magnus avait dû effectuer ce voyage pour toutes les vacances scolaires. Et voilà maintenant qu'il avait trouvé la mort à l'entrée de ce même tunnel.

Ce serait inexplicable pour tout le monde, aussi

bien pour la police que pour ses nombreux amis, à n'importe qui sauf moi. On me demanderait pourquoi un homme intelligent comme Magnus avait pu errer le long d'une voie ferrée au crépuscule d'un jour d'été, et je devrais répondre que je l'ignorais. Alors que je le savais. Magnus marchait à une époque où il n'existait pas de voie ferrée, à une époque où le flanc de la colline n'était que pâturages incultes, voire broussailles. Dans cet autre monde, il n'y avait pas la bouche béante d'un tunnel au versant de la colline, ni rails ni ballast, juste de l'herbe et peut-être un homme sur un poney, menant Magnus...

« Oui », dis-je.

L'inspecteur me demandait si le professeur Lane avait de la famille.

« Excusez-moi, je n'avais pas entendu ce que vous disiez. Non, le Commander et Mme Lane sont morts depuis bon nombre d'années, et il n'y avait pas d'autre enfant. Je n'ai jamais entendu Magnus parler de cousins ou parents quelconques. »

Il devait avoir un notaire qui s'occupait de ses affaires, un banquier qui gérait ses finances... Maintenant que j'y pensais, je découvris que je ne connaissais même pas le nom de sa secrétaire. Nos relations intimes, étroites, ne se préoccupaient pas de détails de tous les jours. Mais quelqu'un d'autre que moi devait être au courant de tout cela.

L'agent vint informer son supérieur que la seconde voiture-radio était arrivée ainsi que l'ambulance; tandis que nous regagnions la morgue, il murmura autre chose que je n'entendais pas et l'inspecteur se tourna vers moi.

« Le docteur Powell, de Fowey, se trouvait au poste de police de Tywardreath, lorsque nous avons signalé la découverte du corps. Il a accepté d'examiner ce dernier; après quoi le médecin-légiste procédera à l'autopsie.

— Oui », dis-je.

Autopsie... enquête... tout l'appareil de la justice.

La première personne que je vis, en entrant dans la morgue, fut le médecin que j'avais rencontré sur l'accotement et qui m'avait observé durant que je me remettais dans mon accès de vertiges, dix jours auparavant. Je lus dans ses yeux qu'il me reconnaissait, mais il n'en laissa rien paraître lorsque l'inspecteur fit les présentations.

« Je suis navré..., dit-il. Si vous n'avez jamais eu l'occasion de voir quelqu'un — et encore moins un ami — qui ait été ...euh... terriblement mis à mal dans un accident, je vous préviens que ça n'est pas plaisant. Cet homme a une profonde blessure à la tête. »

Il me mena vers la civière que l'on avait déposée sur la longue table. C'était Magnus, mais qui ne semblait plus le même, qui paraissait plus petit. Au-dessus de son œil droit, un trou plein de sang coagulé... Il y avait aussi du sang sur sa veste, laquelle présentait une déchirure tout comme une des jambes du pantalon.

« Oui, dis-je, oui, c'est bien le professeur Lane. »

Je me détournai aussitôt, car Magnus lui-même n'était pas là. Il marchait encore à travers champs, au-dessus de la vallée de Treesmill, ou regardait autour de lui, avec un émerveillement encore plus grand, quelque autre monde inconnu.

« Si cela peut vous être une consolation, dit le médecin, il n'a pas vécu longtemps après avoir reçu un tel coup. Dieu sait comment il a pu ramper jusqu'à la cabane... Il n'était pas conscient de ses mouvements et a dû mourir quelques instants plus tard. »

Rien ne pouvait m'être une consolation, mais je le remerciai néanmoins, en m'enquérant :

« Vous voulez dire qu'il n'a pu rester étendu là, en se demandant pourquoi personne ne venait ?

— Non, sûrement pas. Mais l'inspecteur ne manquera certainement pas de vous communiquer tous les détails, dès que nous connaîtrons l'étendue des blessures. »

Il y avait une canne posée sur le coin de la table et le sergent la montra à l'inspecteur :

« Nous avons trouvé cette canne à mi-chemin entre les rails et la cabane », expliqua-t-il.

L'inspecteur se tourna vers moi d'un air interrogateur et j'acquiesçai :

« Oui, c'est une de ses nombreuses cannes. Son père en faisait collection et Magnus en a bien une douzaine dans son appartement de Londres.

— Maintenant, le mieux est que nous vous reconduisions à Kilmarth, monsieur Young, dit l'inspecteur. Bien entendu, vous serez tenu au courant. Et, naturellement, il vous faudra venir témoigner à l'enquête.

— Oui », dis-je.

Je me demandais ce qu'il adviendrait du corps de Magnus après l'autopsie, s'il allait rester là pendant le week-end. Non que cela eût de l'importance : plus rien n'avait d'importance.

En me serrant la main, l'inspecteur m'informa qu'ils viendraient probablement lundi me poser encore quelques questions, pour le cas où j'aurais des précisions à ajouter à ma déposition.

« Vous comprenez, monsieur Young, il peut s'agir d'une crise d'amnésie ou même d'un suicide...

— L'amnésie... C'est la perte de la mémoire, n'est-ce pas ? fis-je. Alors, c'est peu probable et le suicide est absolument exclu. Le professeur était le dernier homme au monde qui eût songé à se suicider, et il n'avait aucune raison de le faire. Quand je lui ai parlé au téléphone, il était d'excellente humeur et se réjouissait beaucoup de venir passer ce week-end ici.

— Oui, opina l'inspecteur. Eh bien, c'est exacte-

274

ment le genre de déclaration que le coroner vous demandera de lui faire. »

Le chauffeur de la voiture-radio me déposa devant la maison et je gravis lentement les marches du jardin, puis celles du porche. Je me servis l'équivalent d'un triple whisky et me laissai choir sur le divan de la pièce jouxtant la chambre à coucher. Je dus m'endormir presque aussitôt et lorsque je me réveillai, c'était la fin de l'après-midi ou le début de la soirée.

Vita était assise dans un fauteuil, près de moi, et tenait un livre entre ses mains. Les derniers rayons du soleil couchant entraient par la fenêtre donnant sur le patio.

« Quelle heure est-il ? demandai-je.

— Six heures et demie environ, me répondit-elle en se levant pour venir s'asseoir près de moi sur le divan. J'ai jugé préférable de te laisser dormir. Le docteur qui t'a vu à la morgue a téléphoné dans l'après-midi pour demander si tu allais bien et je lui ai répondu que tu dormais. Il m'a dit de te laisser dormir, que c'était ce qui pouvait te faire le plus de bien. »

Elle posa sa main dans la mienne et je trouvai cela réconfortant, comme si j'étais de nouveau un petit garçon qu'on dorlote.

« Qu'as-tu fait des enfants ? m'informai-je. La maison paraît tellement silencieuse...

— Mrs. Collins a été absolument merveilleuse. Elle les a conduits à Polkerris passer la journée chez elle. Son mari devait les emmener pêcher après le déjeuner et les ramener ici pour sept heures. Ils vont donc arriver d'un instant à l'autre. »

Je demeurai un moment sans parler, puis dis :

« Il ne faut pas que cela gêne leurs vacances. Magnus en aurait été navré.

— Ne te tracasse pas pour eux ni pour moi. Nous sommes capables de veiller sur nous-mêmes. Ce qui me tourmente, c'est le choc que cela a dû te causer. »

Je lui fus reconnaissant de ne pas tout remettre sur le tapis : comment cela avait-il pu se produire, qu'est-ce que Magnus faisait par là, pourquoi n'avait-il pas entendu le train approcher, pourquoi le conducteur ne l'avait-il pas vu ? Cela ne nous eût menés à rien.

« Il faut que je téléphone, dis-je, que je prévienne les gens de l'université.

— L'inspecteur a dit qu'il s'en occuperait. Il est revenu peu après que tu étais monté t'étendre et a demandé à voir la valise de Magnus. Je lui ai dit que tu l'avais défaite hier soir et n'y avais rien trouvé. Lui non plus d'ailleurs. Il a laissé les vêtements accrochés dans la penderie. »

Je me rappelai le flacon que j'avais rangé dans ma valise avec les papiers concernant Bodrugan.

« Que voulait-il d'autre ?

— Rien. Juste nous dire qu'ils se chargeaient de tout et qu'il reprendrait contact avec toi lundi. »

J'étendis les bras et attirai Vita contre moi.

« Merci pour tout, ma chérie. Tu m'es d'un grand réconfort, car je n'arrive pas encore à penser bien clairement.

— Ne te force pas, chuchota-t-elle. Je voudrais tant pouvoir faire davantage. »

Nous entendîmes les garçons parler dans leur chambre. Ils avaient dû rentrer par la porte de derrière.

« Je vais aller m'occuper de leur dîner, dit Vita. Veux-tu que je t'apporte le tien ici ?

— Non, je descendrai. Il faut bien que je me ressaisisse. »

Je demeurai encore un moment étendu, regardant le soleil jeter ses derniers feux à travers les arbres. Puis je pris un bain et me changeai. En dépit du choc et des émotions de la journée, mon œil injecté de sang était redevenu normal. Peut-être cela n'avait-il rien à voir avec la drogue et ne s'agissait-il que d'une coïncidence. Maintenant, c'était une chose que je ne saurais jamais.

Vita était en train de donner à manger aux garçons dans la cuisine. Tandis que je m'attardais dans le hall pour me préparer à les affronter, je les écoutai parler.

« Eh bien, moi, je te parie ce que tu voudras qu'on finira par découvrir qu'il s'agit d'un meurtre. »

La voix nasillarde et haut perchée de Teddy me parvenait distinctement par la porte ouverte de la cuisine.

« Il est évident que le professeur devait avoir sur lui quelque document scientifique secret, concernant probablement la guerre bactériologique, et qu'il avait rendez-vous avec quelqu'un près du tunnel. Ce quelqu'un était un espion, qui l'a assommé pour s'emparer des documents. Mais la police d'ici n'ira jamais penser une chose pareille et il va falloir que les services secrets s'en occupent...

— Ne sois pas idiot, Teddy ! intervint sèchement Vita. C'est ainsi que se répandent les rumeurs les plus stupides ! Dick serait bouleversé de t'entendre raconter des choses pareilles. J'espère que tu n'as rien dit de semblable à M. Collins ?

— C'est lui qui y a pensé le premier, intervint Micky. Il a dit que, de nos jours, on ne sait jamais de quoi s'occupent au juste les savants et que le professeur était probablement en quête d'un endroit où installer un laboratoire secret. »

Cette conversation eut pour effet de me remettre instantanément d'aplomb. Je pensai que Magnus en eût été ravi et aurait encouragé les garçons dans cette voie, les poussant à toutes les exagérations. Je toussai bruyamment avant de me diriger vers la cuisine et j'entendis Vita faire : « Chhhut ! » au moment où j'atteignais la porte.

Les garçons levèrent la tête, leurs petits visages exprimant le malaise que les enfants éprouvent à se trouver soudain mis en présence d'un adulte qu'ils s'attendent à trouver plongé dans l'affliction.

« Hello ! fis-je. Vous avez passé une bonne journée ?

— Plutôt, oui, bafouilla Teddy en devenant écarlate. Nous sommes allés pêcher.

— Et vous avez attrapé quelque chose ?

— Oui, des merlans. M'man est en train de les faire cuire.

— Eh bien, s'il y en a un pour moi, ça me fera grand plaisir. De toute la journée, je n'ai avalé qu'un sandwich et une tasse de café, à Fowey. »

Ils pensaient sans doute me trouver abîmé dans le chagrin, la tête baissée et les épaules houleuses, car ils changèrent aussitôt de mine lorsqu'ils me virent pourchasser une grosse guêpe avec la tapette. Ils s'exclamèrent : « Il l'a eue ! » d'un ton ravi lorsque je l'écrasai contre la vitre.

Plus tard, tandis que nous mangions, je leur dis :

« La semaine prochaine, je serai sans doute assez occupé car il y aura l'enquête concernant la mort de Magnus et différentes choses à faire, mais je vais m'arranger pour que vous puissiez sortir avec Tom dans un de ses bateaux, à voile ou à moteur, comme vous préférez.

— Oh ! merci beaucoup », s'exclama Teddy.

Quant à Micky, constatant que Magnus n'était plus un sujet tabou, il s'enquit, la bouche pleine de merlan :

« Est-ce qu'on va retracer la vie du professeur ce soir, à la télé ?

— Ça m'étonnerait, répondis-je. Ce n'est pas comme s'il s'agissait d'un homme politique ou d'un chanteur en vogue.

— Dommage..., fit-il. Enfin, vaut quand même mieux regarder, juste en cas... »

278

Il n'y eut rien, à la grande déception des deux frères et aussi, je crois, de Vita, mais à mon vif soulagement. Je savais que dans les jours suivants, lorsque la presse apprendrait la nouvelle, il ne serait fait que trop de publicité autour de Magnus.

Et j'en eus la confirmation dès le lendemain matin, où le téléphone sonna à la première heure, bien que ce fût un dimanche. Durant la majeure partie de la journée, Vita ou moi ne cessâmes pratiquement pas de répondre aux appels. Finalement, nous laissâmes le téléphone décroché et nous installâmes dans le patio, où les journalistes n'iraient pas nous dénicher s'ils venaient sonner à la porte.

Le lundi matin, Vita emmena les garçons à Par faire quelques emplettes, me laissant à mon courrier que je n'avais pas ouvert. Les quelques lettres que je recevais n'avaient rien à voir avec le drame. Puis, quand j'atteignis la dernière de la pile, je constatai avec un soudain serrement de cœur qu'elle avait été mise à la poste d'Exeter et que l'adresse, au crayon, était de la main de Magnus. Je décachetai vivement l'enveloppe.

Cher Dick,

Je t'écris cette lettre dans le train et sans doute sera-t-elle illisible. Si je trouve une boîte en arrivant à la gare d'Exeter, je l'y jetterai. Elle n'aura probablement aucune utilité et lorsque tu la recevras, samedi matin, nous aurons passé ensemble, je pense, une joyeuse soirée qui sera suivie de beaucoup d'autres. Mais je t'écris par mesure de prudence, au cas où je trépasserais dans mon compartiment, tellement je déborde d'exubérance. Toutes mes dernières constatations me donnent à penser que nous sommes sur le point de faire une découverte de première importance touchant le cerveau. En bref et en langage profane, la chimie s'opérant à l'intérieur des cellules du cerveau

279

qui concernent la mémoire, permet la reproduction, la restitution, dirai-je faute d'un meilleur terme, de tout ce que nous avons fait depuis notre prime enfance. Or, la contexture de ces cellules est conditionnée par notre hérédité, par tout ce que nous ont légué nos parents, grands-parents et nos plus lointains ancêtres des temps primitifs. Le fait que je sois un magnus et toi, un minus, dépend uniquement des messages qui nous sont transmis par ces cellules puis distribués aux différentes autres cellules et dans tout notre corps. En dehors de ça, les cellules en question — ce que j'appellerai « la boîte à souvenirs » — renferment non seulement nos propres souvenirs, mais aussi les dispositions que nous ont légués les cerveaux de nos ancêtres. Ces dispositions, si on les rend conscientes, doivent nous permettre de voir, d'entendre, d'avoir connaissance de choses qui sont arrivées dans le passé; ceci non point parce que tel ancêtre a été témoin de telle scène, mais parce que, sous l'effet de la drogue que j'ai découverte, le cerveau dont nous avons hérité en naissant prend le dessus et domine tout ce que nous avons acquis depuis lors. Les conséquences que cela peut avoir du point de vue de l'historien ne me concernent pas mais biologiquement, le fait d'avoir accès au cerveau ancestral qui, jusqu'à maintenant, n'a pu être mis en perce, si j'ose dire, est d'un intérêt énorme et nous ouvre d'immenses possibilités.

Quant à la drogue elle-même, oui, elle est dangereuse et pourrait même être mortelle à trop forte dose; si elle tombait entre les mains de gens sans scrupules, elle causerait encore un surcroît de ravages dans notre monde déjà suffisamment malmené. Aussi, mon cher garçon, si jamais il m'arrive quelque chose, détruis ce qu'il en reste dans la chambre de Barbe-Bleue. Mes assistants — qui, d'ailleurs, ignorent ces conséquences de ma découverte car je les ai étudiées

seul — ont reçu des instructions du même ordre en
ce qui concerne Londres, et je sais qu'ils les exécute-
ront à la lettre. Toi, si je ne te revois pas, oublie
toute cette affaire. Mais si nous nous retrouvons ce
soir comme convenu et pouvons faire une promenade
— ou peut-être un « voyage » — ensemble, je compte
bien que me sera offerte la chance de voir la belle
Isolda. D'après le document se trouvant dans ma va-
lise, elle semble avoir perdu son amant comme tu me
l'as dit et avoir donc grand besoin de consolation.
Nous découvrirons peut-être, du même coup, si Roger
Kylmerth est en mesure de lui apporter cette consola-
tion. Je n'ai pas le temps de t'en dire davantage, car
nous arrivons à Exeter. A bientôt, dans l'un ou l'autre
de nos mondes, ou dans l'au-delà.

MAGNUS.

Si nous n'étions pas partis en bateau le vendredi,
j'aurais trouvé à temps le message téléphonique concernant le changement de train... Si, en quittant la
gare de Saint-Austell, j'étais allé directement au Gratten au lieu de rentrer à Kilmarth... *Si... Si...* ! Même
cette lettre, qui était comme un message de l'au-delà,
aurait dû me parvenir samedi matin au lieu d'aujourd'hui, lundi. Mais cela n'eût rien changé et elle ne
m'apprenait rien concernant les véritables intentions
de Magnus. Lorsqu'il l'avait mise à la boîte, peut-être
même ne s'était-il pas encore décidé... Cette lettre
m'était envoyée, comme il le disait lui-même, par mesure de prudence, pour le cas où il lui arriverait quelque chose. Je la relus une fois, deux fois, puis j'en
approchai la flamme de mon briquet et la regardai se
consumer.

Descendant ensuite au sous-sol, je traversai l'ancienne cuisine et gagnai le laboratoire. Je n'y étais pas
revenu depuis le mercredi matin où, à mon retour du
Gratten, Bill était descendu et m'avait trouvé en train

de faire du thé dans la cuisine. Les rangées de bocaux et de flacons, la tête de singe, les embryons de chatons et les diverses cultures ne recelaient plus pour moi aucune menace. Maintenant que leur magicien était parti pour ne jamais plus revenir, ils avaient un air abandonné, presque désolé, comme les marionnettes et les accessoires délaissés par un illusionniste. Nulle baguette d'ébène ne rappellerait ces choses à la vie; la main expérimentée n'était plus, qui savait extraire les sucs, choisir les os, et mettre le tout à fermenter dans quelque chaudron fumant.

Je pris les bocaux contenant des liquides variés et les vidai tous dans l'évier. Après les avoir lavés, je les remis sur les étagères. Pour ce que les gens en sauraient, ils pouvaient aussi bien avoir été destinés à des confitures ou des conserves de fruits; ils ne présentaient rien de particulier, sinon leurs étiquettes que j'enlevai et fourrai dans ma poche. J'allai ensuite chercher un vieux sac que je me rappelais avoir vu dans la chaufferie, puis j'entrepris de dévisser les couvercles des bocaux et des flacons restants, qui contenaient les embryons et la tête de singe. Je commençai par vider dans l'évier le liquide ayant assuré la conservation — en prenant bien soin de ne pas en éclabousser mes mains — puis je les escamotai tous dans le sac. Il ne resta plus alors que deux petits flacons : le flacon A, contenant le reste de la drogue dont je m'étais jusqu'à présent servi, et le flacon C, auquel il n'avait pas été touché. Le flacon B, je l'avais expédié à Magnus et, vide maintenant, il était dans ma valise, au premier étage. Ces deux derniers flacons, je ne les vidai pas dans l'évier, mais les mis tels quels dans ma poche. M'approchant alors de la porte, je prêtai l'oreille. Mrs. Collins allait et venait, de la cuisine à l'office; j'entendais sa radio qui marchait.

Emportant le sac sur mon épaule, je refermai à clef la porte du laboratoire; par celle de derrière, je gagnai le potager, puis le bois en haut de la propriété. J'allai dans un endroit où le taillis était particulièrement épais; enchevêtrement de lauriers, de rhododendrons n'ayant pas fleuri depuis des années, de branches brisées d'arbres morts, de ronces et d'orties, sur quoi s'étaient accumulées les feuilles arrachées par les dernières bourrasques. A l'aide d'une branche cassée, je creusai la terre humide et y vidai le contenu du sac. Avec une grosse pierre, j'écrasai la tête du singe afin qu'elle cessât de ressembler à quelque chose d'humain et ne fût plus qu'un magma d'os sur quoi les embryons glissèrent, méconnaissables, pareils à ce qu'on jette aux mouettes lorsqu'on vide un poisson. J'y ajoutai le sac, puis recouvris le tout avec l'humus des feuilles, la terre brunâtre et un tas d'orties. Et la phrase rituelle me revint à l'esprit : « Souviens-toi que tu es poussière et redeviendras poussière »; en un sens, c'était comme si j'enterrais Magnus avec son œuvre.

Je réintégrai la maison par le sous-sol et gravis le petit escalier du devant afin d'éviter Mrs. Collins; mais elle dut m'entendre dans le hall, car elle cria :

« C'est vous, monsieur Young ?

— Oui, dis-je.

— Je vous ai cherché partout sans pouvoir vous trouver. L'inspecteur de police de Liskeard vous demandait au téléphone.

— J'étais dans le jardin, déclarai-je. Je vais le rappeler. »

Je montai d'abord enfermer les flacons A et C dans ma valise, avec le flacon B qui était vide. J'accrochai la clef de la valise à mon anneau, me lavai les mains et descendis dans la bibliothèque, d'où j'appelai le poste de police de Saint-Austell.

« Je suis désolé, inspecteur, dis-je lorsqu'ils m'eurent mis en communication avec lui. J'étais dans le jardin quand vous avez téléphoné.

— Ce n'est rien, monsieur Young. J'ai simplement pensé que vous aimeriez être tenu au courant. Notre enquête a un peu progressé. C'est un train de marchandises qui a causé l'accident, la chose semble clairement établie. Il a franchi le tunnel vers dix heures moins dix. En approchant du tunnel, le conducteur n'a vu personne sur la voie. Mais ces trains de marchandises sont parfois assez longs, et celui-ci n'avait pas de garde-frein à l'arrière; donc, une fois la locomotive engagée sous le tunnel, personne ne pouvait voir si quelqu'un longeait la voie et était heurté par un des wagons.

— Oui, dis-je, oui, je comprends. Et, selon vous, c'est ce qui est arrivé ?

— Ma foi, monsieur Young, tout paraît l'indiquer. Il semble que le professeur Lane ait continué de suivre le chemin au-delà de la ferme de Trenadlyn mais que, avant d'atteindre la grand-route, il ait tourné à gauche dans un champ qu'on appelle Higher Gum, et qu'il l'ait traversé en diagonale pour aller vers la voie ferrée. En franchissant les fils de fer et escaladant le talus, il est possible d'atteindre cette dernière, mais, ce faisant, on ne peut manquer de se rendre compte si un train approche. C'était la nuit, d'accord, mais il y a un signal juste à l'entrée du tunnel et, sans parler de l'avertisseur de la locomotive-diesel — qu'il est réglementaire d'actionner avant d'entrer dans un tunnel — un train de marchandises, ça fait du bruit. »

Oui, mais six siècles auparavant il n'existait pas de signal, ni de rails ni d'avertisseur qu'on pût entendre...

« Vous voulez dire, inspecteur, qu'il aurait fallu être aveugle ou complètement sourd pour ne pas avoir conscience qu'un train remontait la vallée, même s'il était encore à une certaine distance ?

— Exactement, oui, monsieur Young. Bien sûr, il est possible de demeurer sur le ballast pendant qu'un train passe — il y a largement la place pour cela de chaque côté des deux voies — et c'est ce qu'a dû faire le professeur Lane. Nous avons retrouvé des traces indiquant où il est tombé et comment il s'est traîné jusqu'à la cabane, en haut du talus. »

Je réfléchis un instant et questionnai :

« Inspecteur, pourrais-je aller voir l'endroit où il est tombé ?

— C'est ce que j'allais vous suggérer, monsieur Young, tout en me demandant comment vous alliez prendre la chose. Ça pourrait nous être très utile.

— Alors, je suis à votre disposition.

— Voulez-vous que nous nous retrouvions, à onze heures et demie, devant le poste de police de Tywardreath ? »

Il était déjà onze heures. Aussi étais-je en train de sortir ma voiture du garage quand Vita arriva dans la Buick avec les garçons. Ils s'en extirpèrent en serrant contre eux des filets pleins de provisions.

« Où vas-tu ? me demanda Vita.

— L'inspecteur veut me montrer l'endroit où ils ont trouvé Magnus. Ils pensent maintenant savoir ce qui est arrivé. Un train de marchandises est passé là vers vingt et une heures cinquante. Le conducteur devait être déjà sous le tunnel lorsque Magnus a été heurté ou a glissé contre un des derniers wagons.

— Courez vite porter tout ça à Mrs. Collins ! » dit Vita aux garçons qui demeuraient là, en se balançant d'un pied sur l'autre. Et lorsqu'ils furent hors de portée d'oreille, elle objecta : « Mais pourquoi Magnus aurait-il été le long de la voie ? Ça n'a pas de sens. Tu sais ce que les gens vont raconter ? Je l'ai déjà entendu dire dans une boutique et ça m'a été très pénible... On va croire qu'il s'est suicidé.

— C'est absolument exclu.

— Je le sais... Mais la mort de quelqu'un de connu suscite toujours des commentaires de ce genre. Et les savants passent généralement pour des gens pas comme les autres...

— Personne n'est jamais comme les autres, coupai-je. Ne m'attendez pas pour déjeuner, car j'ignore quand je serai de retour. »

L'inspecteur me fit passer par le chemin dont il m'avait parlé au téléphone, au-dessus de la ferme de Treveryan. Tout en roulant, il me dit qu'ils avaient pris contact avec le premier assistant de Magnus, mais que celui-ci avait été incapable de leur apporter la moindre clarté sur le drame.

« Il a été très secoué par la nouvelle, bien entendu. Il savait que le professeur avait l'intention de passer le week-end avec vous et qu'il s'en faisait une fête. Il corrobore votre assertion que le professeur était en parfaite santé et d'excellente humeur. En revanche, il n'était pas au courant de sa passion pour les recherches historiques, mais dit que le professeur pouvait très bien ne s'y adonner que durant ses loisirs. »

Nous prîmes la route de Treesmill et tournâmes à droite dans le chemin de Stonybridge, dépassâmes les deux fermes, Trenadlyn et Treveryan, pour nous arrêter vers le bout du chemin où nous garâmes la voiture contre une barrière donnant accès à un champ.

« Ce que je n'arrive pas à comprendre, continua l'inspecteur, c'est pourquoi, si c'était la ferme de Treveryan qui l'intéressait, le professeur ne s'y est pas présenté, au lieu d'aller au-dessus d'elle, à travers champs. »

Je jetai un rapide regard autour de moi. Treveryan se trouvait à gauche, au-dessus de la vallée mais dans un creux, dominant la voie ferrée; au-delà de cette dernière, le terrain se remettait à descendre. Voici plusieurs siècles, la configuration de ce terrain était sans doute la même, mais une large rivière coulait dans la vallée, au-dessous de la ferme de Treveryan, rivière qui, lors des crues d'automne, devait inonder

ses abords avant de se jeter dans la crique de Treesmill.

« Y a-t-il encore une rivière là, en bas ? demandai-je en pointant le doigt vers le creux de la vallée.

— Encore ? répéta l'inspecteur, surpris. Au bas de
la colline, au-dessous de la voie ferrée, il y a un terrain marécageux avec une sorte de tranchée où coule
de l'eau, mais on ne peut pas appeler ça une rivière. »

Nous descendîmes la pente du champ. La voie ferrée était déjà en vue avec, à notre droite, la bouche
menaçante du tunnel.

« Autrefois, il y avait peut-être ici un chemin,
dis-je, qui descendait dans la vallée, et un gué permettant de passer de l'autre côté de l'eau.

— C'est possible, fit l'inspecteur, mais rien ne semble l'indiquer. »

Magnus avait voulu passer la rivière à gué. Magnus
suivait quelqu'un monté sur un cheval qui allait utili-
ser le gué. Il devait donc marcher vite. Et il n'était
plus au crépuscule d'un beau jour d'été, mais en automne, la pluie tombait, le vent soufflait en rafales...

Nous atteignîmes la ligne de chemin de fer, près du
tunnel. Non loin de là, sur notre gauche, un passage
souterrain avait été aménagé pour permettre de passer d'un côté à l'autre de la voie. Deux vaches en obs-
truaient l'ouverture, dans l'espoir de s'y trouver à
l'abri des mouches.

« Comme vous voyez, me dit l'inspecteur, on n'a
pas besoin de traverser la voie pour aller dans les
champs qui sont de l'autre côté. Il suffit d'emprunter
ce passage, là-bas, où il y a les vaches.

— Oui mais, s'il marchait plus à droite dans le
champ, le professeur a pu ne pas le remarquer. Et
puis on fait plus vite en traversant la voie.

— Comment ça ? s'exclama mon compagnon. Il lui
fallait escalader le talus, enjamber les fils de fer, re-

descendre de l'autre côté, et le tout dans l'obscurité ? Personnellement, j'aurais préféré ne pas m'y risquer. »

Mais, en plein jour, ce fut ce que nous fîmes. L'inspecteur passa le premier et je le suivis. Lorsque nous eûmes enjambé les fils de fer, il me montra la cabane désaffectée, couverte de lierre, qui se trouvait un peu plus loin sur le remblai.

« Nous sommes venus là hier, et l'herbe est piétinée, m'expliqua-t-il, mais nous avons vu très clairement alors comment le professeur s'est traîné jusqu'à la cabane. Il ne pouvait plus être que dans un état de semi-conscience; se hisser là-haut a dû lui demander un effort presque surhumain et énormément de courage. »

Dans quel monde était mort Magnus, le présent ou le passé ? N'avait-il pas entendu le train de marchandises qui se rapprochait tandis qu'il escaladait le talus ? Alors que la locomotive était déjà sous le tunnel, avait-il voulu traverser la voie qui, pour lui, était encore une prairie descendant vers la rivière et, ce faisant, avait-il été happé par un wagon ? Dans l'un ou l'autre monde, c'était le coup de grâce. Magnus n'avait pas dû savoir ce qui lui arrivait. L'instinct de conservation l'avait fait ramper vers la cabane et là, plaise à Dieu qu'il eût sombré dans une miséricordieuse inconscience, qu'il ne se soit pas senti seul et abandonné, qu'il n'ait pas su qu'il allait mourir.

Nous regardâmes l'intérieur de la cabane vide et l'inspecteur me montra le coin où Magnus était mort. L'endroit était dépourvu d'atmosphère, comme une cabane à outils que le jardinier n'utiliserait plus depuis longtemps.

« Il y a des années qu'on ne s'en sert plus, me dit mon compagnon. Les ouvriers travaillant sur la voie venaient s'y faire chauffer du thé tout en mangeant leur casse-croûte. Maintenant ils préfèrent se servir de l'autre cabane qui est plus loin, et encore pas très souvent. »

Nous revînmes sur nos pas vers les fils de fer détendus que nous avions enjambés. Je regardai les collines de l'autre côté de la vallée, dont certaines étaient très boisées. A gauche, il y avait une ferme avec, au-dessus, un bâtiment plus petit; au nord, loin, je repérai un groupe de maisons. Je demandai à mon compagnon ce que c'était. La ferme s'appelait Colwyth et le petit bâtiment qui la dominait était autrefois une école. Le groupe de maisons que l'on distinguait à peine dans le lointain appartenait à une autre ferme, Strickstenton.

« Nous sommes ici à la jonction de trois paroisses, m'expliqua-t-il. Tywardreath, Saint-Sampsons ou Golant, et Lanlivery. Un des plus gros propriétaires de la région est Mr. Kendall de Pelyn. Pelyn, tenez, voilà un beau vieux manoir pour vous qui vous intéressez à ces choses... Il est à droite de la route qui mène à Lostwithiel, et cela fait des siècles qu'il appartient à cette famille.

— Combien de siècles ?

— Ma foi, monsieur Young, je ne suis pas expert en la matière. Quatre, peut-être ? »

Pelyn ne pouvait être une déformation de Tregest. Aucun des noms ne correspondait à Tregest. Et pourtant la demeure d'Oliver Carminowe, qu'elle fût manoir ou ferme, devait se trouver dans les parages puisque l'on pouvait s'y rendre à pied, et c'était vers elle que Magnus se dirigeait à la suite de Roger.

« Inspecteur, dis-je, en dépit de tout ce que vous m'avez montré, je continue de penser que le professeur Lane avait l'intention de traverser ce ruisseau qui est en bas, pour aller de l'autre côté de la vallée.

— Mais dans quel but, monsieur Young ? »

Il ne haussait pas les épaules; il s'efforçait de considérer mon point de vue, avec une franche curiosité.

« Vous savez, qu'on soit historien, archéologue ou géographe, quand le passé vous tient, c'est comme une fièvre qu'on a dans le sang; on ne connaît pas de répit tant que n'est pas résolu le problème qui se pose à vous. Je crois que le professeur Lane avait en tête quelque chose de ce genre, et c'est pourquoi il a décidé de descendre à Par plutôt qu'à Saint-Austell. Pour une raison que nous ne saurons probablement jamais, il semble avoir voulu traverser la vallée, en dépit de la ligne de chemin de fer.

— Et il a attendu sur le ballast que le train passe, pour aller se cogner dans le dernier wagon ?

— Je ne peux pas vous dire, inspecteur. Il entendait bien, sa vue était excellente, et il aimait la vie. Il ne s'est pas jeté délibérément contre le train.

— J'espère, monsieur Young, pour la mémoire du professeur Lane, que vous réussirez à en convaincre le coroner. En ce qui me concerne, vous y êtes presque parvenu.

— Presque ?

— Je suis un policier, monsieur Young, et je sens qu'il nous manque un élément quelconque dans cette affaire. Mais je crois, comme vous, que nous ne le découvrirons probablement jamais. »

Nous rebroussâmes chemin à travers champs, jusqu'à la barrière en haut de la colline, derrière laquelle nous attendait la voiture. Tout en roulant, je lui demandai s'il savait dans combien de temps l'enquête du coroner aurait lieu.

« Je ne peux pas vous le dire exactement, car cela dépendra de plusieurs choses. Le coroner va faire de son mieux pour expédier cela au plus vite, mais ça peut quand même demander dix ou quinze jours, surtout qu'il est obligé de siéger avec un jury, en égard aux circonstances insolites dans lesquelles le professeur Lane a trouvé la mort. A propos, le médecin-légiste étant en vacances, le coroner a demandé au docteur Powell s'il voulait bien pratiquer l'autopsie, puisqu'il avait déjà été amené à examiner le corps. Le docteur Powell a accepté et nous devrions avoir son rapport dans le courant de la journée. »

Je songeai au nombre de fois où Magnus avait disséqué des animaux, des oiseaux, des plantes, avec un tranquille détachement qui faisait mon admiration. Un jour, il me dit qu'il allait prélever les organes d'un porc qui venait d'être saigné et que je devrais assister à ça. Je tins le coup pendant cinq minutes, puis mon estomac se rebella. S'il fallait maintenant que quelqu'un dissèque Magnus, j'étais heureux que ce fût le docteur Powell.

Comme nous arrivions au poste de police, le planton en sortait. Il dit quelque chose à l'inspecteur qui se tourna vers moi.

« Nous avons fini d'examiner les effets du professeur Lane. Nous sommes disposés à vous les remettre, si vous voulez bien en accepter la responsabilité.

— Mais certainement ! acquiesçai-je. Je doute que quelqu'un d'autre vienne les réclamer. J'ignore qui est le notaire de Magnus, mais j'espère qu'il va se manifester. »

Le planton revint quelques instants plus tard avec un paquet enveloppé de papier marron. Le portefeuille était à part, sur le dessus, avec un livre de poche que Magnus avait dû acheter pour lire dans le train, *Auntie Mame* de Patrick Dennis. Je ne pouvais rien imaginer qui fût moins susceptible d'inciter au suicide.

« J'espère, dis-je à l'inspecteur, que vous avez noté le titre de ce livre à l'intention du coroner ? »

Il m'assura gravement que c'était fait. Je savais que je n'ouvrirais jamais le paquet, mais j'étais heureux d'avoir le portefeuille et la canne.

Je m'en retournai vers Kilmarth, las et abattu, pas plus avancé qu'en partant. Au moment de quitter la grand-route je m'arrêtai en haut de la colline de Polmear pour laisser passer une voiture. Je reconnus son conducteur : c'était le docteur Powell. Comme il se rangeait sur le bas-côté, je fis de même. Il descendit de voiture et vint à ma portière dont la glace était baissée.

« Bonjour, me dit-il. Comment vous sentez-vous ?

— Bien. Je reviens du tunnel de Treveryan où m'a conduit l'inspecteur.

— Ah ! oui... Vous a-t-il dit que j'avais pratiqué l'autopsie ?

— Oui.

— Mon rapport est entre les mains du coroner et vous en aurez communication le moment venu. Mais, à titre officieux, il vous intéressera sans doute de savoir que c'est le coup sur la tête qui a causé la mort du professeur Lane, en provoquant une hémorragie cérébrale. Le corps présentait d'autres blessures, dues à la chute. Il ne fait aucun doute que le professeur soit allé se cogner en plein sur un des wagons du train de marchandises.

— Merci, dis-je. Vous êtes très aimable de me l'apprendre dès maintenant.

— Ma foi, vous étiez son ami, et c'est vous qui êtes le plus directement touché par cette mort. Ah ! juste une chose encore... J'ai été obligé d'envoyer le contenu de l'estomac aux fins d'analyse. C'est une simple mesure de routine, juste pour donner la certitude au coroner et aux jurés que le professeur n'était pas ivre ou drogué au moment de l'accident.

— Oui, dis-je. Oui, bien sûr...

— Voilà, c'est tout... Nous nous reverrons à l'enquête. »

Il remonta dans sa voiture et je pris lentement le chemin de Kilmarth. Magnus buvait peu dans le courant de la journée. Il avait peut-être pris un gin-and-tonic dans le train, plus une tasse de thé... On s'en rendrait compte probablement à l'analyse. Mais que découvrirait-on d'autre ?

Quand j'arrivai, Vita et les garçons étaient en train de déjeuner. Il y avait eu toute une série de coups de téléphone durant la matinée, dont un émanant du notaire de Magnus, un nommé Dench; Bill et Diana avaient appelé d'Irlande, ayant appris la nouvelle par la radio.

« Ça n'arrête pas, dit Vita. L'inspecteur t'a-t-il précisé quand aurait lieu l'enquête ?

— Dans dix ou quinze jours.

— Nous n'aurons guère eu de vacances », soupira-t-elle.

Les garçons nous quittèrent pour aller chercher le plat suivant. Vita se tourna alors vers moi d'un air inquiet :

« Je n'ai pas voulu parler devant eux, me dit-elle à mi-voix, mais Bill a été horrifié en apprenant la nouvelle, non pas seulement par ce qu'elle a de tragique, mais parce qu'il se demande si ça ne cache pas quelque chose. Il n'a pas autrement précisé sa pensée, mais m'a dit que tu comprendrais. »

Je posai mon couteau et ma fourchette.

« Qu'est-ce qu'il t'a dit ?

— Il s'est montré plutôt mystérieux... Mais est-il exact que tu lui aies parlé de bandits sévissant dans la région et qui attaquaient les gens ? Il espérait que tu en avais fait part à la police. »

Il ne manquait plus que l'inopportune et maladroite bonne volonté de Bill pour nous mettre tous dans les ennuis.

XVIII

Herbert Dench, le notaire, téléphona de nouveau dans l'après-midi et dit combien il avait été bouleversé par la mort soudaine de son client. Je l'informai que l'enquête n'aurait vraisemblablement pas lieu avant dix ou quinze jours, et lui suggérai de s'en remettre à moi pour les dispositions à prendre concernant l'enterrement; il viendrait simplement le matin de l'incinération. Je fus soulagé d'entendre que cet arrangement recueillait son agrément, car il avait l'air de ce que Vita appelait un type « collet-monté ». Avec un peu de chance, il aurait le tact de repartir par un train de l'après-midi, si bien que nous ne l'aurions guère plus de deux ou trois heures sur les bras.

« Je ne me permettrais pas d'abuser de vos instants, monsieur Young, si ce n'était le respect que j'éprouvais pour le défunt professeur et les tristes circonstances de sa mort, outre le fait que vous figurez dans son testament.

— Oh !... Je ne pensais pas du tout... balbutiai-je, surpris, tout en espérant que c'était sa collection de cannes que me léguait Magnus.

— C'est une chose dont je préférerais ne pas discuter au téléphone », ajouta-t-il.

Ce fut seulement lorsque j'eus reposé le combiné

du téléphone sur son support que je me rendis compte dans quelle situation délicate je me trouvais, occupant la maison de Magnus à titre gracieux à la suite d'un accord verbal. Le notaire pouvait avoir l'intention de nous expulser dans les plus brefs délais, peut-être aussitôt après l'enquête. Cette perspective me sidéra. Il ne ferait quand même pas une chose pareille ? Bien entendu, je lui proposerais de payer un loyer, mais il élèverait peut-être des objections, disant que la maison devait être fermée ou confiée à une agence pour la mise en vente. J'étais déjà suffisamment secoué et déprimé sans que la perspective d'un brusque changement de cadre vînt encore aggraver les choses.

Après avoir obtenu le feu vert de la police, je passai le reste de la journée au téléphone pour les formalités concernant les obsèques, puis je rappelai le notaire afin de lui annoncer que les mesures nécessaires étaient prises. Mais rien de tout cela ne me semblait concerner Magnus. Ce que faisait l'entrepreneur des pompes funèbres, ce qu'il advenait entre-temps à son corps, toutes les formalités à remplir avant qu'il fût livré aux flammes, ne me paraissaient avoir aucun lien avec l'homme qui avait été mon ami. C'était comme s'il avait fini par faire partie de ce monde second que je connaissais, le monde de Roger, d'Isolda.

Lorsque Vita me rejoignit dans la bibliothèque, j'avais fini de téléphoner. Je m'étais assis au bureau de Magnus, près de la fenêtre, et je regardais la mer.

« Chéri, j'ai réfléchi, me dit-elle en s'approchant derrière moi et posant ses mains sur mes épaules. Ne serait-il pas préférable que nous partions dès que l'enquête aura eu lieu ? Ce serait gênant pour nous de continuer à séjourner ici, et triste pour toi... D'autant que, en un sens, la raison de ce séjour a disparu.

— Quelle raison ? demandai-je.

— Eh bien, le fait que la maison nous était prêtée.

Maintenant que Magnus est mort, je me fais un peu l'impression d'une intruse, car nous n'avons aucun droit de rester là. Il serait certainement beaucoup plus raisonnable d'aller passer ailleurs le reste de nos vacances, tu ne crois pas ? Nous ne sommes jamais qu'au début d'août. Bill me disait, au téléphone, que l'Irlande est un pays absolument ravissant : ils ont trouvé à Connemara un hôtel délicieux, un vieux château ou je ne sais quoi, avec une pêche privée.

— Oh ! ça, je n'en doute pas ! Un hôtel à vingt guinées la nuit, et plein de tes compatriotes !

— Ne sois pas injuste ! Bill ne cherchait qu'à nous être utile. Il tenait pour acquis que tu voudrais t'en aller d'ici.

— Eh bien, non, déclarai-je. A moins bien sûr, que le notaire ne nous flanque à la porte; mais ça, c'est une autre affaire. »

Je lui appris que l'incinération aurait lieu le jeudi et que Dench viendrait pour la cérémonie ainsi, peut-être, que quelques-uns des assistants de Magnus. La perspective d'avoir du monde à déjeuner ou dîner, voire pour passer la nuit, lui fit momentanément oublier l'Irlande; mais finalement nous en fûmes quittes au moindre mal car Dench et le premier assistant de Magnus, John Willis, choisirent de voyager de nuit afin d'arriver juste pour la cérémonie; après quoi, ils accepteraient notre hospitalité pour le déjeuner et repartiraient dans la soirée. L'obligeant Tom se chargea d'emmener les garçons à la pêche durant toute la journée du jeudi.

Je me rappelle peu de chose de la cérémonie d'incinération sauf avoir pensé que Magnus aurait peut-être inventé un moyen plus simple de disposer des morts, en recourant à des produits chimiques plutôt qu'au feu. Nos compagnons de deuil, Herbert Dench et John Willis, n'étaient pas du tout comme je les imaginais. Le notaire se révéla être un grand gaillard

rayonnant de cordialité, sans rien de pompeux, qui témoigna d'un appétit d'ogre tout en nous régalant
d'histoires de veuves hindoues poussant l'amour conjugal jusqu'à se faire brûler vives sur le bûcher funé-
raire de leur époux. Né aux Indes, il affirmait avoir
été témoin d'un sacrifice de ce genre lorsqu'il était encore tout enfant.

John Willis était un petit homme effacé, avec un regard vif et des lunettes à monture d'écaille, qui n'eût
pas été déplacé derrière un guichet de banque. Je
n'arrivais pas à me le représenter aux côtés de Magnus,
s'occupant de soigner des singes vivants ou de disséquer leurs cervelles. Ce fut à peine s'il prononça quelques paroles; il est vrai que le notaire ne nous laissait guère la possibilité d'en placer une.

Après le déjeuner, nous passâmes dans la bibliothèque, et Herbert Dench prit dans sa serviette de cuir le
testament de Magnus, sur lequel John Willis était également couché, afin de nous en faire la lecture offi-
cielle. Vita allait se retirer, discrètement, mais le notaire la retint :

« Restez, je vous en prie, madame Young, dit-il
gaiement. C'est très court et très précis, ça ne sera
pas long ! »

Il avait raison. Jargon légal mis à part, Magnus léguait tout ce qu'il pouvait posséder comme argent ou
valeurs au moment de sa mort, à son collège afin d'aider aux progrès de la biophysique. Son appartement
de Londres, avec tout ce qu'il contenait, serait vendu
au bénéfice de la même cause, sauf la bibliothèque
qu'il léguait à John Willis, en témoignage de gratitude
pour sa collaboration et son amitié. La maison de
Kilmarth m'était léguée avec tout ce qu'elle contenait,
en souvenir d'une amitié qui datait de notre adoles-
cence et parce que ses anciens occupants eussent sou-
haité qu'il en fût ainsi; je pouvais, à mon gré, la garder
ou en disposer comme je l'entendais. Et c'était tout.

« Je suppose, dit le notaire en souriant, que les anciens occupants auxquels le professeur fait allusion, sont ses parents, le Commander et Mrs. Lane que, je crois, vous avez connus ?

— Oui, dis-je quelque peu ahuri, oui, j'avais beaucoup d'affection pour eux.

— Eh bien, voilà... C'est une maison délicieuse et j'espère que vous y serez très heureux. »

Je regardai Vita. Elle allumait une cigarette, ce qui était sa réaction de défense instinctive lorsqu'elle éprouvait un choc.

« Que... Quelle extraordinaire générosité de la part du professeur ! déclara-t-elle. Je ne sais vraiment que dire... Bien entendu, c'est Dick qui décidera si nous gardons ou non la maison. Pour l'instant, nos projets d'avenir sont assez incertains. »

Il y eut un silence plutôt embarrassé, durant lequel le regard du notaire se partagea entre Vita et moi.

« Naturellement, dit-il, vous allez discuter de tout cela entre vous. Il faut, bien sûr, procéder à une estimation de la maison et de son contenu. J'aimerais donc la visiter, si ça ne vous dérangeait pas trop ?

— Mais bien sûr, voyons ! »

Nous nous levâmes tous et Vita dit :

« Le professeur avait un laboratoire au sous-sol... un endroit très inquiétant, du moins pour mes jeunes fils ! Je pense que son contenu devrait plutôt revenir à ceux qui participaient à ses recherches, non ? »

Son visage était tout innocence, mais j'eus l'impression qu'elle avait délibérément parlé du laboratoire parce qu'elle voulait savoir ce qui s'y trouvait.

« Un laboratoire ? Le professeur se livrait donc ici à des recherches ? » demanda le notaire à Willis.

Derrière les lunettes, les paupières du petit homme battirent à plusieurs reprises.

« J'en doute fort, finit-il par dire. En tout cas, ce qu'il y faisait ne devait guère être important et n'avait certainement aucun rapport avec ses travaux de Londres. Il a pu s'y livrer à quelques expériences, histoire de se distraire un jour qu'il pleuvait, mais certainement rien de plus, sans quoi il n'eût pas manqué de m'en parler. »

Brave type ! S'il savait quelque chose, il le garderait pour lui. Je sentis Vita sur le point de dire que je lui avais raconté que le contenu du laboratoire était d'une valeur inestimable, aussi suggérai-je que l'on commençât la visite de la maison par le sous-sol.

« Venez, dis-je à Willis, c'est vous l'expert. Quand je séjournais ici dans ma jeunesse, cette pièce servait de buanderie; maintenant Magnus y gardait tout un tas de flacons et de bocaux. »

Il me regarda fixement, mais ne fit aucun commentaire. Nous descendîmes tous au sous-sol et j'ouvris la porte.

« Voilà... fis-je. Rien de bien excitant... juste quelques vieux bocaux, comme je vous le disais. »

Il fallait voir le visage de Vita, regardant autour de la pièce. Il exprimait la stupeur, l'incrédulité et elle me décocha un rapide coup d'œil. Pas de tête de singe, ni d'embryons de chatons, juste des rangées de bocaux ou de flacons vides. Elle eut la suprême intelligence de garder le silence.

« Eh bien, je crois qu'on peut estimer ces bocaux à six pence la pièce. Qu'en pensez-vous, Willis ? »

Le biophysicien se risqua à sourire :

« Je pense que la mère du professeur Lane devait faire autrefois ici des conserves de fruits, dit-il.

— Oui, acquiesça le notaire en riant, c'était sans doute ici ce qu'on appelait alors la « réserve » de l'office et où il y avait parfois des provisions pour une année entière. Regardez ces crochets dans le plafond. On devait y suspendre des jambons ou des quartiers de viande salée. Ce sera votre domaine, madame Young, et non celui de votre mari. Je vous suggère d'installer dans ce coin une machine à laver, pour faire des économies sur vos notes de blanchissage. C'est assez coûteux mais, avec votre petite famille, vous aurez amorti ça en deux ans. »

Toujours riant, il regagna le couloir et nous le suivîmes. Je refermai la porte à clef. Willis, qui était resté un peu en arrière, se baissa pour ramasser quelque chose sur les dalles de pierre. C'était l'étiquette d'un des bocaux. Il me la donna sans un mot et je l'escamotai dans ma poche. Après quoi, nous visitâmes le reste de la maison et Herbert Dench nous fit très justement remarquer que, si nous voulions en tirer profit, nous pourrions la diviser en petits appartements que nous louerions à des estivants, en gardant pour nous la chambre donnant sur la mer et la pièce adjacente. Il continua de développer cette suggestion au profit de Vita quand nous fîmes le tour du jardin. Je vis Willis jeter un coup d'œil à sa montre.

« Je crois que vous devez commencer à avoir assez de nous, déclara-t-il avec un bref sourire. En venant, j'ai dit à Dench qu'il nous faudrait passer à la Division régionale de Liskeard, pour répondre aux questions que la police pourrait désirer nous poser. Si vous aviez l'obligeance de téléphoner pour un taxi, nous pourrions nous y rendre directement et dîner ensuite à Liskeard, avant de prendre le train de nuit.

— Je vais vous y conduire moi-même, dis-je. Mais attendez une minute, je veux vous montrer quelque chose... »

Je montai vivement à l'étage d'où je redescendis quelques instants plus tard avec la canne.

« On l'a trouvée près du corps de Magnus, dis-je. Elle fait partie de la collection qu'il a dans son appartement de Londres. Pensez-vous qu'on acceptera de me la laisser ?

— Bien sûr, et les autres aussi. Soit dit en passant,

je suis très heureux que vous héritiez de cette maison
et j'espère que vous ne la vendrez pas.

— Je n'en ai aucunement l'intention. »

Vita et Dench étaient encore à quelque distance de
nous, sur la terrasse.

« Je pense, me dit posément Willis, qu'il nous vaudra mieux raconter plus ou moins la même histoire,
tous les deux, lors de l'enquête du coroner. Magnus
adorait la marche et il n'y a rien d'étonnant à ce qu'il
ait voulu ainsi prendre un peu d'exercice après plusieurs heures de train.

— Parfaitement, acquiesçai-je.

— A propos, un de mes jeunes amis, qui est étudiant, avait effectué certaines recherches historiques
pour Magnus, au British Museum et aux Archives nationales. Désirez-vous qu'il les poursuive ? »

J'hésitai.

« Oui, ça pourrait être utile... S'il découvre quelque
chose, demandez-lui, je vous prie, de bien vouloir
m'en faire part ici.

— D'accord. »

Derrière les lunettes, je remarquai pour la première
fois une expression peinée, comme désorientée.

« Quels sont vos projets ? questionnai-je.

— Je m'en vais continuer, je suppose... Essayer de
mener à bien une partie de ce que Magnus avait entrepris. Mais ça va être dur. Comme maître aussi bien
que comme collègue, il sera irremplaçable. Vous vous
en rendez probablement compte.

— Oui. »

Les autres nous rejoignirent et nous n'ajoutâmes
plus rien. Après une tasse de thé, dont aucun de nous
n'avait envie, mais que Vita tint absolument à nous
offrir, Willis laissa entendre qu'il serait temps de partir pour Liskeard. Je savais maintenant pourquoi Magnus l'avait choisi comme premier assistant. Outre sa
compétence professionnelle, je me rendais compte

que ce petit homme avait pour lui une extrême loyauté et une grande discrétion.

Quand nous fûmes dans la voiture, Dench demanda si nous ne pourrions point effectuer une partie du trajet que Magnus avait fait vendredi soir. Je les conduisis donc dans le chemin de Stonybridge, au-delà de la ferme de Treveryan, jusqu'à la barrière en haut de la colline. Là, je pointai le doigt pour leur indiquer le tunnel, en bas.

« Incroyable, murmura Dench, absolument incroyable. Et dans le noir, en plus. Je n'aime vraiment pas ça, vous savez.

— Que voulez-vous dire ? questionnai-je.

— Si ça me paraît incroyable à moi, il en ira de même pour le coroner ou le jury. Ils vont être persuadés que ça cache quelque chose.

— Quoi donc ?

— Eh bien, qu'il s'est senti comme attiré par la vue de ce tunnel. Et une fois qu'il y a été, nous savons ce qui s'est passé.

— Je ne suis pas d'accord, dit Willis. Comme vous venez de le rappeler vous-même, il faisait alors nuit ou presque nuit. D'ici, on ne pouvait voir le tunnel, non plus que la voie. Moi, je crois qu'il a eu l'idée de descendre dans la vallée, peut-être pour donner un coup d'œil à cette ferme qui est de l'autre côté. Quand il est arrivé en bas de ce champ, le remblai de la voie ferrée lui a bouché la vue. Il a donc escaladé le talus pour étudier la disposition du terrain, et c'est alors qu'il a été happé par le train.

— C'est possible, mais ça me paraît bien extraordinaire.

— A vous qui êtes notaire et habitué à peser toute chose, oui, peut-être. Mais le professeur Lane était un chercheur, à tous les sens du terme. »

Après les avoir déposés au poste de police, je m'en retournai à la maison. La maison... Le mot avait acquis une signification nouvelle. Maintenant, c'était bien ma maison. Elle m'appartenait, comme elle avait jusqu'alors appartenu à Magnus. La tension qui m'avait habité tout au long de la journée se relâcha un peu, et aussi le poids de la dépression qui m'accablait. Magnus était mort. Jamais plus il ne me serait donné de le revoir, d'entendre sa voix, de me réjouir de sa compagnie ou de savoir qu'il demeurait présent à l'arrière-plan de mon existence. Mais le lien qui nous unissait ne serait point rompu, car sa maison était devenue la mienne. Par conséquent, je ne serais pas séparé de lui. Et ne me sentirais donc pas seul.

Je passai devant l'entrée de Boconnoc qui, à cette autre époque, avait été Bockenod, avant de descendre vers Lostwithiel. Je pensai au pauvre Sir John Carminowe qui, déjà atteint à son insu par le virus de la petite vérole, était passé là dans l'inconfortable chariot de Joanna Champernoune par cette glaciale nuit d'octobre 1331, pour mourir un mois plus tard, ayant joui durant sept mois à peine de sa position de châtelain de Restormel et de Tremerton. Après avoir traversé Lostwithiel, je pris la route menant à Treesmill, afin d'avoir une meilleure vue des fermes situées du côté de la vallée opposé à celui où passait la ligne de chemin de fer. Strickstenton se trouvait sur la gauche de cette route étroite; d'après le bref aperçu que j'en eus depuis la voiture, ça me parut très ancien et, comme on n'eût pas manqué de dire dans une brochure touristique, « pittoresque ». Le pré qui en dépendait descendait doucement jusqu'à un bois.

Lorsque je fus hors de vue de la maison, je descendis de voiture et regardai la voie ferrée, de l'autre côté de la vallée. Je voyais très distinctement le tunnel et, comme je l'observais, un train en émergea qui, tel un serpent à tête jaune, passa au-dessous de la ferme de Treveryan pour disparaître vers le bas de la vallée. Le train de marchandises qui avait tué Magnus venait de la direction opposée; il avait gravi la côte pour s'engloutir dans le tunnel, pareil à un reptile cherchant refuge dans un terrier, tandis que Magnus — qui ne l'avait ni vu ni entendu — se traînait, mourant, jusqu'à la cabane au-dessus de la voie. Reprenant la voiture, je descendis la route sinueuse en remarquant sur ma gauche le tournant qui, après être passé devant la ferme de Colwyth, me semblait devoir conduire au fond de la vallée et à ce qui subsistait de l'ancienne rivière. A une certaine époque, avant que la voie ferrée ne vienne entailler la terre, il devait exister un chemin menant, à travers la vallée, du Grand Treveryan au Petit Treveryan, son voisin de moindre importance. L'une ou l'autre de ces fermes pouvait être le Tregest des Carminowe.

Je descendis jusqu'à Treesmill puis remontai la colline pour aller à Tywardreath où je savais trouver une cabine téléphonique. Je composai le numéro de Kilmarth sur le cadran, et Vita décrocha.

« Ma chérie, lui dis-je, il me paraît peu courtois d'abandonner ainsi Dench et Willis à Liskeard. J'ai envie d'attendre qu'ils en aient terminé, pour rester dîner avec eux.

— Si tu crois..., fit-elle. Mais ne rentre pas tard. Tu n'as pas besoin d'attendre jusqu'au départ de leur train.

— Non, probablement pas. Tout dépendra de ce dont nous aurons à parler.

— Bon, compris. Je ne m'inquiéterai pas si tu tardes à rentrer. »

Quittant la cabine, je regagnai ma voiture et rebroussai chemin par Treesmill puis la route sinueuse, mais, cette fois, je tournai dans le chemin menant à Colwyth. Comme je l'avais prévu, il passait devant la ferme, précipitait ensuite sa descente et finissait dans une flaque d'eau au bas de la colline. A gauche, une grille étroite était l'entrée du Petit Treveryan. De là, les bâtiments eux-mêmes étaient invisibles, mais un panneau annonçait : « W.P. Kelly, *charpentier*. »

Traversant la flaque d'eau, j'allai dans le champ qui se trouvait au-delà, afin de garer ma voiture hors de la vue du chemin, près d'une rangée d'arbres située à quelques centaines de mètres seulement de la voie ferrée.

Je regardai ma montre. Il était à peine un peu plus de cinq heures. Ouvrant le coffre de la voiture, j'y pris la canne de Magnus dans laquelle, avant de la montrer à Willis, j'avais versé le reste de la drogue que contenait le flacon A.

XIX

IL neigeait. Les légers flocons tombaient sur ma tête, sur mes mains et le monde autour de moi était devenu soudainement blanc. Il n'y avait plus d'herbe luisante et verte, plus de rangée d'arbres et la neige qui tombait sans discontinuer rendait les collines invisibles. Il n'y avait aucun bâtiment de ferme près de moi, rien que la noire rivière qui, à l'endroit où je me trouvais, avait environ trois mètres de large. La neige s'était accumulée sur chaque rive pour s'effondrer ensuite dans la rivière sous l'effet de son poids, en démasquant la terre boueuse. Il faisait horriblement froid; non pas le froid vivifiant des hauteurs, mais le froid humide des vallées où le soleil ne pénètre pas plus que le vent asséchant. Le plus pénible était encore le silence; la rivière coulait près de moi sans bruit et les saules rabougris, les aulnes qui la bordaient rendus grotesquement informes par la neige chargeant leurs branches, faisaient penser à des muets aux bras étendus. Et la neige continuait de tomber inlassablement d'un ciel pareil à un suaire, qui finissait par se fondre et se confondre avec la terre toute blanche.

D'ordinaire extrêmement clair et lucide lorsque j'avais pris la drogue, mon cerveau en restait abasourdi, déconcerté. Je m'étais attendu à quelque chose comme la journée d'automne où Bodrugan avait été noyé et où Roger avait emporté dans ses bras, vers Isolda, son corps ruisselant d'eau. Cette fois, je me trouvais seul, sans guide, avec pour unique repère la rivière coulant à mes pieds.

Je la longeai à contre-courant, avançant à la façon d'un aveugle mais me rendant instinctivement compte que si j'avais la rivière sur ma gauche, je me dirigeais vers le nord. Par conséquent, elle allait devenir plus étroite, ses rives se rapprocheraient, et je trouverais un pont ou un gué qui me permettrait de passer de l'autre côté. Jamais je ne m'étais senti aussi désemparé, perdu. Jusqu'alors, dans cet autre monde, j'avais pu déterminer l'heure à la hauteur du soleil dans le ciel ou, lorsque j'avais traversé de nuit la vallée de Lampetho, d'après les étoiles au-dessus de ma tête. Mais à présent, au sein de ce silence, noyé dans ces flocons qui tombaient sans trêve, je n'avais aucun moyen de me rendre compte si c'était le matin ou l'après-midi. J'étais perdu, non pas dans le présent, où je me trouvais environné de repères familiers et rassuré par la proximité de ma voiture, mais dans le passé.

Le premier bruit qui rompit le silence fut celui d'un éclaboussement d'eau en avant de moi, et je vis une loutre qui, après avoir plongé de la rive, remontait le courant. Un chien plongea à sa poursuite, puis un autre et ils furent bientôt une demi-douzaine à lui donner la chasse en aboyant et jappant. Quelqu'un lança un appel qui fut relayé par une autre voix; à travers la neige, je vis un groupe d'hommes accourir vers la rivière, riant, criant, et encourageant les chiens. Je me rendis compte qu'ils venaient de derrière une rangée d'arbres située un peu plus loin, là où la rivière faisait un coude. Deux d'entre eux descendirent jusque dans l'eau en s'aidant de leurs bâtons, tandis qu'un troisième faisait claquer son long fouet près des oreilles d'un chien demeuré tapi sur la rive, lequel suivit aussitôt l'exemple de ses compagnons.

Je me rapprochai pour les observer et vis ainsi que la rivière se rétrécissait une centaines de mètres plus loin; sur la gauche, près d'un petit bois, la berge se creusait, permettant à la rivière de former là une sorte de lac minuscule à la surface duquel flottait une couche de glace.

Les hommes et les chiens manœuvrèrent de telle sorte qu'ils amenèrent la loutre à s'engager dans le goulet alimentant ce lac miniature; alors, en un rien de temps, ils furent tous sur elle, les chiens donnant de la voix, les hommes lui assenant des coups de bâton. La glace se couvrit de sang et se mit à craquer tandis que les chiens tirant la loutre à pleines gueules, la mettaient en pièces.

Le lac minuscule ne devait pas être bien profond, car les hommes, tout en criant après les chiens n'hésitèrent pas à s'y aventurer en dépit de la glace qui se fendait soudain d'un bord à l'autre. Venait en tête l'homme au fouet, qui tranchait sur ses compagnons non seulement à cause de sa haute taille, mais aussi parce qu'il avait un surcot fourré, boutonné jusqu'au cou, et une coiffure de forme conique en poil de castor.

« Emmenez-les sur la berge, de l'autre côté ! criat-il. J'aimerais mieux vous perdre tous plutôt qu'un seul d'entre eux ! »

Plongeant soudain la main au milieu des chiens glapissants, il leur arracha ce qui restait de la loutre et la jeta sur la berge opposée, couverte de neige. Frustrés de leur proie, les chiens glissèrent et se bousculèrent sur la glace pour aller où elle avait été jetée. Les hommes, moins agiles que les bêtes et empêtrés dans leurs vêtements, trébuchaient et pataugeaient, à grand renfort de cris et de jurons, leurs justaucorps et leurs capuchons rendus tout blancs par la neige qui continuait de tomber.

La scène était aussi brutale que macabre car lorsque l'homme au bonnet conique vit que ses chiens étaient en sécurité, il se mit à rire de ses compagnons d'infortune. S'il était maintenant trempé jusqu'à la taille, du moins avait-il des bottes pour se protéger les pieds alors que certains des autres — ses serviteurs, probablement — avaient perdu leurs chaussures au moment où la glace s'était brisée et ils cherchaient vainement à les retrouver en plongeant leurs mains dans l'eau glacée. Tout en continuant de rire, leur maître regagna la rive et là, ôta un instant son bonnet pour en faire tomber la neige. Bien qu'il fût à cinq ou six mètres de moi, je reconnus ce visage coloré au long menton : c'était Oliver Carminowe.

Il regardait fixement dans ma direction. La raison me disait qu'il ne pouvait me voir et que nous n'étions pas dans le même monde, mais la façon dont il se tenait immobile, tourné vers moi, sans prêter aucune attention au comportement de ses serviteurs, me causait un sentiment de malaise, confinant presque à la peur.

« Si vous voulez me parler, venez ici et faites-le ! » cria-t-il soudain.

Le choc que j'éprouvai en me croyant découvert me fit avancer jusqu'au bord du lac et alors, à mon grand soulagement, je vis que Roger se tenait près de moi. Je n'aurais su dire depuis combien de temps il était là; il avait dû marcher derrière moi sur la rive.

« Salut à vous, Sir Oliver ! cria-t-il en retour. Au-dessus de Treesmill, on a de la neige jusqu'à hauteur d'épaule et de votre côté de la vallée aussi, à ce que m'a dit la veuve de Rob Rosgof tout à l'heure, au bac. Je me demandais comment ça allait pour vous et Lady Isolda...

— Ça va assez bien, répondit l'autre. Nous avons suffisamment de vivres pour soutenir un siège de plusieurs semaines, ce qu'à Dieu ne plaise. D'ici un jour ou deux, le vent peut tourner et nous amener de la pluie. Alors, si la route n'est pas inondée, nous partirons pour Carminowe. Pour ce qui est de ma femme, elle passe le plus clair de son temps à bouder dans sa chambre et ne me tient guère compagnie. »

Il lança cela d'un ton méprisant sans quitter du regard Roger qui s'était approché de la berge.

« Qu'elle me suive ou non à Carminowe, c'est son affaire, continua-t-il. Si elle ne m'obéit pas, mes filles ne font pas comme elle. Joanna est déjà fiancée à John Petyt d'Ardeva. C'est encore une enfant, mais elle s'attife et fait des grâces devant la glace, comme si elle avait déjà quatorze ans et était sur le point de rejoindre son gaillard de mari ! Vous pourrez rapporter ça à Lady Champernoune, sa grand-mère, laquelle souhaite sans doute que pareille chose lui arrive de nouveau avant longtemps ! »

Son rire se fit encore plus bruyant et, montrant du doigt les chiens qui faisaient ripaille, il ajouta :

« Si vous n'avez pas peur de vous risquer sur ce pont pourri pour venir ici, je m'en vais vous récupérer une patte de loutre que vous pourrez porter à Lady Champernoune avec mes compliments. Cela lui rappellera son frère Otto, tout ruisselant d'eau et de sang; elle pourra la clouer sur un mur de Trelawn, en souvenir de lui ! Dans le même but, j'en porterai une autre à ma femme, si les chiens n'ont pas tout dévoré. »

Il nous tourna le dos et se dirigea vers les arbres en appelant ses chiens. Remontant à la suite de Roger le long de la rivière, j'arrivai à une sorte de pont, fait de troncs d'arbres liés ensemble, qui baignait à demi dans l'eau et que la neige tombée rendait glissant. Oliver Carminowe et ses serviteurs observèrent Roger tandis qu'il y posait le pied. Lorsque le pont pourri s'effondra sous son poids et que Roger tomba en se trempant jusqu'en haut des cuisses, ils s'esclaffèrent à l'unisson, s'attendant à le voir faire demi-tour pour regagner la rive. Mais il continua d'avancer bien qu'il eût de l'eau jusqu'à la taille et il atteignit l'autre berge tandis que je le suivais à pied sec. Il alla directement vers l'orée du petit bois où Carminowe se tenait, le fouet à la main.

« Si vous voulez bien me la donner, dit-il, je porterai la patte à Lady Champernoune. »

Je crus qu'il allait recevoir un coup de fouet en plein visage et je pense qu'il s'y attendait aussi. Mais Carminowe, en souriant, abattit la mèche du fouet sur ses chiens, afin de les arracher à leur proie. Quand il y fut parvenu, il trancha, avec le poignard qu'il portait à sa ceinture, deux des pattes restant encore attachées à la dépouille de la loutre.

« Vous avez plus de courage que mon intendant de Carminowe, dit-il. Tenez, voici la patte... Accrochez-la dans votre cuisine de Kylmerth, parmi les pots et les plats d'argent que vous avez sans doute volés au couvent. Mais venez d'abord avec nous là-haut, présenter vos respects à Lady Carminowe. De temps en temps, la compagnie d'un homme lui est peut-être plus agréable que celle de son écureuil apprivoisé. »

Roger prit la patte et, sans rien dire, la mit dans son escarcelle. Nous pénétrâmes dans le bois et louvoyâmes entre les arbres chargés de neige. Nous montions vers le sommet de la colline, mais je n'aurais su dire si nous allions vers la droite ou la gauche, car j'avais perdu tout sens d'orientation. Je savais seulement que la rivière était derrière nous et que la neige continuait de tomber.

Devant une maison de pierre, blottie contre la colline, on avait creusé un chemin dans la neige. Tandis que ses serviteurs s'échelonnaient encore derrière nous, Carminowe ouvrit la porte d'un coup de pied et nous entrâmes dans un hall carré où les chiens de la maison lui firent aussitôt fête, tandis qu'accouraient les deux fillettes, Joanna et Margaret, que j'avais vues pour la dernière fois, par un après-midi d'été, traversant le gué de Treesmill sur leurs poneys. Une troisième, sensiblement plus âgée et qui devait avoir dans les seize ans, se tenait près de la cheminée. Je supposai que ce devait être une des filles que Carminowe avait eues de son premier mariage. Elle n'alla pas l'embrasser mais esquissa une sorte de moue souriante quand elle vit qu'il n'était point seul.

« Ma pupille, Sybell, qui s'efforce d'inculquer à mes filles de meilleures façons que n'en a leur mère », dit Carminowe.

L'intendant s'inclina, puis il se tourna vers les deux fillettes qui, après avoir embrassé leur père, s'approchaient pour lui souhaiter la bienvenue. L'aînée, Joanna, avait grandi et, comme l'avait dit son père, montrait qu'elle prenait conscience de sa féminité en secouant ses longs cheveux et égrenant des petits rires, tandis que l'autre, ayant encore plusieurs années devant elle avant qu'on pût songer à la marier, frappait de sa petite main le genou de Roger en lui disant :

« La dernière fois, tu m'avais promis un nouveau poney et un fouet comme celui de ton frère Robbie ! Je ne veux plus te voir si tu n'as pas de parole !

— Le poney vous attend avec le fouet, répondit gravement Roger, dès que la neige aura fondu et qu'Alice pourra vous emmener de l'autre côté de la vallée.

— Alice nous a quittées, répondit l'enfant. Maintenant, c'est elle qui s'occupe de nous, ajouta-t-elle avec un geste dédaigneux en direction de Sybell, et c'est une bien trop grande dame pour monter en croupe derrière toi ou Robbie. »

Je fus frappé de la façon dont elle ressemblait à sa mère en parlant ainsi, et Roger dut en avoir conscience aussi, car il sourit en lui effleurant les cheveux de la main; mais son père, irrité, lui dit qu'elle ferait bien de tenir sa langue si elle ne voulait pas aller se coucher sans dîner.

« Tenez, séchez-vous devant le feu, proposa-t-il brusquement en écartant les chiens. Et toi, Joanna, va prévenir ta mère que l'intendant a traversé la vallée depuis Tywardreath pour lui apporter un message de sa maîtresse, si elle daigne le recevoir. »

Sortant l'autre patte de son surcot, il l'agita devant le nez de Sybell :

« Est-ce que je la donne à Isolda, ou la veux-tu pour te tenir chaud ? demanda-t-il, taquin. Elle va être vite sèche, et toute douce, toute fourrée; si tu la mets sous ta cotte, tu croiras que c'est une main d'homme par une nuit froide ! »

Elle affecta d'avoir peur et recula en poussant des cris puis détala tandis qu'il lui donnait la chasse en riant. Quand je vis le regard de Roger, je compris que lui aussi devinait quels liens existaient entre ce tuteur et sa pupille. Des jours ou des semaines pouvaient s'écouler avant la fonte des neiges, et il n'y avait pas grand-chose pour l'instant qui pût inciter le maître de céans à regagner Carminowe.

« Ma mère t'attend, Roger », dit Joanna en reparaissant et, à sa suite, nous gagnâmes une pièce qui était de l'autre côté du couloir.

Debout près de la fenêtre, Isolda regardait tomber la neige, tandis qu'un petit écureuil roux, une clochette au cou, assis à ses pieds griffait sa robe. A notre entrée, elle tourna la tête vers nous et, bien qu'elle parût toujours aussi belle à mes yeux amoureux, je fus saisi de la découvrir très amaigrie, plus pâle, avec une mèche blanche dans ses cheveux d'or.

« Je suis heureuse de vous voir, Roger, dit-elle. Nos gens n'ont guère eu l'occasion de se rencontrer depuis quelque temps et, comme vous le savez, nous sommes désormais rarement à Tregest. Comment va ma cousine ? Vous m'apportez un message d'elle ? »

Sa voix que je me rappelais sonnant clair et haut, avec presque une sorte de défi, était maintenant sourde, dénuée d'intonations. Comprenant que Roger souhaitait l'entretenir en privé, elle dit à Joanna de les laisser seuls.

« Je ne suis porteur d'aucun message, milady, déclara alors Roger. La famille est à Trelawn... ou du moins elle y était la dernière fois que j'en ai eu des nouvelles. C'est par considération pour vous que je suis venu, car la veuve de Rob Rosgof m'a dit que vous vous trouviez ici et n'étiez pas très bien...

— Je suis aussi bien que je pourrai jamais l'être, répondit Isolda. Et que ce soit ici ou à Carminowe, les jours s'écoulent sensiblement de la même façon.

— C'est mal de parler ainsi, milady. Autrefois, vous aviez plus d'énergie, plus de...

— Autrefois, oui, fit-elle en hochant la tête. Mais j'étais plus jeune alors... J'allais et venais à ma guise, car Sir Oliver était beaucoup plus souvent à Westminster. Peut-être par dépit de n'avoir pas, ainsi qu'il l'espérait, succédé à Sir John comme garde des forêts et des parcs du roi en Cornouailles, il préfère maintenant avoir ses maîtresses à domicile. Celle du moment est tout juste sortie de l'enfance. Vous avez vu Sybell.

— Oui, milady.

— C'est exact qu'elle est sa pupille. Si je mourais, cela ferait bien leur affaire à tous deux, car il pourrait alors l'épouser et l'installer à Carminowe le plus légalement du monde. »

Elle se baissa pour prendre l'écureuil apprivoisé dans ses bras et, souriant pour la première fois depuis que nous étions entrés dans cette petite pièce guère plus meublée qu'une cellule de religieuse, elle dit :

« Voici celui qui est désormais mon confident. Il prend des noisettes dans ma main et les mange en gardant ses petits yeux tournés vers moi. »

Puis, redevenant grave, elle ajouta :

« Que ce soit ici ou à Carminowe, je vis comme une recluse, Roger. On m'empêche même d'écrire à mon frère Sir William Ferrers, à qui sa femme a raconté que j'avais perdu l'esprit et que j'étais donc dangereuse. Ils le croient tous. Malade, oui, je l'ai été, et j'ai eu aussi beaucoup de chagrin. Mais, jusqu'à présent, cela ne m'a pas fait perdre la raison. »

Roger retourna sans bruit vers la porte, l'ouvrit et prêta l'oreille. On riait encore dans le hall; la patte de loutre devait continuer à divertir. Il referma la porte.

« Que Sir William y ait cru ou non, je ne saurais le dire, milady, mais il est certain qu'on vous dit folle depuis des mois. C'est pour cela que je suis venu vous voir, pour me prouver à moi-même que c'était un mensonge. »

Tandis que, serrant l'écureuil contre sa poitrine, Isolda regardait Roger en se demandant si elle pouvait se fier à lui, elle avait le même air que sa fille, la petite Margaret.

« Je ne vous aimais pas autrefois, dit-elle. Vous étiez trop toujours aux aguets de ce qui pouvait être à votre avantage et, parce qu'il vous convenait mieux de servir une femme qu'un homme, vous avez laissé mourir mon cousin, Sir Henry Champernoune.

— Milady, il était mortellement malade. De toute façon, il n'avait plus que quelques semaines à vivre.

— Peut-être, mais à la façon dont il est mort, j'ai compris que l'on avait précipité la chose. Cela m'a appris à me méfier des potions préparées par un moine français. Sir Oliver devra recourir à un autre moyen pour se débarrasser de moi, il lui faudra m'étrangler ou me poignarder. Il ne voudra sûrement pas attendre que je meure de ma belle mort. »

Ayant déposé l'écureuil par terre, elle retourna près de la fenêtre regarder la neige qui tombait toujours.

« Mais avant cela, je crois que je m'en irai dehors

mourir de froid. Par le temps qu'il fait, ça ne demandera pas longtemps. Qu'en dites-vous, Roger ? Em-
portez-moi dans un sac sur votre dos et jetez-moi
quelque part au bord de la falaise, je vous en aurai
grande reconnaissance. »

Elle disait cela en s'efforçant de plaisanter mais, la
rejoignant près de la fenêtre, Roger regarda le ciel et
émit un léger sifflotement.

« Ça pourrait se faire, milady, si vous en aviez le
courage.

— J'en aurai le courage si vous en avez le moyen »,
rétorqua-t-elle.

Ils se regardèrent fixement tandis qu'une idée prenait racine en eux.

« Si je m'enfuyais d'ici et allais chez mon frère, à
Bere, dit vivement Isolda, Sir Oliver n'oserait pas m'y
poursuivre, car tout le monde verrait alors qu'il a
menti et que je ne suis pas folle. Mais, avec cette
neige, les routes sont impraticables. Je n'atteindrais
même pas le Devon.

— Dans l'immédiat, non, dit Roger. Mais les routes
ne seront pas toujours enneigées.

— Où me cacheriez-vous en attendant ? Il n'a que
la vallée à traverser pour fouiller le domaine de
Champernoune...

— Eh bien, qu'il aille le fouiller. Il le trouvera vide
et désert, car Lady Champernoune est à Trelawn.
Mais si vous voulez bien vous fier à moi, il est d'autres cachettes.

— Par exemple ?

— Ma propre maison, Kylmerth. Robbie l'habite,
avec ma sœur Bess. Ce n'est qu'une ferme, et très ordinaire, mais elle est à votre disposition jusqu'à ce
que le temps s'améliore. »

Isolda fut un moment sans parler. A l'expression de
son regard, je me rendais compte qu'elle se méfiait
encore un peu de Roger.

« C'est une question de choix, dit-elle enfin. Rester prisonnière ici, à la merci de mon mari qui brûle de se débarrasser d'une femme qui le gêne et est comme un vivant reproche devant lui, ou bien m'en remettre à votre hospitalité, dont vous pourrez me priver quand cela vous fera plaisir.

— Ça ne me fera jamais plaisir. Vous vous en irez de chez moi quand vous le voudrez, mais jamais je ne vous demanderai de partir. »

Elle regarda de nouveau la neige qui tombait et le ciel qui devenait plus noir; non seulement le mauvais temps allait encore s'intensifier, mais le soir approchait, avec tous les risques et les dangers que peut receler une nuit d'hiver.

« Je suis prête », dit-elle.

Ouvrant un coffre qui était contre le mur, elle en tira une mante à capuchon, une cotte de laine, et des chaussures de cuir qui n'avaient jamais dû lui servir au-dehors, sinon quand elle montait en amazone.

« Ma fille Joanna, qui est maintenant plus grande que moi, est sortie par cette fenêtre la semaine dernière, parce que Margaret avait parié qu'elle n'y arriverait pas, qu'elle était trop grosse. Je suis encore plus mince qu'elle à présent. Alors, qu'en dites-vous ? Est-ce que je vous parais toujours manquer de courage et d'énergie ?

— Vous n'en avez jamais manqué, milady; mais vous aviez besoin que quelque chose vous pousse à en user. Vous connaissez le bois qui se trouve au bas de la pâture ?

— Certes ! J'y allais souvent à cheval quand j'étais libre de circuler à ma guise.

— Alors, quand je serai parti, barricadez votre porte, sortez par la fenêtre et dirigez-vous vers ce bois. Je m'arrangerai pour que tout le monde soit à l'intérieur afin que vous ayez le champ libre, et je dirai à Sir Oliver que vous m'avez renvoyé parce que vous désiriez rester seule.

— Et les enfants ? Joanna continuera de copier Sybell, comme elle n'a déjà que trop tendance à le faire, mais Margaret... »

Elle s'interrompit, sentant défaillir son courage :

« Si je perds Margaret, il ne me restera plus rien !

— Plus rien que votre volonté de vivre. Mais si vous la gardez au cœur, vous conserverez tout, y compris vos enfants.

— Alors, allez-vous-en vite, avant que je me ravise ! »

Dès que nous eûmes quitté la pièce, je l'entendis verrouiller la porte. Regardant Roger, je me demandai s'il savait bien ce qu'il faisait en la poussant à risquer sa vie et son avenir dans une entreprise qui me semblait vouée à l'échec. La maison était devenue silencieuse. Dans le hall, nous ne trouvâmes plus que les deux fillettes et les chiens. Joanna pirouettait devant le miroir; elle avait natté ses longs cheveux en y entremêlant un ruban qui, peu de temps auparavant, ornait la chevelure de Sybell. Margaret, elle, était assise à califourchon sur un banc, tenant à la main le long fouet de son père dont elle avait aussi coiffé le bonnet conique. Elle regarda sévèrement Roger :

« Vois ! Je suis obligée de prendre un banc en guise de cheval et d'emprunter mon équipement. Je ne te rappellerai pas de nouveau tes manquements !

— Ce ne sera pas nécessaire, lui assura-t-il. Je connais mon devoir. Où est votre père ?

— En haut, répondit la fillette. Il s'est coupé le doigt en détachant la patte de loutre et Sybell lui fait un pansement.

— Et il ne te saurait aucun gré de le déranger, intervint Joanna. Il aime faire une petite sieste avant dîner. Sybell lui chante quelque chose, ce qui le fait s'endormir plus vite et se réveiller plein d'appétit. Du moins à ce qu'il dit.

— Je n'en doute pas, répondit Roger. Je vous

charge donc de remercier Sir Oliver et de lui dire bonsoir pour moi. Votre mère, fatiguée, ne désire voir personne. Peut-être voudrez-vous bien le dire à votre père ?

— Oui, si j'y pense, répondit Joanna.

— Moi, je le lui dirai, déclara Margaret, et j'irai aussi le réveiller s'il n'est pas descendu à six heures. Hier soir, nous avons dîné à sept heures et je ne peux pas veiller tard. »

Roger leur souhaita une bonne nuit à toutes deux, puis il sortit en refermant doucement la porte derrière lui. Il contourna la maison et prêta l'oreille. Des bruits divers provenaient des cuisines, mais portes et fenêtres étaient bien closes, les volets fermés. Les chiens jappaient dans des dépendances, derrière la maison. Dans une demi-heure au plus, il ferait complètement nuit; déjà, au bas du pré, le bois devenait indistinct, enveloppé dans un linceul de neige, et les collines d'en face se découpaient, froides et nues, sous le ciel gris. Les traces que nous avions laissées en montant vers la maison étaient maintenant presque recouvertes par la neige tombée entre-temps. Mais, près d'elles, il y avait de nouvelles empreintes de pas; très proches les unes des autres, elles faisaient penser à celles d'une enfant qui, pour se mettre à l'abri, court comme les danseuses, sur la pointe des pieds. Roger les recouvrit en marchant à grands pas et déplaçant la neige, tandis qu'il descendait rapidement la colline en direction du petit bois. A présent, si quelqu'un s'aventurait dehors avant que la nuit fût complètement tombée, il ne verrait plus que les traces laissées par Roger et qui, à leur tour, seraient certainement recouvertes au bout d'une heure.

Elle nous attendait à l'orée du bois. Elle avait emporté son écureuil et s'était bien enveloppée dans sa mante dont le capuchon était attaché sous son menton. Mais sa longue robe, qu'elle avait essayé de relever sous la ceinture de la mante, avait glissé de nouveau et pendait autour de ses chevilles comme un volant trempé. Elle souriait, du même sourire qu'aurait eu sa fille Margaret si elle était ainsi partie en escapade pour aller chercher le poney promis.

« J'ai mis mon bonnet et ma chemise de nuit à mon traversin, que j'ai fourré sous les couvertures. S'ils forcent la porte, cela leur fera peut-être illusion pendant quelques instants.

— Donnez-moi la main, dit Roger. Ne vous souciez pas de votre robe, laissez-la traîner. Quand nous arriverons à la maison, Bess aura sûrement des vêtements de rechange à vous donner. »

Elle rit en donnant la main à l'intendant et j'eus l'impression qu'elle me la donnait aussi. C'était comme si nous l'entraînions entre nous, à travers la neige; comme si nous n'étions plus, lui, l'intendant d'une autre femme et moi, un fantôme venu d'un autre monde, mais deux hommes ayant un même but et animés par un même amour que ni l'un ni l'autre, en son temps ou le mien, nous n'aurions osé exprimer.

Quand nous atteignîmes la rivière et le pont pourri à demi effondré dans l'eau, Roger dit à Isolda :

« Vous allez devoir encore vous fier à moi, et me laisser vous porter dans mes bras comme je porterais votre fille.

— Mais si vous me lâchez, rétorqua-t-elle, je ne vous donnerai pas des taloches comme ne manquerait pas de le faire Margaret ! »

Il rit et la transporta sans encombre sur l'autre rive, en se trempant de nouveau jusqu'à la ceinture. Nous franchîmes la rangée d'arbres couverts de neige dans un silence qui n'était plus menaçant comme lorsque j'étais passé là tout seul, mais semblait tout chargé de magie et d'une étrange excitation.

« Dans la vallée, du côté de Treveryan, la neige risque d'être plus épaisse et si Ric Treveryan nous apercevait, il serait peut-être incapable de tenir sa langue. Vous sentez-vous suffisamment de souffle pour grimper à flanc de colline jusqu'au chemin qui est là, plus haut ? Robbie m'y attend avec les poneys. Vous aurez ainsi le choix de monter derrière lui ou derrière moi. Des deux, c'est moi le plus prudent.

— Alors je choisis Robbie. Ce soir, je dis adieu à toute prudence et pour toujours ! »

Nous tournâmes à gauche et entreprîmes d'escalader la colline en laissant la rivière derrière nous. Mes compagnons avaient de la neige jusqu'aux genoux, ce qui rendait la progression lente et laborieuse.

« Attendez, dit Roger, en lâchant la main d'Isolda, je vais tâcher de vous frayer un peu le passage jusqu'au chemin. »

Il se mit à grimper en écartant la neige de chaque côté avec ses mains, si bien que je me trouvai ainsi seul avec elle et pus contempler durant un bref instant le petit visage, pâle et résolu, qui m'apparaissait dans l'encadrement du capuchon.

« Ça va ! cria Roger. Par ici, la neige est plus ferme. Je redescends vous chercher. »

Je levai la tête tandis que, glissant à demi, il revenait vers nous et j'eus soudain l'impression de voir deux hommes au lieu d'un, qui tous deux tendaient la main à Isolda pour l'aider à grimper. Ce devait être Robbie qui, ayant entendu la voix de son frère, descendait du chemin où les chevaux attendaient.

Quelque instinct m'avertit de ne pas bouger, de ne pas la suivre, de la laisser aller toute seule vers ces mains tendues. Elle s'éloigna de moi et un grand manteau de neige l'escamota soudain à ma vue ainsi que Roger et la troisième silhouette. Je demeurai, tout tremblant, contre les fils de fer qui me séparaient de la voie ferrée; ce n'était pas la neige qui me bouchait la vue, mais les wagons du train de marchandises surgissant du tunnel.

XX

TOUT être vivant possède l'instinct de la conservation, lequel se rattache peut-être à cette partie du
cerveau que Magnus disait avoir été formée par tout
ce que nous avons hérité de nos ancêtres. En ce qui
me concerne, il ne fait aucun doute que cet instinct
m'a signalé un danger; sans cela, je serais mort
comme Magnus et pour la même raison. Je me rappelle avoir dévalé à l'aveuglette le remblai du chemin de fer, pour gagner le passage souterrain où
j'avais vu les vaches chercher refuge, tandis que le
train progressait dans la vallée en faisant retentir
au-dessus de ma tête le tonnerre de ses wagons. Ensuite, je franchis une haie et me trouvai dans un
champ situé derrière Petit Treveryan, la maison du
charpentier. De là, je passai dans le champ voisin
où j'avais laissé ma voiture.

Je n'éprouvais ni nausée ni vertige; l'instinctif désir
de « me réveiller » me les avait épargnés, de même
qu'il m'avait sauvé la vie. Mais je me sentais encore
tout tremblant et je demeurai un long moment appuyé au volant, me demandant si, dans le cas où Magnus et moi aurions entrepris ensemble le « voyage »
ce vendredi soir, il en aurait résulté ce que les journalistes se plaisent à appeler « une double tragédie ».

Ou bien aurions-nous survécu tous les deux ? A présent je n'en saurais jamais rien, car l'occasion de partir à deux dans cet autre temps ne se présenterait plus. En tout cas, il y avait une chose que je serais seul à savoir et c'était pourquoi Magnus était mort. Il avait voulu aider Isolda. Si quelque instinct l'avait averti de n'en rien faire, il n'en avait tenu aucun compte, manifestant plus de courage que moi-même.

Il était sept heures et demie quand je remis la voiture en marche. En franchissant la flaque d'eau, je me rendis compte que je n'avais aucune idée du trajet parcouru durant mon incursion dans l'autre monde, ni de la ferme ou de l'endroit qui était Tregest. Mais cela n'avait plus d'importance, puisque Isolda s'en était enfuie et, durant cette nuit de l'hiver 1332 ou 1333, était partie pour Kilmarth. Je pourrais savoir si elle l'avait atteint ou non. Pas maintenant ni demain, mais un jour... Dans l'immédiat, je devais ménager mes forces et ma lucidité d'esprit pour l'enquête, prendre bien garde aux effets postopératoires. Il ne fallait pas que je me présente devant le coroner avec des yeux injectés de sang et en transpirant sans raison, d'autant que le docteur Powell serait là pour m'observer.

Je n'avais aucune envie de manger. Quand je rentrai à la maison vers huit heures et demie, après avoir stationné un long moment en haut de la colline pour laisser passer le temps, je criai à Vita que nous avions dîné de bonne heure à Liskeard et que je montais me coucher, car j'étais mort de fatigue. Les garçons et elle étaient en train de manger dans la cuisine. Je gagnai directement le premier étage où je rangeai la canne de Magnus dans la penderie. Je savais très bien maintenant quelle impression ça faisait de mener ce qu'on appelle « une double vie ». La canne, les flacons enfermés dans ma valise, étaient pour moi comme des clefs me permettant de me rendre chez une autre femme; et ce qui était encore plus tentant, plus troublant, c'était de savoir que cette femme, en cet instant, pouvait être sous le même toit que moi mais dans un autre temps.

Une fois couché, les mains nouées sous ma nuque, je me demandai comment Robbie et sa sœur, Bess l'échevelée, avaient accueilli leur visiteuse inattendue. Avant tout des vêtements chauds pour qu'Isolda se change... ensuite on avait mangé devant l'âtre enfumé, les jeunes se taisaient en présence de la châtelaine tandis que Roger jouait les hôtes; puis elle avait gravi l'échelle pour aller se coucher sur une des paillasses, d'où elle entendait le bétail remuer dans l'étable. Peut-être, succombant à l'épuisement, s'était-elle endormie rapidement ? Mais beaucoup plus probablement le sommeil avait été long à venir, à cause du changement et aussi parce qu'elle devait penser à ses filles, se demander quand il lui serait donné de les revoir.

Fermant les yeux, j'essayai de me représenter cette soupente obscure et froide. Elle devait se situer approximativement à l'endroit où il y avait une petite chambre, au-dessus du sous-sol, qu'occupait autrefois la bonne de Mrs. Lane et qui servait maintenant de débarras. Comme elle était proche de Roger dormant en dessous, dans la cuisine ! Toute proche et cependant inaccessible, maintenant comme alors.

« Chéri... »

Vita se penchait au-dessus de moi, mais l'imagination tout comme la confusion de mon esprit concouraient à la rendre autre qu'elle n'était et, quand je l'attirai près de moi, ce ne fut pas la vivante, ma femme, que j'étreignis, mais l'autre, l'impalpable, dont je savais qu'elle ne pourrait jamais répondre réellement à mon amour. Lorsque je rouvris les yeux — j'avais dû m'assoupir un instant — Vita était assise devant la coiffeuse, occupée à s'enduire le visage de crème.

« Eh bien, dit-elle en me souriant dans le miroir. Si c'est ta façon de fêter l'héritage que tu viens de faire, je la trouve extrêmement plaisante. »

La serviette nouée en turban autour de sa tête et son masque de crème lui donnaient l'air d'un clown. Brusquement, je fus révolté par ce monde de marionnettes, où je me trouvais à mon corps défendant. J'eus envie de vomir et, sortant du lit, je dis :

« Je vais dormir à côté. »

Elle me regarda, au milieu de la crème, ses yeux étaient pareils à des trous.

« Qu'est-ce qu'il y a ? Qu'est-ce que j'ai fait ?

— Tu n'as rien fait. C'est simplement que je veux dormir seul. »

Je traversai la salle de bain pour gagner l'autre pièce. Vita me suivit, sa nuisette voletant autour de ses genoux et formant un ensemble grotesque avec le turban. Pour la première fois, l'idée me frappa que le vernis de ses ongles faisait ses mains semblables à des griffes.

« Je ne crois pas que tu sois resté avec ces hommes. Tu les as laissés à Liskeard et tu es allé boire dans quelque bistrot ! C'est ça, hein ?

— Non, dis-je.

— En tout cas, il s'est passé quelque chose. Tu es allé ailleurs, tu ne me dis pas la vérité. Tout ce que tu racontes, tout ce que tu fais, n'est qu'un mensonge. Tu as menti au notaire et à ce Willis à propos du laboratoire, tu as menti à la police en ce qui concerne la façon dont le professeur est mort. Au nom du Ciel, qu'est-ce que tout cela cache ? Aviez-vous conclu tous deux quelque pacte touchant sa mort et savais-tu qu'il allait mourir ? »

Je posai mes mains sur ses épaules et entrepris de lui faire quitter la pièce.

« Je n'ai pas bu. Nous n'avions pas conclu un pacte de suicide, ni quoi que ce soit. Magnus est mort accidentellement, happé par un train de marchandises qui s'engouffrait dans le tunnel. Voici une heure, j'étais près de la voie et il a failli m'arriver la même chose. Voilà quelle est la vérité. Si tu ne veux pas le croire, c'est regrettable, mais je n'y puis rien. »

Elle se cogna contre la porte de la salle de bain et quand elle se retourna pour me regarder, je vis sur son visage une expression nouvelle, où il n'y avait aucune colère mais une sorte de stupeur mêlée de dégoût.

« Tu es retourné à l'endroit où il a été tué ? Tu es délibérément resté planté là-bas, à attendre le passage d'un train qui aurait pu te tuer, toi aussi ?

— Oui.

— Eh bien, laisse-moi te dire que je trouve ça malsain, morbide, insensé ! Et ce que je trouve le pire de tout, c'est que, après une telle expérience, tu sois revenu ici faire l'amour avec moi. Je ne l'oublierai ni ne te le pardonnerai jamais ! Tu as bien raison de rester coucher là. Moi aussi, je préfère ça ! »

Elle claqua la porte de la salle de bain et je sentis que, cette fois, il ne s'agissait pas d'un geste dramatique, mais d'une réaction jaillie du plus profond d'elle-même. Je comprenais cette réaction et j'appréciais que Vita l'ait eue. J'éprouvais même pour ma femme une sorte d'étrange pitié, mais il n'y avait rien que je pusse dire ni faire.

Le lendemain matin, nous nous retrouvâmes non point comme mari et femme après une dissension conjugale, mais comme deux personnes étrangères l'une à l'autre que les circonstances contraignaient à partager le même toit, manger ensemble, aller et venir en faisant des projets pour la journée ou échangeant des plaisanteries avec les enfants, enfants que son corps n'avait pas engendrés avec le mien, ce qui accentuait encore la division entre nous. Je sentais qu'elle était profondément malheureuse, je le sentais à la façon dont elle soupirait ou traînait les pieds, à chaque inflexion de sa voix. Et, aussi sensibles que des animaux au changement atmosphérique d'humeur, les garçons nous observaient à la dérobée.

« Est-ce vrai, me demanda Teddy avec circonspection comme nous nous trouvions tous les deux seuls, que le professeur nous a légué la maison ?

— Oui, répondis-je. Un geste totalement inattendu, mais très gentil.

— Cela veut dire que nous viendrons toujours ici pour les vacances ?

— Je n'en sais rien, ça dépendra de Vita », répondis-je.

Il se mit à tripoter des objets sur les meubles, les prenant et les reposant, donnant des tapes sur le dossier des fauteuils.

« Je ne crois pas que M'man se plaise ici, finit-il par dire.

— Et toi ? demandai-je.

— Oh ! moi, oui... » fit-il avec un haussement d'épaules.

La veille, à cause de la partie de pêche et de la jovialité de Tom, il débordait d'enthousiasme. Aujourd'hui, parce que quelque chose n'allait pas entre les grandes personnes, je le sentais apathique et en proie à un sentiment d'insécurité. C'était ma faute, évidemment. Quoi qu'il arrivât dans cette maison, ce serait moi le responsable, mais je ne pouvais l'avouer à Teddy, ni lui en demander pardon.

« Ne te tracasse pas, dis-je. Ça finira par s'arranger tout seul et vous passerez probablement les vacances de Noël à New York.

— Oh ! chouette alors ! » s'exclama-t-il et, se précipitant sur la terrasse, il cria à Micky qui était dehors : « Dick dit qu'on passera peut-être les prochaines vacances à la maison ! »

Son jeune frère lança un hourra qui en disait long

sur ce qu'ils pensaient tous deux de la Cornouailles, l'Angleterre, l'Europe et, sans doute aussi, de leur beau-père.

Le week-end se passa tant bien que mal. Le temps s'était gâté de nouveau, ce qui rendait la situation encore plus difficile. Pendant que les garçons jouaient au sous-sol à une sorte de balle au mur avec des raquettes et que Vita écrivait une lettre de dix pages à Bill et Diana en Irlande, je passai en revue tous les livres de Magnus, depuis les romans maritimes datant du Commander Lane jusqu'aux livres qu'il avait personnellement élus, caressant chacun d'eux avec une fierté de propriétaire. Le troisième tome de *L'Histoire paroissiale du comte de Cornouailles* (L à N, sans aucune trace des autres tomes) était coincé derrière *Les Voiliers à travers les siècles*. Je l'extirpai du rayon et parcourus du regard l'index des paroisses. Lanlivery y figurait et, dans le chapitre qui lui était consacré, Restormel Castle occupait la place d'honneur. Mais le pauvre Sir John aurait été bien déçu : il n'était fait aucune mention de son nom bien qu'il eût été châtelain de Restormel pendant sept mois. J'allais remettre le volume en place, avec l'idée de le lire en détail une autre fois, quand une ligne en haut d'une page capta mon attention.

Le manoir de Steckstenton ou Strickstenton, autrefois Tregesteynton, appartenait aux Carminowe de Boconnoc, qui le cédèrent aux Courtenay, des mains desquels il passa ensuite à la famille Pitt. Le domaine de Strickstenton est actuellement la propriété de N. Kendall, Esq.

Tregesteynton... Les Carminowe de Boconnoc. J'avais enfin le renseignement, mais trop tard. Si j'avais su cela dix jours plus tôt, j'en aurais fait part à Magnus, lequel aurait alors probablement traversé la vallée plus bas, à Treesmill, et ne serait pas mort. Quant au manoir de l'époque, il devait certainement se dresser à un emplacement situé au-dessous de la ferme actuelle; sans quoi, lorsque j'avais « voyagé » par là dans la soirée du jeudi précédent, les actuels propriétaires auraient pu m'apercevoir.

Strickstenton... Tregesteynton. Une chose était sûre, en tout cas : si le coroner me questionnait, je pourrais maintenant mentionner ce nom.

L'enquête devait avoir lieu le vendredi matin, plus tôt que prévu. Dench et Willis arriveraient de nouveau par un train de nuit, pour repartir dès que ça serait terminé.

En me rasant, le matin de l'enquête, je me félicitai de n'avoir ressenti aucun des effets postopératoires dus à la drogue, de n'avoir pas eu de sueurs, ni les yeux injectés de sang. En dépit de la brouille survenue entre Vita et moi, ces derniers jours s'étaient relativement bien passés... Soudain, sans raison, le rasoir m'échappa et tomba dans le lavabo. Je voulus le reprendre, mais mes doigts ne m'obéirent pas; ils étaient comme engourdis en proie à une sorte de crampe. Ils ne me faisaient pas mal, mais ils ne fonctionnaient pas. Je me dis que ce devait être nerveux et dû à l'appréhension que m'inspirait l'enquête imminente. Mais plus tard, pendant le petit déjeuner, comme je prenais ma tasse de café sans penser à rien, elle m'échappa, aspergeant tout de son contenu.

Nous prenions le petit déjeuner dans la salle à manger et Vita était assise en face de moi.

« Oh ! désolé..., dis-je. Quel fichu maladroit je fais ! »

Elle regarda ma main, qui s'était mise à trembler et dont je ressentais le tremblement tout le long de l'avant-bras, jusqu'au coude. N'arrivant pas à la maîtriser, j'enfonçai ma main dans la poche de mon veston et la serrai contre moi; le tremblement cessa.

« Qu'est-ce qui ne va pas ? me demanda Vita. Tu as ta main qui tremble.

— C'est une crampe. Je devais être couché dessus pendant la nuit.

— Alors, frictionne-la et remue tes doigts pour rétablir la circulation. »

Elle se mit à éponger le plateau et emplit de nouveau ma tasse de café. Je le bus en me servant de ma main gauche, mais j'avais l'appétit coupé, me demandant comment j'allais faire pour conduire la voiture, avec une main qui tremblait ou dont je ne pouvais me servir. J'avais dit à Vita que je préférais assister seul à l'enquête, car il n'y avait aucune raison qu'elle m'accompagne. Mais quand approcha le moment de partir, ma main ne m'était toujours d'aucun secours, bien que le tremblement eût cessé.

« Je crois que je vais être obligé de te demander de me conduire à Saint-Austell, dis-je à Vita, car j'ai encore cette satanée crampe dans ma main droite. »

Sans la chaude sympathie qu'elle n'eût pas manqué de me témoigner une semaine auparavant, elle me répondit :

« D'accord, mais c'est plutôt bizarre cette crampe soudaine, non ? Tu n'en avais encore jamais eu, n'est-ce pas ? Tu feras bien de garder ta main dans ta poche, sinon le coroner va croire que tu as trop bu. »

Cette remarque n'était pas pour me mettre à l'aise et me voir réduit à la condition de passager tandis que Vita tenait le volant, blessait mon amour-propre. Je ne me sentais plus à la hauteur et commençais à perdre le fil des réponses que j'avais si soigneusement préparées à l'intention du coroner.

Quand nous arrivâmes au *Lièvre blanc* où Dench se trouvait en compagnie de Willis, Vita éprouva, sans aucune nécessité, le besoin d'expliquer sa présence :

« Dick est blessé. J'ai dû lui servir de chauffeur. »

Après quoi, il fallut expliquer toute l'affaire. Mais

l'heure approchait et je me dirigeai avec les autres vers le bâtiment où l'enquête allait avoir lieu. Je me sentais maintenant un homme marqué; le coroner me semblait être un procureur général et le jury m'apparaissait composé d'individus résolus à déclarer coupable le prévenu.

Un représentant de la police vint tout d'abord relater la découverte du corps. Il le fit très naturellement et sans détour, mais, en l'écoutant, je me disais que cela devait sonner bizarrement aux oreilles des autres, leur donner l'impression que Magnus avait momentanément perdu la raison et voulu se suicider. Le docteur Powell fut ensuite appelé à témoigner. Il lut sa déposition d'une voix claire et pondérée, qui me rappela celle d'un jeune officiant que nous avions à Stonyhurst.

« Il s'agissait du corps d'un homme de quarante-cinq ans environ et bien conservé. Quand je l'ai examiné pour la première fois, le samedi 3 août vers treize heures, il était mort depuis quatorze heures environ. L'autopsie pratiquée le lendemain révéla la présence de meurtrissures et d'excoriations superficielles aux genoux et sur la poitrine, haut du bras droit et épaule beaucoup plus profondément meurtris, déchirure sur le côté droit du cuir chevelu. Intérieurement, j'ai constaté un enfoncement et une fracture du pariétal droit, accompagnés d'une lésion cervicale et d'un saignement de l'artère méningée moyenne. L'estomac renfermait un demi-litre environ d'aliments et de liquides, qui, à l'analyse, ne se révéla contenir ni alcool ni rien d'anormal. Les échantillons de sang soumis à l'analyse ne présentaient rien non plus d'anormal. Le cœur, les poumons, le foie, et les reins étaient normaux et sains. Selon moi, la mort a été provoquée par une hémorragie cérébrale consécutive à une fracture du crâne. »

Soulagé d'un grand poids, je me détendis en me demandant si John Willis faisait de même ou s'il n'avait jamais eu aucune raison de s'inquiéter.

Le coroner demanda alors au docteur Powell si la lésion cervicale s'accordait avec l'hypothèse selon laquelle le défunt serait entré en contact violent avec un train de marchandises passant devant lui.

« Oui, tout à fait, répondit le médecin. La mort n'a d'ailleurs pas été instantanée. La victime a encore eu la force de se traîner jusqu'à la cabane, sur une distance de plusieurs mètres. Le coup reçu sur la tête était de nature à provoquer une violente commotion cérébrale, mais la mort a été causée par l'hémorragie et s'est produite de cinq à dix minutes plus tard.

— Merci, docteur Powell », dit le coroner que j'entendis alors appeler mon nom.

Je me levai en me demandant si le fait d'avoir la main droite enfoncée dans la poche me donnait un air trop désinvolte ou si personne n'y prêtait attention.

« Monsieur Young, dit le coroner, j'ai ici votre déposition et je m'en vais la lire au jury. Si vous désiriez y apporter quelque rectification vous n'auriez qu'à m'interrompre. »

Lue par lui, cette déposition donnait l'impression que j'étais un homme dénué de cœur, beaucoup plus contrarié par le fait de m'être passé de dîner qu'inquiet sur le sort de mon invité. Les jurés allaient me prendre pour un de ces types qui passent le plus clair de leur temps à ne rien faire et à boire du whisky.

« Monsieur Young, dit le coroner lorsqu'il eut terminé, pourquoi n'avez-vous pas alerté la police dès le vendredi soir ?

— Parce que ça ne me paraissait pas nécessaire. Je demeurais convaincu que le professeur Lane allait finir par arriver.

— Vous n'avez pas été surpris qu'il soit descendu du train à Par et parti faire une promenade, au lieu de vous rejoindre à Saint-Austell comme convenu ?

— J'ai été surpris, oui, mais c'était bien dans son caractère d'agir ainsi. S'il avait quelque idée en tête qu'il désirait vérifier, il n'était pas homme à se soucier du temps que cela lui demanderait ou de manquer à notre rendez-vous.

— A votre avis, quelle idée pouvait-il avoir en tête ce soir-là pour être ainsi descendu à Par ?

— Eh bien, il s'intéressait depuis quelque temps à l'histoire de la région et plus particulièrement aux manoirs. Nous avions projeté d'en visiter quelques-uns durant le week-end. Quand j'ai constaté qu'il n'arrivait pas, j'ai pensé qu'il avait décidé d'aller à pied jusqu'à quelque site dont il ne m'avait pas encore parlé. Mais depuis que j'ai fait cette déposition à la police, je crois avoir localisé l'endroit où il se rendait. »

J'avais pensé que cela susciterait un remous d'intérêt parmi les jurés, mais ils demeurèrent impassibles.

« Voulez-vous nous en parler, je vous prie ?

— Mais oui, naturellement, acquiesçai-je tandis que je recouvrais mon assurance et bénissais à part moi *L'Histoire paroissiale*. Je pense qu'il devait chercher à déterminer l'emplacement du manoir de Strickstenton, qui s'élevait autrefois sur le territoire de la paroisse de Lanlivery. Ce manoir appartint un temps à une famille du nom de Courtenay (à cause de Vita, j'avais pris garde de ne pas mentionner les Carminowe) qui était également propriétaire de Treveryan. A vol d'oiseau, le plus court chemin entre ces deux endroits serait de traverser la vallée au-dessus de l'actuelle ferme de Treveryan, puis de marcher à travers bois jusqu'à Strickstenton. »

Le coroner se fit apporter une carte d'état-major, qu'il étudia attentivement.

« Je vois ce que vous voulez dire, monsieur Young. Toutefois il existe un passage sous la voie ferrée que le professeur Lane aurait dû normalement préférer emprunter ?

— Oui, mais il n'avait pas de carte et ignorait peut-être l'existence de ce passage.

— Il a donc voulu traverser la voie ferrée, en dépit de l'obscurité et du fait qu'un train de marchandises remontait la vallée ?

— Je ne pense pas qu'il se soit soucié de l'obscurité. Quant au train, de toute évidence, il ne l'a pas entendu, son attention étant obnubilée par la fièvre de la recherche.

— Cette fièvre de la recherche, comme vous dites, pouvait-elle l'accaparer au point qu'il ait enjambé le fil de fer et descendu le remblai alors que le train arrivait ?

— Je ne pense pas qu'il ait descendu le remblai. Il a dû glisser et tomber. N'oubliez pas qu'il neigeait. »

Je vis le coroner me regarder fixement et les jurés aussi.

« Je vous demande pardon, monsieur Young... Avez-vous bien dit qu'il neigeait ? »

Il me fallut un instant pour me ressaisir et je sentis la sueur mouiller mon front.

« Excusez-moi... Je suivais ma pensée. Le professeur Lane s'intéressait tout particulièrement aux conditions climatiques qu'avait connues le Moyen Age. Selon lui, les hivers étaient beaucoup plus rudes à cette époque que maintenant. Avant qu'on ait creusé la voie ferrée à flanc de colline, le terrain descendait de façon continue jusqu'au fond de la vallée de Treesmill, où devaient se former des congères qui rendaient pratiquement impossible toute communication entre Treveryan et Strickstenton. Je pense que le professeur Lane étudiait cela d'un point de vue beaucoup plus scientifique qu'historique et considérant la pente du terrain, réfléchissant aux conséquences que pouvaient alors avoir les abondantes chutes de neige, il ne devait pratiquement plus avoir conscience de la réalité. »

Ils continuèrent à me considérer d'un air incrédule et je vis un des jurés donner un coup de coude à son voisin pour lui signifier que si je n'étais pas complètement piqué, alors c'était le professeur qui devait l'être.

« Merci, monsieur Young, ce sera tout », me dit le coroner.

Je retournai m'asseoir trempé de sueur et sentant un tremblement me parcourir l'avant-bras du coude au poignet.

Le coroner appela ensuite John Willis, lequel vint dire que son défunt collègue était en parfaite santé et d'excellente humeur lorsqu'il l'avait vu avant son départ. Il déclara que le professeur Lane s'occupait de recherches d'une extrême importance pour le pays et dont il ne pouvait révéler la nature, mais que ce travail n'avait évidemment aucun rapport avec la visite qu'il effectuait en Cornouailles, celle-ci étant destinée à lui procurer le plaisir de revoir des amis en même temps que l'occasion de se détendre en se livrant à ces recherches, d'ordre plus ou moins historique, qui l'amusaient beaucoup.

« J'ajouterai, dit-il, que je suis entièrement d'accord avec Mr. Young quant à la façon dont le professeur Lane a dû trouver la mort. Je ne suis ni archéologue ni historien, mais il est exact que le professeur Lane avait certaines théories touchant l'importance des chutes de neige au cours des siècles passés... »

Et durant trois ou quatre minutes, il s'embarqua dans un jargon tellement incompréhensible pour moi comme pour quiconque dans l'assistance, que Magnus lui-même n'eût pas fait mieux si la fantaisie lui était venue, à l'issue d'un bon dîner, de se livrer à une charge des articles publiés par d'obscures revues scientifiques.

« Merci, monsieur Willis, murmura le coroner

quand ce fut terminé. Nous vous sommes tous extrêmement reconnaissants de nous avoir rapporté ces
très intéressantes précisions. »

Comme il ne restait plus aucun témoin à entendre,
le coroner fit le résumé des débats en déclarant que
les circonstances étaient certes inhabituelles, mais
qu'il ne voyait aucune raison à supposer que le professeur s'était délibérément engagé sur la voie en entendant approcher le train. Le verdict de mort acci-
dentelle s'accompagna d'une recommandation à
l'adresse des Chemins de fer britanniques (région de
l'Ouest) qui feraient bien de veiller à ce que l'on étu-
diât avec plus d'attention la signalisation des points
dangereux le long des voies ferrées.

C'était fini. Pendant que nous quittions la salle, Herbert Dench se tourna vers moi en souriant et me dit :

« Tout s'est passé pour le mieux. Je propose que
nous fêtions ça au *Lièvre blanc*. Je craignais, je ne
vous le cache pas, un tout autre verdict et je pense
que nous n'y aurions pas coupé, sans votre témoignage et celui de Willis touchant l'extraordinaire
préoccupation qu'avait le professeur Lane des conditions météorologiques. Je me rappelle avoir entendu
parler d'une affaire similaire qui s'était produite dans
l'Himalaya... »

Tandis que nous nous dirigions vers l'auberge, il
nous raconta l'histoire d'un savant ayant vécu durant
trois semaines à très haute altitude et dans les conditions les plus pénibles pour étudier les effets de l'atmosphère sur une certaine bactérie. Je ne vis pas le
rapport pouvant exister entre les deux affaires, mais
me réjouis de la détente que nous apportait ainsi le
notaire. En arrivant à destination, je gagnai directement le bar où je me soûlai posément, avec le maximum de discrétion. Personne ne s'en rendit compte et
le plus beau fut que mon tremblement cessa immédiatement. Mais peut-être, après tout, était-ce dû aux nerfs.

« Il ne faut pas que nous vous empêchions plus longtemps de jouir de votre ravissante maison, dit le notaire au terme d'un déjeuner rapide mais extrêmement détendu. Willis et moi pouvons aller à pied jusqu'à la gare. »

Tout en regagnant la rue, je dis à Willis :

« Je ne vous remercierai jamais assez pour votre déposition. Magnus l'aurait qualifiée de « remarquable performance ».

— Elle a atteint son but, encore que vous m'ayez quelque peu désemparé, car je ne m'attendais pas du tout à ce que vous parliez de neige. Cela confirme bien ce que le professeur disait toujours : « Le pro« fane croira n'importe quoi, si on le lui affirme avec « suffisamment d'autorité. »

Ses paupières battirent derrière les verres des lunettes et il ajouta doucement :

« Si j'ai bien compris, vous avez procédé à un grand nettoyage par le vide en ce qui concerne les bocaux et les flacons ? Il ne reste plus rien pouvant être dangereux pour vous ou qui que ce soit ?

— Tout est enterré, lui assurai-je.

— Parfait. C'est assez d'un drame. »

Il hésita, comme sur le point d'ajouter quelque chose, mais le notaire et Vita s'étant arrêtés pour nous attendre, il s'en abstint. Des poignées de main furent échangées et nous nous séparâmes. Tandis que nous nous dirigions vers la voiture, Vita me déclara :

« J'ai remarqué que le tremblement de ta main a cessé dès que tu as été au bar. Mais je préfère quand même conduire.

— A ta guise », lui dis-je et, dès que je fus assis, je me préparai au sommeil en tirant mon chapeau sur les yeux. Mais ma conscience me tourmentait. J'avais menti à Willis. Les flacons A et B étaient vides, oui, mais il en allait différemment du flacon C qui, intact, était enfermé dans ma valise.

XXI

La bonne humeur qui avait régné au *Lièvre blanc* persista au cours des heures qui suivirent, et, l'alcool aidant, je me sentis résolu à être maître chez moi. L'enquête du coroner était terminée et, en dépit de ma gaffe à propos de la neige — ou peut-être à cause d'elle —, Magnus n'était plus soupçonné d'avoir voulu mettre fin à sa vie. La police était satisfaite, la curiosité locale allait s'apaiser, et je n'avais plus rien à craindre sinon quelque interférence de ma femme. Je décidai donc de prendre les devants, profitant que les garçons étaient sortis faire du cheval. M'étant mis en quête de Vita, je la trouvai sur le palier, un mètre pliant à la main.

« Tu sais, me dit-elle, ce notaire avait tout à fait raison. Tu pourrais aménager une demi-douzaine de petits appartements dans cette maison, et même plus avec le sous-sol. Si nous le lui demandions, Joe nous avancerait certainement l'argent nécessaire. »

Elle replia le mètre et s'enquit en souriant :

« As-tu une meilleure idée ? Le professeur ne t'a pas laissé de quoi entretenir cette maison et tu n'as pas de situation, à moins que tu acceptes de traverser l'océan et que Joe t'en donne une. Alors, si tu faisais preuve d'un peu de sens pratique pour une fois ? »

Je lui tournai le dos et, redescendant l'escalier, j'allai dans la salle de musique, où elle me suivit ainsi que je l'avais prévu. Me plantant alors devant la cheminée, comme il est d'usage, depuis un temps immémorial, que le fasse le maître de maison dans les moments solennels, je lui dis :

« Entendons-nous bien : cette maison m'appartient et ce que j'en ferai ne regarde que moi. Je ne veux donc aucun conseil à cet égard, ni de toi, ni du notaire, ni d'amis, ni de qui que ce soit. Mon intention est de l'habiter et si ça ne te convient pas d'y vivre avec moi, tu t'arrangeras comme tu voudras. »

Vita alluma une cigarette et exhala une grande bouffée de fumée. Elle était devenue très pâle.

« C'est l'ultimatum ? demanda-t-elle.

— Appelle ça comme tu voudras, un fait demeure : Magnus m'a légué cette maison et je me propose d'y vivre, avec toi et les garçons si cela vous chante. Je pense m'exprimer clairement ?

— Tu n'envisages donc plus d'accepter ce poste de directeur que Joe te proposait à New York ?

— Je n'avais jamais rien envisagé de semblable. C'est toi qui l'avais fait pour moi.

— Et de quoi penses-tu que nous allons vivre ?

— Je n'en ai pas la moindre idée ni le moindre souci pour l'instant. Comme j'ai travaillé pendant plus de vingt ans chez un éditeur, je connais un peu la musique et peut-être vais-je me mettre à écrire. Je pourrais commencer par l'histoire de cette maison.

— Seigneur ! »

Elle éclata de rire et éteignit dans le plus proche cendrier la cigarette qu'elle venait à peine d'allumer.

« Cela aurait au moins l'avantage de t'occuper. Mais qu'est-ce que je ferais pendant ce temps ? J'assisterais aux réunions de l'ouvroir local ?

— Tu pourrais faire ce que font d'autres femmes mariées : t'adapter.

— Chéri, quand j'ai accepté de t'épouser et de vivre en Angleterre, tu avais une bonne situation à Londres. Tu y as renoncé sans raison aucune; maintenant, tu veux t'installer dans cet endroit perdu, où ni toi ni moi ne connaissons âme qui vive et où nous sommes à des centaines de kilomètres de tous nos amis. Ça ne tient pas debout. »

Nous nous trouvions dans une impasse, et il me déplaisait de l'entendre m'appeler « chéri » alors que nous nous disputions. De toute façon, j'avais dit ce que j'avais à dire et en discuter n'avancerait à rien. Je brûlais de monter examiner le flacon C. Si j'avais bonne souvenance, il différait quelque peu des flacons A et B. Peut-être aurais-je dû le donner à Willis pour qu'il en essaie le contenu sur les singes du laboratoire. Mais, si je l'avais mis dans la confidence, il ne me l'aurait jamais retourné.

« Pourquoi, avec ton mètre pliant, n'étudierais-tu pas quelques transformations, dont tu enverrais ensuite le détail à Bill et Diana, pour avoir leur avis ? »

Je ne désirais nullement me montrer sarcastique. Dans les limites du raisonnable, je ne voyais aucun inconvénient à ce que Vita dispose selon son goût le mobilier de Magnus. Elle adorait « opérer des transformations » et il y avait là de quoi la rendre heureuse pendant des heures.

Ma tentative d'apaisement n'eut pas l'effet que j'escomptais. Ses yeux s'emplirent de larmes et elle me dit :

« Tu sais bien que j'accepterais de vivre n'importe où si j'étais seulement sûre que tu m'aimes encore ! »

La colère ne m'effraie pas et je suis toujours prêt à rendre coup pour coup. Mais je ne puis endurer de voir quelqu'un pleurer, être malheureux. Je lui ouvris mes bras et elle vint aussitôt se blottir contre moi, telle une enfant qui a du chagrin.

« Tu as tellement changé depuis quelques semaines, me dit-elle. Je ne te reconnais plus.

— Je n'ai pas changé. Je t'aime. Bien sûr que je t'aime ! »

La vérité est souvent ce dont on a le plus de peine à se convaincre ou convaincre les autres. J'aimais Vita pour tous les moments vécus en commun depuis des mois et des années, pour tous ces hauts et ces bas qui rendent la vie conjugale parfois exaspérante et monotone, mais en font quelque chose d'unique et d'incomparablement précieux. J'avais appris à m'accommoder de ses défauts et elle des miens. Nous nous disputions souvent sans penser un mot des mauvaises paroles que nous nous jetions à la figure et, habitués l'un à l'autre, nous ne nous disions que rarement toutes les choses gentilles que nous pensions l'un de l'autre. Tout le mal venait de ce que je ne pouvais partager avec elle ni qui que ce soit les secrets du monde nouveau auquel j'avais accédé. Avec Magnus, oui, je l'aurais pu... mais Magnus était un homme et il était mort. Vita n'était pas une Médée avec qui aller cueillir les herbes magiques.

— Ma chérie, dis-je, essaie de comprendre et de me supporter... Je me trouve en pleine transition, incapable pour l'instant de prendre la moindre décision touchant l'avenir. C'est comme si j'étais coincé sur une plage par la marée montante, attendant de faire le plongeon... Je ne peux pas t'expliquer !

— Je suis prête à faire n'importe quel plongeon si tu m'emmènes avec toi.

— Je sais... je sais... »

Elle essuya ses yeux, se moucha; son visage momentanément changé par les larmes la rendait étrangement touchante et je ne savais que faire.

« Quelle heure est-il ? s'enquit-elle. Il faut que j'aille chercher les garçons.

— Nous allons y aller ensemble, dis-je aussitôt, heureux d'avoir une excuse pour prolonger cette entente, pour me justifier non seulement à ses yeux mais aussi aux miens. La gaieté revint; l'atmosphère, qui avait été si chargée de ressentiment et d'amertume, s'allégea et nous fûmes de nouveau presque comme avant. Cette nuit-là, je mis fin à l'exil auquel je m'étais moi-même condamné; je ne le fis pas sans regret, mais cela me parut plus politique. Et puis je trouvais le divan plutôt dur. »

Le temps était au beau et le week-end se passa à nager, faire de la voile ou des pique-niques avec les garçons. Tout en reprenant mon rôle de mari, beau-père et maître de maison, je me préparais en secret pour la semaine suivante. Il me fallait absolument une journée où je sois tout seul. Ce fut Vita qui, le plus innocemment du monde, me fournit le prétexte dont j'avais besoin.

« Savais-tu que Mrs. Collins avait une fille à Bude ? me demanda-t-elle le lundi matin. Je lui ai dit que nous l'emmènerions là-bas en voiture un jour de cette semaine. Nous la laisserons chez sa fille et la reprendrons le soir en rentrant. Qu'est-ce que tu en penses ? Ça nous sourit beaucoup, aux garçons et à moi.

— Nous sommes au beau milieu des vacances, dis-je à dessein, il va y avoir plein d'autos sur les routes et plein de touristes à Bude...

— Oh ! c'est sans importance, déclara Vita. Nous partirons de bonne heure et d'ici Bude, il n'y a même pas cent kilomètres. »

Je pris l'air d'un chef de famille harassé, avec tout un arriéré de travail qu'on ne lui donne pas le temps de mettre à jour :

« Si ça ne vous fait rien, allez-y sans moi. Bude par une journée d'août ne m'attire vraiment pas.

— O.K... O.K... On s'amusera mieux sans toi ! »

L'excursion fut fixée au mercredi. Comme il n'y avait ce jour-là aucune livraison de nos fournisseurs habituels, cela me convenait parfaitement. S'ils partaient vers dix heures et demie pour reprendre

Mrs. Collins chez sa fille aux environs de cinq heures, ils seraient de retour à sept heures au plus tard.

. Le matin du mercredi, il faisait un temps radieux et je vis partir tout mon petit monde dans la Buick en pensant que j'avais au moins huit heures devant moi pour entreprendre un nouveau « voyage » et me remettre ensuite de ses effets.

Je montai chercher le flacon C dans ma valise. Il me parut bien contenir la même mixture, mais il y avait un petit dépôt brunâtre au fond, comme dans les flacons de sirop pour la toux que l'on a mis de côté à la fin de l'hiver et oubliés jusqu'au retour du froid. Otant le bouchon, j'approchai le goulot de mes narines. Ça n'avait pas plus de couleur ou d'odeur que de l'eau qui serait restée enfermée dans une bouteille... peut-être même moins. J'en versai une dose dans le gobelet de la canne, puis je décidai de la garder en réserve et revissai soigneusement le pommeau. Après quoi, je mesurai une autre dose dans le verre gradué qui était demeuré sur une des étagères de l'ancienne buanderie.

Cela me faisait une étrange impression de me retrouver dans le sous-sol, en sachant que la maison était vide de ses actuels occupants, mais que les gens de mon autre monde m'y attendaient peut-être dans l'ombre.

Quand j'eus avalé le contenu du verre, je m'assis dans l'ancienne cuisine, avec un état d'esprit comparable à celui d'un spectateur qui regagne son fauteuil d'orchestre peu avant que le rideau du théâtre se lève sur un troisième acte très attendu.

En l'occurrence, les acteurs avaient dû se mettre en grève ou bien quelque chose n'allait pas du côté du régisseur, car le rideau de mon petit théâtre privé ne se leva pas. Je restai assis pendant une heure dans le sous-sol sans que rien se produisît. Je sortis alors dans le patio avec l'idée que l'air du dehors faciliterait la transition, mais le temps demeura obstinément fixé à ce mercredi matin de la mi-août; pour l'effet que ça me faisait, j'aurais pu aussi bien boire l'eau du robinet.

A midi, je retournai dans le laboratoire et me versai quelques gouttes supplémentaires dans le verre gradué. J'avais déjà agi de la sorte une précédente fois sans que cela ait eu de fâcheuses conséquences.

Je retournai dans le patio, mais j'y restai jusqu'à une heure de l'après-midi et il ne se produisit toujours rien. Je me résignai à monter déjeuner. Peut-être, avec le temps, le contenu de la bouteille C avait-il perdu de sa force ou bien Magnus avait-il oublié d'y ajouter quelque ingrédient, faute duquel la mixture demeurait sans effet. Si c'était le cas, j'avais effectué mon dernier voyage sous la neige et le rideau était retombé définitivement quand je m'étais retrouvé près du tunnel.

Je demeurai comme assommé par cette conclusion. J'avais perdu non seulement Magnus mais l'accès à l'autre monde. Il était là, tout autour de moi, mais hors d'atteinte. Les gens de cet autre monde continueraient sans moi leur voyage dans le temps et je poursuivrais, moi, Dieu sait quelle monotone existence au jour le jour. Le lien entre les siècles avait été rompu.

Je redescendis au sous-sol et sortis de nouveau dans le patio, avec l'idée que peut-être le fait de marcher sur les dalles, de toucher les murs datant de leur temps, ferait surgir Roger à la porte de la chaufferie ou que Robbie m'apparaîtrait venant de l'écurie avec son poney. Je savais qu'ils devaient être là sans que je pusse les voir. Et Isolda aussi attendant la fonte des neiges. Ils habitaient la maison; c'était moi, le fantôme.

Ce besoin que j'avais de les voir, de les entendre, de me retrouver parmi eux, était si vif qu'il en devenait intolérable; c'était comme si mon cerveau était devenu la proie d'un feu dévorant. Je ne tenais plus en place et ne pouvais me résigner à entreprendre un travail quelconque dans la maison ou le jardin; c'était une journée perdue et les heures qui promettaient d'être magiques s'étaient passées à ne rien faire.

Je sortis la voiture et me rendis à Tywardreath où, dans l'état d'esprit qui était le mien, je ressentis comme une moquerie la vue de la solide église paroissiale. Elle n'avait pas le droit d'être là dans sa forme actuelle. J'aurais voulu pouvoir la balayer d'un geste afin de n'en conserver que l'aile sud et la chapelle du couvent, revoir les murs de ce dernier autour du cimetière. Je roulai jusqu'à l'accotement qui se trouvait en haut de la colline, au-delà du tournant menant à Treesmill, et j'y garai ma voiture en pensant que, si je m'en allais à travers champs vers le Gratten, le souvenir de ce que j'avais vu là, une fois, comblerait peut-être le vide qui était en moi.

Debout près de la voiture, je voulus prendre une cigarette, mais je n'avais pas fini de la porter à mes lèvres qu'une secousse me parcourut de la tête aux pieds, comme si j'avais marché sur un câble électrique. Il n'y eut pas de sereine transition entre le présent et le passé, mais une sensation douloureuse s'accompagnant d'éclairs devant les yeux et d'un bruit de tonnerre dans les oreilles. « Je vais mourir ! » pensai-je. Puis les éclairs diminuèrent d'intensité, le tonnerre s'éloigna, et je vis, au sommet de la colline où je me trouvais, une foule de gens qui se poussaient et se bousculaient en direction d'un bâtiment situé de l'autre côté de la route. J'en vis encore arriver de Tywardreath, des hommes, des femmes, des enfants, les uns marchant, les autres courant. Le bâtiment qui les attirait comme un aimant était de forme irrégulière, avec des fenêtres à vitraux sertis de plomb et il était flanqué de ce qui semblait être une petite chapelle. J'avais déjà eu l'occasion de voir le village, lors de la Saint-Martin, mais je me trouvais alors sur le pré communal. Cette fois-ci, plus d'échoppes, de musiciens ambulants ni de bêtes égorgées. L'air était vif et les fossés étaient comblés par de la neige gelée, devenue grise à force d'être là depuis des semaines. Sur la route, des flaques s'étaient transformées en de petits cratères de glace et le gel avait noirci les terres labourées. Hommes, femmes et enfants étaient tous pareillement emmitouflés et encapuchonnés, faisant penser à une nuée d'oiseaux; je sentais qu'ils n'avaient aucune envie de rire ni de plaisanter, mais il émanait d'eux cette sorte d'avidité qui caractérise une foule se rendant à quelque spectacle de la rue susceptible de mal tourner. En me rapprochant du bâtiment, je vis qu'un chariot couvert était garé près de l'entrée de la chapelle et des valets tenaient les chevaux par la bride. Je reconnus le blason des Champernoune dans le même temps que j'aperçus Roger, les bras croisés, debout sous le porche de la chapelle.

La porte du bâtiment principal était fermée, mais elle s'ouvrit pendant que j'étais là et livra passage à deux hommes, mieux vêtus que ceux se trouvant sur la route. Je les reconnus tous les deux pour les avoir vus la nuit où Otto Bodrugan leur avait demandé de se joindre à sa rébellion contre le roi; c'étaient Julian Polpey et Henry Trefrengy. Se frayant un chemin à travers la foule, ils s'arrêtèrent non loin de moi.

« Dieu me garde d'encourir l'animosité d'une telle femme, dit Polpey. Roger l'a servie pendant plus de dix ans et le voici maintenant privé de sa charge sans aucune raison, pour être remplacé par Phil Hornwynk...

— Quand il atteindra sa majorité, le jeune William réintégrera certainement Roger dans ses fonctions, répondit Trefrengy, car il a l'équité et le sens de la justice qui caractérisaient son père. Mais depuis un an, je sentais venir ce changement. La vérité, c'est qu'elle manque non seulement de mari, mais aussi d'homme, et que Roger ne veut plus coucher avec elle.

— Il a mieux maintenant. »

C'était Geoffrey Lampetho qui venait de parler, en rejoignant ses amis.

« Le bruit court qu'il a une femme chez lui. Tu devrais le savoir, Trefrengy, toi qui es son voisin ?

— Je ne sais rien, répondit Trefrengy d'un ton bref. Roger s'occupe de ses affaires et moi des miennes. Mais, par un temps pareil, quel chrétien n'offrirait l'abri de son toit à qui voyage ? »

Lampetho éclata de rire, en lui donnant un coup de coude :

« Bien répondu, mais tu ne nies pas la chose, remarqua-t-il. Pourquoi milady Champernoune serait-elle venue spécialement de Trelawn, en dépit de l'état des routes, si ce n'était pour débusquer cette femme ? Je suis entré avant toi payer mes redevances et tandis que Hornwynk les percevait, je l'ai vue assise dans l'autre salle de la grange-aux-tailles. Elle avait beau être maquillée comme une fille perdue, ses mauvaises intentions transparaissaient sur son visage et elle ne se contentera pas de démettre Roger de ses fonctions. Entre-temps, elle va offrir un peu de distraction à la populace. Tu restes pour voir la rigolade ? »

Julian Polpey secoua la tête avec dégoût :

« Ah ! non, par exemple ! Pourquoi nous impose-t-on à Tywardreath une coutume venue d'ailleurs et qui nous ravale au rang des barbares ? Lady Champernoune doit avoir le cerveau bien malade pour avoir imaginé une chose pareille. Moi, je rentre à la maison ! »

Tournant les talons, il disparut dans la foule, maintenant si dense qu'elle couvrait non seulement le haut de la colline où se trouvait le bâtiment et la chapelle, mais descendait encore jusqu'à mi-chemin de Treesmill. Tous les visages reflétaient ce même air d'attente, où une nuance de ressentiment se mêlait à l'avidité. Les montrant à son compagnon, Geoffrey Lampetho dit, en s'esclaffant de nouveau :

« Elle a peut-être le cerveau malade, mais cela soulage sa conscience d'avoir une autre veuve en guise de bouc émissaire et nous adoucit un peu notre Quadragésime. La foule n'aime rien tant qu'assister à une pénitence publique. »

Comme les autres, il tourna la tête vers la vallée tandis que Henry Trefrengy jouait des coudes pour rejoindre Roger à l'entrée de la chapelle, suivi de près par moi.

« Je suis désolé de ce qui t'arrive, dit-il. Ni gratitude ni récompense. Tu as perdu dix années de ta vie pour rien.

— Non, je ne les ai pas perdues, rétorqua Roger. En juin, William sera majeur et se mariera. A ce moment, sa mère perdra toute influence et le moine aussi. Tu sais que l'évêque d'Exeter a fini par l'expulser et qu'il va regagner l'abbaye d'Angers, où il devrait être depuis un an déjà ?

— Dieu soit loué ! s'exclama Trefrengy. Il a pourri le monastère et la paroisse aussi. Regarde-moi tous ceux-là ! »

Par-dessus la tête de Trefrengy, Roger considéra la foule en attente.

« Comme intendant, j'ai peut-être été dur, dit-il, mais qu'on s'amuse à tourmenter la veuve de Rob Rosgof me révoltait. J'étais contre, ce qui a été une raison de plus pour me renvoyer. C'est le moine qui est responsable de tout cela; il n'a jamais cherché qu'à satisfaire la vanité et la concupiscence de milady. »

La petite silhouette maigre de Jean de Méral apparut dans l'encadrement de la porte de la chapelle et sa main se posa sur l'épaule de Roger.

« Naguère, tu n'étais pas si bégueule, dit-il. As-tu oublié ces soirées dans les caves du couvent, ou dans la tienne aussi bien ? En ces occasions-là, je t'ai appris tout autre chose que la philosophie, mon ami !

— Otez votre main, lui lança Roger avec brusquerie. J'ai rompu avec vous et vos frères lorsque vous avez laissé le jeune Henry Bodrugan mourir au couvent, alors que vous auriez pu le sauver. »

Le moine sourit :

« Et maintenant, pour témoigner ta sympathie aux morts, tu abrites sous ton toit une épouse adultère ? riposta-t-il. Nous sommes tous des hypocrites, mon ami. Je t'avertis que milady connaît l'identité de la voyageuse, et c'est en partie pour cela qu'elle est venue à Tywardreath. Quand elle en aura terminé avec cette affaire de la veuve de Rosgof, elle fera certaines propositions à Lady Isolda.

— Plaise à Dieu que, dans les années à venir, cette affaire soit rayée des annales du manoir pour que la honte en retombe à jamais sur votre tête, dit Trefrengy.

— Vous oubliez, rétorqua le moine, que je suis un oiseau de passage. Dans quelques jours, j'aurai pris mon essor vers la France. »

Il se fit soudain des remous dans la foule et un homme apparut à la porte du bâtiment voisin, que Lampetho avait appelé la grange-aux-tailles. Vigoureux, le visage coloré, il avait un document à la main et près de lui, enveloppée de la tête aux pieds dans une mante, se tenait Joanna Champernoune.

L'homme que je devinai être le nouvel intendant Hornwynk, fit un pas vers la foule tout en déroulant la feuille qu'il avait à la main.

« Bonnes gens de Tywardreath, clama-t-il, que vous soyez hommes libres, fermiers ou serfs, ceux d'entre vous qui paient une redevance au manoir s'en sont acquittés aujourd'hui à la grange-aux-tailles. Etant donné que ce manoir de Tywardreath appartenait autrefois à Lady Isolda Cardinham de Cardinham, qui le vendit au grand-père de notre défunt seigneur, il a été décidé d'introduire ici une coutume qui, depuis la Conquête, a cours au manoir de Cardinham. »

Il marqua un arrêt, pour donner à ses auditeurs le temps de bien assimiler ce qu'il venait de dire.

« Selon cette coutume, toute veuve d'un fermier domanial qui tient des terres de son défunt époux et s'est écartée des voies de la chasteté, doit forraire ces terres ou bien faire pénitence, en vue de les recouvrer, devant le châtelain et l'intendant du manoir. Aujourd'hui, devant Lady Joanna Champernoune, représentant le châtelain William, mineur — et moi-même, Philip Hornwynk, intendant, Mary, veuve de Robert Rosgof, doit faire cette pénitence si elle désire que ses terres lui soient rendues. »

Un murmure s'éleva de la foule, où l'excitation se mêlait à la curiosité, et l'on entendit des clameurs provenant du chemin qui menait à Treesmill.

« Elle ne viendra pas, dit Trefrengy. Mary Rosgof a un fils qui aimerait mieux renoncer dix fois à ses terres que de voir sa mère en une telle honte.

— Tu te trompes, déclara le moine. Il sait que la honte de sa mère sera tout profit pour lui dans six mois, quand elle accouchera d'un bâtard. Il pourra alors les chasser tous deux, en gardant les terres pour lui-même.

— Alors vous vous serez employé à le convaincre qu'il avait intérêt à agir ainsi ! » lui lança Roger.

Les clameurs et les cris ne cessaient de croître. Les gens se pressèrent en avant et je vis ainsi un cortège qui gravissait la colline. Il montait de Treesmill et venait vers-nous au petit trot. En tête, couraient deux garçons qui brandissaient des fouets; derrière eux, cinq hommes escortaient ce que, à première vue, je pris pour un minuscule poney monté par une femme.

Ils se rapprochaient de nous et les rires de la foule se changèrent en huées quand la femme, s'affaissant sur sa monture, fût tombée si l'un des hommes qui l'escortaient ne l'avait promptement retenue d'une main tout en brandissant de l'autre une fourche. La femme n'était pas montée sur un poney, mais sur un mouton noir dont les cornes étaient enrubannées de crêpe. Afin de le conduire, les deux garçons qui venaient en tête du cortège lui avaient mis un licou et, de plus, l'animal était terrifié de voir toute cette foule. Alors, il se baissait brusquement ou se secouait pour tenter de se libérer de sa charge. La femme était vêtue de noir, pour s'assortir à cette monture; un voile noir dissimulait son visage et elle avait les mains liées devant elle par une courroie de cuir; je voyais ses doigts crocher dans l'épaisse toison sombre du mouton et s'y agripper.

Trébuchant, louvoyant, ce cortège atteignit la grange-aux-tailles et, en tirant sur son licou, on parvint à immobiliser le mouton devant Hornwynk et Joanna. Alors l'homme à la fourche dévoila la femme. Elle ne devait pas avoir plus de trente-cinq ans et son regard était aussi terrifié que celui du mouton qui la portait. On lui avait coupé à grands coups de ciseaux ses cheveux bruns qui se dressaient maintenant comme des chaumes. Les huées firent place au silence quand la femme, toute tremblante, courba la tête devant Joanna.

« Mary Rosgof, reconnais-tu ta faute ? clama Hornwynk.

— Je la reconnais, en toute humilité, répondit-elle d'une voix étouffée.

— Parle plus fort, afin que tout le monde entende, et dis-nous comment tu as péché. »

De pâle qu'il était, le visage de la malheureuse s'empourpra tandis qu'elle relevait la tête et regardait Joanna :

« Mon mari n'était pas mort depuis six mois que j'ai couché avec un autre homme, et je me trouve ainsi forfaire les terres que je gérais pour mon fils. J'implore l'indulgence de milady et, confessant mon incontinence, supplie qu'on me rende mes terres. Si je donne naissance à un bâtard, mon fils prendra possession de ces terres et agira envers moi comme il le voudra. »

Joanna fit signe au nouvel intendant de s'approcher d'elle et lui chuchota quelque chose à l'oreille. Alors se tournant de nouveau vers la pénitente, Hornwynk lui dit :

« Notre gracieuse dame ne peut te pardonner ta faute, dont la nature fait horreur, mais puisque tu l'as avouée devant toute la paroisse, elle aura la grande clémence de te rendre les terres que tu lui loues. »

La femme courba la tête et eut un murmure de gratitude puis, les yeux noyés de larmes, demanda si elle avait encore quelque chose à faire pour sa pénitence.

« Certes ! dit l'intendant. Descends du mouton qui t'a portée avec ta honte, gagne cette chapelle à genoux et confesse ton péché devant l'autel. Frère Jean recueillera ta confession. »

Les deux hommes qui tenaient le mouton, en firent brutalement descendre la femme et la jetèrent à genoux par terre. Tandis qu'elle se traînait ainsi vers la chapelle, empêtrée dans ses jupes, la foule exhala une sorte de gémissement, comme douloureusement frappée par une si totale humiliation. Le moine attendit que la femme fût à ses pieds pour faire demi-tour et gagner l'intérieur de la chapelle où elle le suivit. Sur un signe d'Hornwynk, les hommes de l'escorte libérèrent le mouton qui, fou de terreur, fonça dans la foule. Les gens s'écartèrent en riant de façon hystérique, puis le pourchassèrent sur la route de Treesmill en lui lançant des boules de neige, des bâtons, tout ce qui leur tombait sous la main. Le soudain relâchement de la tension poussait chacun à rire, plaisanter, courir, jouir au maximum de cette diversion qui lui était offerte entre l'hiver et le carême commençant. En un rien de temps, toute la foule se dispersa et il ne resta plus devant la grange-aux-tailles que Joanna elle-même, Hornwynk l'intendant, ainsi que Roger et Trefrengy se tenant un peu à l'écart.

« Et voilà ! fit Joanna. Dites à mes gens que je suis prête à partir. Plus rien ne me retient à Tywardreath, si ce n'est une certaine affaire dont je m'occuperai sur le chemin du retour. »

L'intendant s'en fut préparer le départ, les valets ouvrirent la portière du chariot. Joanna se retourna vers Roger.

« Si vous n'êtes pas satisfait, tous ces gens, eux, ont été ravis et cela va les inciter à payer désormais leurs redevances avec plus d'empressement. Si elle inspire la crainte, cette coutume n'est pas sans mérite et il se pourrait qu'elle soit étendue à d'autres manoirs.

— A Dieu ne plaise ! » dit Roger.

Geoffrey Lampetho n'avait pas exagéré en parlant du maquillage de la châtelaine, et peut-être l'atmosphère était-elle étouffante à l'intérieur de la grange-aux-tailles. Le fard s'étalait en traînées sur les joues de Joanna, devenues couleur puce à mesure qu'elle prenait du poids. Depuis la dernière fois que je l'avais vue, elle semblait avoir vieilli d'au moins dix ans. Ses yeux marron avaient perdu toute leur splendeur et étaient devenus d'une dureté d'agate.

Elle posa la main sur le bras de Roger :

« Venez, dit-elle. Nous nous connaissons tous deux depuis trop longtemps pour nous mentir et user de subterfuges. J'ai pour Lady Isolda un message de son frère, Sir William Ferrers, que j'ai promis de lui délivrer personnellement. Si vous cherchez à m'interdire votre porte, je peux avoir sur l'heure cinquante hommes du manoir qui l'enfonceront.

— Et j'en trouverais dans le même temps cinquante autres, d'ici à Fowey, pour leur tenir tête, rétorqua Roger. Mais vous pouvez me suivre à Kylmerth si vous le désirez et solliciter une entrevue. Je ne puis toutefois vous dire si elle vous sera accordée. »

Joanna sourit.

« Mais oui, sois-en sûr ! »

Relevant ses jupes, elle se dirigea vers le chariot, suivie du moine. Naguère, c'eût été Roger qui l'aurait aidée à monter dans le véhicule; maintenant, cela revenait au nouvel intendant Hornwynk, qui, rouge de fierté, s'inclinait très bas. Roger s'en fut derrière la chapelle où son poney était attaché. Il l'enfourcha et, d'une pression des pieds sur les flancs de l'animal, partit au petit trot. Le lourd chariot qui transportait Joanna et le moine cahota derrière lui. Quelques manants disséminés le long du chemin les regardèrent s'éloigner sur la route glacée qui menait au pré communal, devant l'entrée du couvent. Dans la chapelle de ce dernier, une cloche sonna et je vis s'accroître la distance me séparant de Roger et du chariot. Craignant de les perdre, je me mis à courir. Je sentis mon cœur taper à grands coups dans ma poitrine cependant qu'un sifflement emplissait mes oreilles. Le chariot s'immobilisa et Joanna elle-même se pencha à la portière, agitant la main pour me faire signe de la rejoindre. Hors d'haleine, je redoublai d'efforts tandis que le sifflement devenait assourdissant. Puis il cessa tout d'un coup et je me retrouvai vacillant sur mes pieds, avec l'horloge de Saint-Andrews qui sonnait sept heures et la Buick arrêtée en avant de moi. Penchée à la portière, Vita me faisait signe, tandis que Mrs. Collins et les garçons me regardaient d'un air surpris.

XXII

Ils parlaient tous en même temps et les garçons riaient aux éclats. J'entendis Micky dire : « Nous vous avons vu descendre la colline en courant ! Vous étiez drôle ! » et Teddy : « Nous vous avons appelé, mais tout d'abord vous ne nous avez pas entendus, vous regardiez de l'autre côté ! »

Vita me considérait par-dessus la glace baissée.

« Tu ferais mieux de monter, me dit-elle. C'est à peine si tu tiens debout. »

Toute rouge d'agitation, Mrs. Collins ouvrit la portière et descendit pour me laisser prendre place à côté de Vita. Obéissant machinalement, je m'assis entre elles, sans plus penser à ma voiture garée sur l'accotement. La Buick repartit, contournant le village en direction de Polmear.

« C'est une chance que nous soyons passés par là, remarqua Vita. Mrs. Collins nous a dit que c'était plus court que par Saint-Blazey et Par. »

Je n'arrivais pas à me rappeler où ils avaient été et, bien que le sifflement dans mes oreilles eût cessé, mon cœur continuait de battre à grands coups. Je sentais que le vertige n'était pas loin.

« C'est sensass, Bude, déclara Teddy. On a fait du surf, mais M'man a voulu qu'on aille seulement où l'on avait pied. Là-bas, il y a des vagues énormes. C'est bien mieux qu'ici. Vous auriez dû venir avec nous. »

Oui, Bude, bien sûr ! Ils étaient allés passer la journée à Bude, me laissant seul à la maison. Mais qu'est-ce que je faisais à Tywardreath ? Comme nous passions devant l'aumônerie, en bas de la colline de Polmear je regardai du côté de Polpey et de la vallée de Lampetho. Je me rappelai alors que Julian Polpey n'avait pas voulu attendre le pénible spectacle donné devant la grange-aux-tailles et était retourné chez lui à pied, tandis que Geoffrey Lampetho se trouvait parmi ceux qui avaient lancé des boules de neige au mouton noir.

Maintenant c'était fini, terminé. Ça ne se reproduirait plus. Mrs. Collins demanda à Vita de la laisser en haut de la côte de Polkerris, mais je n'en eus que vaguement conscience. L'instant d'après, je m'aperçus qu'elle n'était plus là et que la voiture s'arrêtait au bas de Kilmarth.

« Courez devant ! commanda Vita aux garçons. Accrochez vos maillots dans le séchoir et commencez à mettre le couvert. »

Quand ils disparurent en haut des marches menant à la maison, elle se tourna vers moi et me demanda :

« Pourras-tu y arriver ?

— Arriver à quoi ? demandai-je, encore ahuri et ne comprenant pas.

— A monter les marches. Quand nous t'avons rencontré, tu vacillais sur tes jambes. J'en ai été horriblement gênée devant Mrs. Collins et les garçons. Qu'est-ce qui te pousse à boire autant ?

— Boire ? Mais je n'ai rien bu !

— Oh ! pour l'amour du Ciel, ne commence pas à mentir ! La journée a été longue et je suis fatiguée. Viens, je vais t'aider jusqu'à la maison. »

Peut-être était-ce un mal pour un bien. Peut-être

valait-il mieux lui laisser croire que j'étais resté à boire dans un « pub ». En descendant de voiture, je me rendis compte qu'elle avait raison : je manquais d'équilibre et je fus bien aise de pouvoir donner le bras à Vita pour monter les marches du jardin et gagner la maison.

« Ça va passer... Je vais m'asseoir dans la bibliothèque...

— J'aimerais mieux que tu montes te coucher tout de suite. Les garçons ne t'ont jamais vu comme ça. Ils ne peuvent pas ne point se rendre compte...

— Je ne veux pas monter me coucher. Je vais m'asseoir dans la bibliothèque et fermer la porte. Ils n'ont pas besoin d'entrer.

— Oh ! bien, si tu préfères t'entêter ! fit-elle avec un haussement d'épaules exaspéré. Je vais leur dire que nous dînerons dans la cuisine. Surtout ne viens pas nous y rejoindre... Je t'apporterai quelque chose plus tard. »

Je l'entendis traverser le hall et claquer la porte de la cuisine. Je me laissai choir dans un des fauteuils de la bibliothèque et fermai les yeux. Une étrange léthargie me gagnait. J'avais envie de dormir. Vita avait raison, j'aurais dû monter me coucher, mais je ne me sentais même pas la force de quitter mon fauteuil. Je n'avais qu'à rester là, bien sagement, dans le silence et la tranquillité; cette impression d'extrême fatigue, d'être comme vidé, allait se dissiper. Ce n'était pas de chance pour les garçons s'ils avaient projeté de regarder quelque émission à la T.V. Je leur compenserais cela demain, en les emmenant faire du bateau; nous irions jusqu'à la Pointe de la Chapelle. Il fallait aussi que je me raccommode avec Vita. Cette histoire nous ramenait au point où nous en étions avant de nous réconcilier. Tout était à recommencer.

Je me réveillai en sursaut, pour trouver la pièce plongée dans l'obscurité. Consultant ma montre, je vis qu'il était presque neuf heures et demie. J'avais dormi pendant près de deux heures. Je me sentais tout à fait normal et j'avais faim. Je traversai la salle à manger et, dans le hall, j'entendis qu'on faisait marcher l'électrophone, mais la porte de la salle de musique était fermée. Ils devaient avoir fini de dîner depuis longtemps car tout était éteint dans la cuisine. Je fourrageai dans le réfrigérateur en quête d'œufs et de bacon. Je venais de poser la poêle à frire sur le réchaud quand j'entendis marcher dans le sous-sol. J'allai en haut de l'escalier de derrière et criai « Hello ? » pensant qu'il s'agissait d'un des garçons, lequel pourrait me renseigner sur l'humeur de sa mère. Personne ne me répondit.

« Teddy ? appelai-je. Micky ? »

J'entendis très distinctement les pas traverser l'ancienne cuisine en direction de la chaufferie. Je descendis alors les marches et cherchai le commutateur sans parvenir à le trouver. Je dus me diriger à tâtons vers l'ancienne cuisine. Le garçon qui me précédait était maintenant dans le patio et je l'entendais tirer de l'eau du puits situé dans l'angle le plus proche de la porte, mais qui était couvert et dont on ne se servait jamais. J'entendis alors d'autres pas, dans l'escalier cette fois. Tournant la tête, je découvris que l'escalier avait disparu. C'était le long d'une échelle que quelqu'un descendait. Simultanément, je me rendis compte que l'obscurité avait fait place à la clarté grisâtre d'un jour d'hiver. C'était une femme qui descendait l'échelle, en tenant à la main une chandelle allumée. Le sifflement emplit mes oreilles, se mua en roulements de tonnerre : la drogue agissait de nouveau *sans que j'en eusse repris*. Je n'avais aucune envie que ça se produise maintenant, j'avais peur car je comprenais que le passé se mélangeait au présent, que Vita et les garçons se trouvaient avec moi, dans l'autre partie de la maison.

La femme passa près de moi, protégeant de la main la flamme de la chandelle. C'était Isolda. Je m'aplatis contre le mur en retenant mon souffle, car elle allait sûrement s'évaporer si je bougeais, ce que je voyais n'étant sans doute que le fruit de mon imagination, stimulée par ce dont j'avais été témoin dans l'après-midi.

Isolda posa la chandelle sur la table et en alluma une autre qui s'y trouvait déjà. Puis elle se mit à fredonner un vieil air plein de douceur. Pendant ce temps, je continuais d'entendre l'électrophone jouer dans la salle de musique, au rez-de-chaussée.

« Robbie, appela-t-elle doucement, Robbie, vous êtes là ? »

Le garçon survint de la cour par la porte à l'arche surbaissée et posa son seau d'eau sur le sol de la cuisine.

« Est-ce qu'il gèle encore ? questionna-t-elle.

— Oui, et ça va sûrement durer jusqu'après la pleine lune. Vous allez devoir rester encore quelques jours avec nous, si notre compagnie ne vous pèse pas trop.

— Me peser ? s'exclama-t-elle en souriant. Elle m'est au contraire fort agréable. Je voudrais que mes filles fussent aussi bien élevées que Bess et vous, qu'elles m'écoutent comme vous écoutez votre frère.

— Si nous sommes comme ça, c'est par respect pour vous. Avant que vous arriviez, c'était souvent que Roger nous attrapait et nous récoltions aussi des coups de ceinture. »

Il rit et rejeta en arrière son abondante chevelure qui lui tombait sur les yeux puis, levant le seau, il versa de l'eau dans la cruche qui se trouvait sur la table.

« Et grâce à vous aussi, nous mangeons bien, reprit-il. Nous avons de la viande tous les jours au lieu de poisson salé, et le cochon que j'ai tué hier serait resté en vie jusqu'à Pâques si vous ne nous aviez pas honorés de votre présence. Bess et moi voudrions que vous restiez toujours avec nous, au lieu de nous quitter quand le temps va s'arranger.

— Ah ! je comprends, fit Isolda d'un ton moqueur. Ce n'est pas pour ma présence que vous vous réjouissez de m'avoir ici, mais parce que cela vous rend la vie plus agréable. »

Il fronça les sourcils, ne comprenant pas très bien ce qu'elle voulait dire, puis son visage s'éclaira et il rit de nouveau :

« Oh ! non, ce n'est pas vrai ! Quand vous êtes arrivée, nous avons eu peur que vous fassiez la grande dame et que nous ne puissions pas arriver à vous satisfaire. Mais il n'en a rien été et, maintenant, c'est comme si vous étiez des nôtres. Bess vous aime beaucoup et moi aussi. Quant à Roger, depuis deux ans déjà, il n'arrêtait pas de nous chanter vos louanges ! »

Il rougit et parut soudain gêné, comme conscient d'avoir trop parlé. Etendant la main, Isolda la posa sur le bras du jeune homme.

« Cher Robbie, dit-elle gentiment, moi aussi j'ai beaucoup d'affection pour Bess et vous. Je n'oublierai jamais le chaud réconfort que vous me procurez depuis quelques semaines. »

En entendant marcher dans la soupente, je levai la tête, mais ce n'était que Bess. Tandis qu'elle descendait l'échelle, je la trouvai beaucoup plus soignée que la dernière fois que je l'avais vue. Elle avait peigné ses longs cheveux et bien lavé son visage.

« J'entends Roger dans le bois, dit-elle. Va t'occuper de son poney, Robbie, pendant que je mets la table. »

Le garçon sortit dans la cour tandis que sa sœur regarnissait l'âtre de tourbe et d'ajoncs. Ces derniers s'enflammèrent en craquant et projetèrent une mouvante clarté sur les murs enfumés. A la façon dont

Bess sourit à Isolda par-dessus son épaule, je devinai que chaque soir il devait en être ainsi par ces grands froids; ils se retrouvaient tous les quatre autour de la table éclairée par les bougies fichées entre les assiettes d'étain.

« Voici votre frère », annonça Isolda.

Elle alla ouvrir la porte dont elle tint le battant pendant que Roger sautait à terre et jetait les rênes à Robbie. Il ne faisait pas encore tout à fait nuit; la cour, beaucoup plus vaste que le patio actuel, s'étendait jusqu'au mur dominant les champs, si bien que, par la porte ouverte, mon regard plongeait vers la mer et découvrait toute la baie. La boue de la cour avait gelé, l'air était extrêmement vif et les petits arbres du bois se découpaient, noirs et nus, sur le ciel. Robbie conduisit le poney dans l'écurie jouxtant l'étable, tandis que Roger se dirigeait vers Isolda.

« Vous êtes porteur de mauvaises nouvelles ! s'écria-t-elle aussitôt. Je le vois à votre visage !

— Milady sait que vous êtes ici, lui dit Roger. Elle vient vous voir et vous apporte un message de votre frère. Si vous le désirez, nous pouvons l'obliger à faire demi-tour. Robbie et moi n'aurons aucune difficulté avec ses gens.

— Sur l'instant, non, peut-être... Mais plus tard, elle pourrait se venger sur vous trois. Et pour rien au monde je ne voudrais que pareille chose se produise.

— Je préférerais la voir raser cette maison plutôt que vous faire souffrir ! »

Il se tenait tout près d'elle et je compris d'instinct que, depuis ces derniers jours, du fait de leur proximité et de la sympathie qu'elle lui témoignait, son amour pour Isolda ne pouvait plus être contenu et se consumer dans l'ombre; il lui fallait tout embraser ou être éteint pour toujours.

« Je le sais, Roger; toutefois, s'il me faut encore souffrir, je souffrirai seule. On ne manquera pas de dire que j'ai apporté le déshonneur chez mon mari et chez Otto Bodrugan, mais il n'en sera pas de même chez vous.

— Le déshonneur ? »

Ecartant les mains en un geste expressif, Roger regarda autour de lui : les murs bas encerclant la cour, la petite bâtisse à toit de chaume qui abritait les poneys à côté des vaches.

« C'était la ferme de mon père et ce sera celle de Robbie quand je mourrai. Même si vous n'y aviez passé qu'une seule nuit au lieu de quinze, elle en serait honorée à jamais dans les siècles à venir. »

La voix de Roger trahissait la profondeur du sentiment qu'il exprimait et Isolda y décela peut-être aussi un accent passionné, car elle parut réagir comme si quelque voix intérieure lui avait murmuré : « Attention ! Jusque-là, ça va, mais surtout pas plus loin ! »

Retournant de nouveau près de la porte ouverte, elle considéra les champs qui dévalaient vers la mer.

« Quinze nuits, répéta-t-elle. Et chaque nuit — chaque jour aussi — depuis que je suis ici avec vous, j'ai regardé la Pointe de la Chapelle, de l'autre côté de la baie, en me rappelant que son bateau était ancré là, au-dessous de Bodrugan, et qu'il traversait cette baie lorsqu'il venait me rejoindre à la crique de Treesmill. Le jour où ils l'ont noyé, Roger, une partie de moi-même est morte avec lui; je pense que vous le savez. »

Je me demandai si Roger avait rêvé — comme nous le faisons tous — que leurs existences pussent un jour se confondre. Non point par le mariage, ni même parce qu'ils deviendraient amants, mais en une sorte d'intimité silencieuse, intuitive, à laquelle personne d'autre n'aurait part. Si c'était le cas, ce rêve était sans espoir; Isolda venait de le lui faire clairement comprendre en prononçant le nom de Bodrugan.

« Oui, dit-il, je l'ai toujours su. Si je vous ai donné lieu de croire le contraire, je vous en demande pardon. »

Relevant la tête, il prêta l'oreille. Elle écouta aussi; par-delà le petit bois obscur, au-dessus de la ferme, leur parvenait un bruit de voix et de pas. Trois des gens de Lady Champernoune apparurent entre les arbres dépouillés.

« Roger Kylmerth ? appela l'un d'eux. Le chemin est trop mauvais pour qu'on puisse conduire le chariot jusqu'ici. Milady attend sur la colline.

— Eh bien, qu'elle y reste, répondit Roger, ou bien qu'elle vienne à pied jusqu'ici, avec votre aide. Nous, ça nous est égal. »

Les hommes hésitèrent et tinrent un conciliabule sous les arbres. Sur un signe de Roger, Isolda disparut à l'intérieur de la maison. Roger siffla alors son frère qui apparut aussitôt sur le seuil de l'écurie.

« Lady Champernoune est là-haut, avec quelques serviteurs, lui dit posément Roger. Elle a pu se faire accompagner par d'autres gens, rassemblés entre Tywardreath et ici. Aussi ne t'éloigne pas, pour le cas où cela tournerait mal. »

Robbie acquiesça d'un hochement de tête et disparut de nouveau dans l'écurie. Il faisait de plus en plus sombre et plus froid aussi. Je ne tardai pas à apercevoir la clarté des flambeaux au flanc de la colline. Joanna descendait vers nous, avec trois serviteurs et le moine. Ils avançaient lentement et en silence, l'habit du moine se confondant avec la mante sombre de Joanna qui marchait à côté de lui. Debout près de Roger, je les regardais approcher et trouvais quelque chose de sinistre à leur petit groupe. Avec les capuchons qui dissimulaient les visages, on eût dit qu'ils allaient à travers un cimetière, vers une tombe en attente.

En arrivant à l'entrée de la cour, Joanna s'immobilisa pour regarder autour d'elle, puis dit à Roger :

« Durant les dix ans que vous avez dirigé ma maison, pas une seule fois vous n'avez pensé à m'inviter chez vous.

— Non, milady; pas plus que vous n'avez demandé à y venir, ni désiré le faire. Vous aviez toujours tout ce qu'il vous fallait sous votre propre toit. »

Elle fut insensible à l'ironie ou, en tout cas, affecta de l'ignorer, et Roger la précéda vers la maison.

« Où mes gens peuvent-ils attendre ? demanda-t-elle. Ayez l'obligeance de leur indiquer votre cuisine.

— C'est dans la cuisine que nous vivons nous-mêmes et que Lady Carminowe vous recevra. Vos gens seront au chaud là-dedans, avec les poneys ou les vaches, comme ils préféreront. »

Il s'effaça pour laisser passer Joanna et le moine, puis entra derrière eux. En franchissant le seuil, je vis qu'Isolda était assise en haut de la table, que l'on avait rapprochée de l'âtre et sur laquelle on avait placé deux grandes chandelles. Bess avait dû s'éclipser dans la soupente.

Joanna regarda autour d'elle, quelque peu déconcertée, je suppose, par le cadre où elle se trouvait. Dieu sait à quoi elle s'attendait... A plus de confort sans doute et peut-être à voir des meubles provenant du manoir où elle n'habitait plus.

« Voici donc la retraite, fit-elle enfin. Ma foi, par une nuit d'hiver, elle peut paraître assez confortable, si l'on n'est pas trop sensible aux odeurs venant de l'étable. Comment allez-vous, Isolda ?

— Très bien, comme vous pouvez voir. Depuis deux semaines, que je suis ici, j'ai été mieux traitée et l'on m'a témoigné plus de gentillesse que durant tant de mois et d'années passés à Tregesteynton ou Carminowe.

— Je n'en doute pas. Et seul le changement empêche qu'on se lasse. Il fut un temps où Bodrugan Castle vous semblait plein de charme, mais, si Otto avait vécu, vous vous en seriez sans doute lassée comme vous vous êtes lassée d'autres demeures et d'autres hommes aussi, dont votre propre mari. Cette fois, vous devez être comblée. Dites-moi, les deux frères se partagent-ils vos faveurs devant cet âtre ? »

J'entendis Roger étouffer un juron et il fit un pas en avant comme pour se placer entre les deux femmes, mais à la clarté vacillante que les deux chandelles projetaient sur la pâleur de son visage, Isolda se borna à sourire.

« Pas encore, dit-elle. L'aîné est trop fier et le cadet, trop timide, pour prêter attention à mes protestations d'affection. Que me voulez-vous, Joanna ? Est-ce que vous m'apportez un message de William ? Si oui, parlez et qu'on en finisse. »

Le moine, qui était demeuré près de la porte, sortit une lettre de son habit et la tendit à Joanna, mais celle-ci l'écarta du geste :

« Lisez-la vous-même à Lady Carminowe. On y voit mal et je n'ai aucune envie de me fatiguer les yeux. Vous pouvez nous laisser, ajouta-t-elle à l'adresse de Roger. Ces affaires de famille ne vous regardent plus. Vous ne vous en êtes que trop mêlé du temps que vous étiez mon intendant.

— Nous sommes chez lui et il a donc le droit de demeurer ici, rétorqua Isolda. De plus, il est mon ami et je préfère qu'il soit présent. »

Joanna haussa les épaules tout en s'asseyant à l'autre extrémité de la table.

« Avec la permission de Lady Carminowe, commença le moine d'un ton uni, je lui dirai donc que cette lettre de son frère, Sir William Ferrers, lui a été portée, voici quelques jours, à Trelawn où Sir William pensait que son messager la trouverait avec Lady Champernoune.

« Voici ce qu'il y est dit :

Très chère sœur,

A cause de la rigueur du temps et de l'état des routes, la nouvelle de votre fuite ne nous est parvenue ici, à Bere, que la semaine passée. Je n'arrive pas à comprendre comment vous avez pu commettre un tel geste et une telle imprudence. Vous ne devez pas ignorer que, en abandonnant votre époux et vos enfants, vous perdez tout droit à leur affection, et à la mienne aussi bien. Je ne puis dire si, par charité chrétienne, Oliver acceptera que vous réintégriez Carminowe, mais j'en doute, car il craindra la pernicieuse influence que vous auriez sur ses filles. Et, pour ma part, je ne puis vous accueillir à Bere car Matilda, en tant que sœur d'Oliver, ne saurait offrir l'hospitalité à l'épouse dévoyée de son frère, pour lequel elle a grande affection. En apprenant que vous aviez abandonné Oliver, elle a éprouvé tant de peine pour lui qu'elle ne saurait consentir à ce que vous cohabitiez avec nos cinq fils. En conséquence, il ne me paraît y avoir d'autre issue pour vous que de chercher refuge au couvent de Cornworthy, ici dans le Devon, dont je connais la prieure, et d'y vivre en recluse jusqu'à ce qu'Oliver ou quelque autre membre de la famille veuille bien vous recevoir. Je ne doute pas que votre parente et alliée, Joanna, permette à ses gens de vous escorter jusqu'à Cornworthy.

> *A Dieu,*
>> *Votre frère très affligé,*
>>> WILLIAM FERRERS

Le moine replia la lettre et la déposa sur la table, près d'Isolda.

« Vous pouvez constater par vous-même, milady, murmura-t-il, que la lettre est bien de la main de Sir William et porte sa signature. Il n'y a pas déception. »

Elle jeta à peine un regard à la lettre et dit :

« En effet, vous avez parfaitement raison : il n'y a aucune déception. »

Joanna sourit :

« Si William avait su que vous étiez ici et non à Trelawn, je doute qu'il vous eût écrit avec tant de mansuétude et que la prieure de Cornworthy consentirait à vous ouvrir les portes de son couvent. Vous pouvez toutefois compter que je garderai le secret et vous ferai escorter. Deux jours sous mon toit pour les préparatifs indispensables — notamment un changement d'atours dont je vois que vous avez le plus grand besoin — et vous pourrez vous mettre en route. »

Elle se laissa aller contre le dossier de son siège cependant que son visage revêtait une expression triomphante :

« Je me suis laissé dire que l'air est très sain à Cornworthy et que les nonnes y atteignent un âge avancé.

— Alors retirons-nous toutes deux derrière les murs de ce couvent, rétorqua Isolda. De même que les épouses dévoyées, les veuves dont les fils se marient — comme le fera votre William l'an prochain — sont dans l'obligation de chercher un autre toit. Nous serons sœurs d'infortune. »

Avec une fierté pleine de défi, elle toisait Joanna par-dessus la longueur de la table et, en projetant leurs ombres déformées sur le mur, la flamme des chandelles faisait ressembler Joanna, à cause de son capuchon et du voile de veuve, à quelque crabe monstrueux.

« Vous oubliez, dit-elle tout en jouant avec ses nombreuses bagues qu'elle passait de l'un à l'autre doigt, que j'ai la permission de me remarier et, pour ce faire, n'ai qu'à choisir parmi de nombreux prétendants. Tandis que vous êtes toujours mariée à Oliver, même s'il vous répudie. Evidemment, si vous la préférez, il vous reste une autre issue que le couvent de

Cornworthy et c'est de demeurer ici la souillon de mon ex-intendant. Mais je vous avertis que la paroisse pourrait vous traiter comme elle a traité tantôt une de mes fermières à Tywardreath, en vous obligeant à vous rendre, sur le dos d'un bélier noir, jusqu'à la chapelle du manoir pour y implorer votre pardon. »

Elle éclata de rire et se tournant vers le moine debout derrière sa chaise, elle lui dit :

« Qu'en pensez-vous, frère Jean ? Nous pourrions jucher l'une sur un bélier, l'autre sur une brebis et les faire partir ainsi au petit trot sous peine de devoir forfaire la terre de Kylmerth. »

Je savais que cela finirait ainsi. Roger empoigna le moine et le repoussa contre le mur, puis se penchant vers Joanna, il la contraignit à se mettre debout.

« Insultez-moi autant qu'il vous plaira, mais pas Lady Carminowe. Vous êtes ici dans ma maison et je vous demande d'en partir.

— Je le ferai dès qu'elle m'aura dit ce qu'elle choisissait, répliqua Joanna. Je n'ai que trois serviteurs dans votre étable, mais une vingaine d'autres, au moins, attendent près de mon chariot sur la colline et ils ne demanderaient sûrement pas mieux que d'assouvir de vieilles rancunes...

— Eh bien, appelez-les donc ! dit Roger. Robbie et moi sommes capables de défendre notre maison contre eux ou toute la paroisse aussi bien ! »

La colère lui avait fait élever le ton et Bess descendit en hâte l'échelle pour venir se placer, pâle et inquiète, derrière Isolda.

« Qui est-ce donc ? s'enquit Joanna. Une autre cavalière pour le bélier ? Combien de souillons abritez-vous sous votre toit ?

— Bess est la sœur de Roger et donc la mienne, répondit Isolda en entourant de son bras la jeune fille apeurée. Et maintenant, Joanna, appelez vos serviteurs afin que cette maison soit débarrassée de votre

présence. Dieu sait que nous n'avons que trop longtemps supporté vos insultes.

— Nous ? souligna Joanna. Vous vous considérez
comme l'une d'entre eux ?

— Oui, aussi longtemps qu'ils m'accorderont leur
hospitalité.

— Vous n'avez donc pas l'intention de partir avec
moi pour Trelawn ? »

Isolda marqua une hésitation, regardant Roger puis
Bess. Mais avant qu'elle ait pu répondre, le moine intervint en s'arrachant aux ombres du mur.

« Il y a encore une troisième solution pour Lady
Carminowe, dit-il. Dans vingt-quatre heures, je m'em-
barque à Fowey afin de regagner notre maison-mère
de Saint-Serge et Saint-Bacchus à Angers. Si Lady
Carminowe et cette enfant veulent m'accompagner en
France, je puis leur assurer qu'elles y trouveront
asile. Nul ne les y molestera et elles y seront à l'abri
de toute poursuite. Une fois qu'elles seront en
France, on oubliera ici jusqu'à leur existence, et Lady
Carminowe pourra commencer là-bas une nouvelle
vie, dans une ambiance beaucoup plus plaisante que
celle d'un couvent. »

Cette proposition était si visiblement un piège
tendu par le moine pour soustraire Bess et Isolda à
la protection de Roger et pouvoir en disposer à son
gré, que je m'attendis à ce que même Joanna y fasse
obstacle. Au lieu de quoi, elle sourit en haussant les
épaules :

« Par ma foi, frère Jean, vous vous montrez là véritablement chrétien. Qu'en dites-vous, Isolda ? Maintenant vous avez le choix entre trois solutions : vous
retirer au couvent de Cornworthy, vivre dans une
bauge à Kylmerth, ou passer de l'autre côté de l'eau
sous la protection d'un moine bénédictin. Moi, je sais
bien ce que je choisirais. »

Elle regarda autour d'elle, comme lorsqu'elle était

entrée dans la maison, puis faisant le tour de la pièce elle toucha le mur enfumé, esquissa une grimace et essuya ses doigts avec le mouchoir qu'elle tenait à la main, s'immobilisant enfin devant l'échelle qui menait à la soupente et sur le premier échelon de laquelle elle posa le pied.

« Une paillasse parmi trois autres et pleine de vermine ? fit-elle. Si vous choisissez d'aller en France ou dans le Devon, Isolda, je vous saurai gré d'asperger d'abord votre robe de vinaigre. »

Le sifflement emplit mes oreilles, puis ce fut le tonnerre.

Leurs silhouettes commencèrent à s'estomper, sauf celle de Joanna debout au pied de l'échelle. Elle me regardait en ouvrant de grands yeux et, indifférent à ce qui pouvait s'ensuivre, je n'eus plus qu'une idée : nouer mes mains autour de sa gorge et l'étrangler avant qu'elle s'évanouisse comme les autres. Je traversai la pièce et vins me planter devant elle sans qu'elle disparût. Elle se mit à hurler quand mes mains furent autour de son cou potelé et que je la secouai en criant :

« Le diable t'emporte... le diable t'emporte ! »

Son hurlement m'environnait, il était au-dessus de ma tête aussi bien qu'autour de moi. Relâchant mon étreinte, je levai les yeux. Les garçons étaient blottis l'un contre l'autre en haut des marches du petit escalier de derrière... Vita était tombée près de moi, contre la rampe, et livide, me considérait avec effroi, les mains plaquées sur sa gorge.

« Oh ! mon Dieu, balbutiai-je. Vita... ma chérie... Mon Dieu ! »

Je m'effondrai près d'elle, en proie à des haut-le-cœur, submergé par l'incontrôlable vertige. Elle s'écarta de moi et monta à reculons se réfugier en haut des marches, derrière les garçons. Alors, ils se remirent tous trois à hurler.

XXIII

Il n'y avait rien que je pusse faire. Je demeurai
étendu sur les marches, contre les barreaux de la
rampe, bras et jambes grotesquement écartés tandis
que tout tournait autour de moi. Si je fermais les
yeux, le tournement de tête s'accentuait tandis que
des éclairs dorés poignardaient mes ténèbres. Les hur-
lements s'arrêtèrent, cependant que les garçons se
mettaient à pleurer, puis le bruit de leurs sanglots
s'éteignit au loin quand ils battirent en retraite vers
la cuisine en claquant les deux portes.

Aveuglé par les vertiges et la nausée, je me hissai
vers le rez-de-chaussée, une marche après l'autre, en
rampant sur le ventre. Le palier atteint, je réussis à
me remettre debout et, d'un pas chancelant, en m'appuyant au mur, je traversai le hall pour gagner la cuisine. Toutes les lampes y étaient allumées, les portes
grandes ouvertes. Vita et les garçons avaient dû monter s'enfermer dans la chambre. Je titubai alors jusqu'au téléphone, tandis que le sol semblait se confondre avec le plafond. Je me laissai choir sur la chaise
proche de l'appareil et y demeurai assis, le combiné à
la main, attendant que la pièce recouvre quelque sta-
bilité et que l'annuaire cesse d'être une indéchiffrable
confusion de points noirs. Ayant trouvé le numéro du

docteur Powell, je l'appelai; lorsqu'il me répondit, je sentis se relâcher ma tension intérieure et la sueur couler sur mon visage.

« Je suis Richard Young, de Kilmarth, lui dis-je. Vous vous rappelez, l'ami du professeur Lane ?

— Oh oui ? » fit-il avec une intonation marquant la surprise. Après tout, je n'étais pas un de ses clients et pour lui je ne représentais qu'un visage d'estivant parmi cent autres.

« Il vient de m'arriver une chose effroyable. J'ai eu une sorte de passage à vide, durant lequel j'ai tenté d'étrangler ma femme. Je l'ai peut-être blessée, je ne sais pas... »

Ma voix était calme, dépourvue d'émotion. Pourtant mon cœur battait à grands coups et je me rendais parfaitement compte de ce qui s'était produit. Il n'y avait aucune confusion dans mon esprit, aucun mélange des deux mondes.

« A-t-elle perdu connaissance ? demanda-t-il.

— Non, dis-je, non, je ne le pense pas. Elle est au premier étage avec les garçons. Ils ont dû se barricader dans la chambre. Je vous téléphone du rez-de-chaussée. »

Il demeura silencieux et, l'espace d'un instant, j'eus atrocement peur qu'il me dise que ça n'était pas son affaire et que je ferais mieux d'appeler la police.

« Bon, déclara sa voix à mon oreille, j'arrive tout de suite. »

Et il raccrocha.

Reposant le combiné sur la fourche, je m'épongeai le visage. Le vertige avait cessé et je pouvais de nouveau me tenir debout sans chanceler. Je montai lentement à l'étage où j'essayai en vain d'ouvrir la porte faisant communiquer la salle de bain avec notre chambre.

« Chérie, appelai-je, sois tranquille, c'est fini ! Je viens de téléphoner au docteur. Il arrive tout de suite. Reste là avec les garçons jusqu'à ce que tu entendes sa voiture. »

N'obtenant aucune réponse, je criai plus fort :

« Vita, Teddy, Micky ! N'ayez pas peur, le docteur arrive. Tout va rentrer dans l'ordre. »

Je redescendis au rez-de-chaussée et, ouvrant la porte d'entrée, j'attendis sous le porche. La nuit était magnifique, avec un ciel ruisselant d'étoiles. Je ne percevais aucun bruit; les scouts qui étaient dans le champ, de l'autre côté de la route de Polkerris, avaient dû se retirer sous leurs tentes. Je regardai ma montre. Onze heures moins vingt. J'entendis alors la voiture du médecin qui arrivait de Fowey sur la grand-route et je me mis à transpirer de nouveau, mais de soulagement, pas de crainte. Il s'engagea dans le chemin et s'arrêta devant la maison. Je descendis les marches du jardin pour aller à sa rencontre.

« Dieu merci, vous êtes venu ! » lui dis-je.

Nous entrâmes ensemble dans la maison et je lui montrai l'escalier :

« La première porte à droite. Elle s'est enfermée dans la chambre avec les garçons. Dites-leur qui vous êtes. Je vais attendre ici. »

Il gravit l'escalier deux marches à la fois et moi, je me disais que ce silence à l'étage devait signifier que Vita était mourante, étendue sur le lit, avec les enfants tapis près d'elle, trop terrifiés pour oser bouger. J'allai m'asseoir dans la salle de musique en me demandant ce qui se passerait si Powell revenait m'annoncer que Vita était morte. Car tout cela était bien arrivé, tout cela était vrai.

Le médecin demeura longtemps en haut. Au bout d'un moment, j'entendis qu'on traînait un meuble, et je pensai que ce devait être le divan de l'autre pièce qu'ils transportaient dans la chambre en passant par la salle de bain. Le docteur parlait et je reconnus aussi la voix de Teddy. Je me demandai ce qu'ils pouvaient bien faire. J'allai écouter au bas des marches, mais ils étaient maintenant de nouveau dans la chambre dont ils avaient fermé la porte. Je retournai donc attendre dans la salle de musique.

L'horloge du hall venait de sonner onze heures quand Powell redescendit.

« Ça y est, là-haut tout le monde s'est ressaisi. Votre femme va bien et vos beaux-fils aussi.

— Est-ce que je lui ai fait mal ? demandai-je.

— Quelques meurtrissures au cou, rien de plus. Demain, elle aura peut-être des marques, mais si elle met un foulard, ça ne se verra pas.

— Vous a-t-elle dit ce qui était arrivé ?

— Si vous me le disiez, vous ?

— J'aimerais mieux entendre d'abord sa version. »

Il sortit de sa poche un paquet de cigarettes, en prit une et l'alluma.

« Eh bien, commença-t-il, à ce que j'ai compris, pour des raisons connues de vous, vous n'avez pas voulu dîner, et elle a donc passé la soirée ici, avec ses fils, pendant que vous-même étiez dans la bibliothèque. Puis quand ils ont décidé de monter se coucher, votre femme s'est aperçue que vous aviez été dans la cuisine, où toutes les lampes étaient allumées. Un morceau de bacon achevait de se calciner dans une poêle posée sur le réchaud, mais il n'y avait personne dans la pièce. Elle est donc descendue voir au sous-sol. Elle m'a dit que vous vous teniez près de l'ancienne cuisine, comme attendant qu'elle descende et, dès que vous l'avez vue, vous vous êtes précipité vers elle en l'injuriant, puis vous l'avez saisie à la gorge en cherchant à l'étrangler.

— C'est exact », dis-je.

Il me regarda fixement. Peut-être s'attendait-il que je nie la chose.

« Elle affirme que vous étiez complètement ivre et

ne saviez pas ce que vous faisiez, mais ça n'en était pas moins terrible. Elle et ses fils ont eu atrocement peur. D'autant, si j'ai bien compris, que vous n'avez pas l'habitude de boire comme ça ?

— Non, en effet; et je n'étais pas ivre. »

Il demeura un moment sans rien dire. Puis il vint se camper devant moi et, sortant de sa trousse une sorte de petite torche électrique, il examina mes yeux. Après quoi, il me prit le pouls.

« Vous marchez à quoi ? me demanda-t-il brusquement.

— Je marche... ?

— Oui, avec quoi vous droguez-vous ? Dites-le-moi franchement et je saurai comment vous soigner.

— C'est que, précisément, je l'ignore.

— Est-ce quelque chose que le professeur vous avait donné ?

— Oui. »

Il s'assit sur le bras du canapé, à côté de mon fauteuil :

« En piqûres ou par voie buccale ?

— Par voie buccale.

— Vous soignait-il pour quelque chose de précis ?

— Il ne me soignait pour rien du tout. C'était une expérience. Quelque chose que j'avais accepté de faire pour lui. Avant de venir ici, je ne m'étais jamais drogué. »

Il continua de river sur moi son regard perspicace et je compris n'avoir d'autre solution que de tout lui raconter.

« Le professeur Lane avait-il absorbé la même drogue lorsqu'il s'est jeté contre ce train de marchandises ? me demanda-t-il ensuite.

— Oui. »

Abandonnant le canapé, il se mit à marcher de long en large dans la pièce, touchant les bibelots qui étaient sur les meubles, en prenant un, le reposant, tout comme Magnus lorsqu'il lui fallait arriver à une décision.

« Je devrais vous mettre en observation à l'hôpital, me dit-il.

— Non, je vous en prie ! le suppliai-je. Ecoutez, continuai-je en me levant à mon tour, j'ai encore de cette drogue dans un flacon, en haut. C'est tout ce qui reste. Magnus m'avait dit de détruire ce qui était dans son laboratoire et je l'ai fait. Tout est enterré dans le bois, au-dessus du jardin. Je n'ai gardé que ce flacon dont j'ai bu un peu aujourd'hui. Cette mixture ne doit pas être exactement comme l'autre... Peut-être est-elle plus forte, je ne sais... Mais emportez ce qui reste, faites-le analyser, faites-en ce que vous voudrez. Vous devez sûrement comprendre que, après ce qui s'est passé ce soir, je n'y toucherais pour rien au monde ? Seigneur ! J'aurais pu tuer ma femme !

— Oui, je sais, et c'est pour cela que vous devriez être dans un hôpital. »

Non, il ne savait pas. Il ne comprenait pas. Comment aurait-il pu comprendre ?

« Ecoutez, lui dis-je, je n'ai jamais vu Vita, ma femme, au bas des marches. Ce n'est pas elle que j'ai voulu étrangler, mais une autre femme.

— Quelle femme ?

— Une nommée Joanna, qui vivait voici six cents ans. Elle était là, dans la cuisine de l'ancienne ferme, avec les autres : Isolda Carminowe, le moine Jean de Méral, et l'homme à qui appartenait cette ferme, l'homme qui avait été son intendant, Roger Kylmerth. »

Il posa sa main sur mon bras :

« Bon, dit-il, continuez, je vous suis. Vous avez pris cette drogue, puis vous êtes descendu et vous avez vu ces gens dans le sous-sol ?

— Oui, mais pas seulement ici. Je les ai vus aussi à Tywardreath, dans le manoir dont les ruines sont au-dessous du Gratten, et dans le couvent également.

C'est ça, l'effet de cette drogue. Elle vous ramène dans le passé, dans un monde révolu. »

L'excitation me faisait hausser la voix et son étreinte se resserra autour de mon bras.

« Vous ne me croyez pas ! lui dis-je. Comment le pourriez-vous ? Mais je vous jure que je les ai vus, les ai entendus parler, ils vivaient sous mes yeux, et j'ai même été témoin de l'assassinat d'un homme dans la crique de Treesmill. C'est Otto Bodrugan, l'amant d'Isolda, qu'on a tué.

— Je vous crois, me dit Powell. Et maintenant, si nous montions tous les deux, pour que vous me donniez ce qui vous reste de cette drogue ? »

Je le conduisis dans la pièce attenante à la salle de bain, où je pris le flacon dans ma valise fermée à clef. Il ne l'examina même pas et l'escamota dans sa trousse médicale.

« Maintenant, me dit-il, je vais vous administrer un puissant sédatif qui va vous faire dormir jusqu'à demain matin. Y a-t-il une autre chambre où vous puissiez vous coucher ?

— Oui, acquiesçai-je, la chambre d'amis.

— Parfait. Prenez un pyjama et allons-y. »

Nous gagnâmes ensemble la chambre d'amis où je me déshabillai et me mis au lit, me sentant soudain aussi humble et soumis qu'un enfant.

« Je ferai tout ce que vous me direz de faire, déclarai-je à Powell. Forcez la dose si vous voulez, afin que je ne me réveille jamais plus !

— Il n'en est pas question, me dit-il en souriant pour la première fois depuis qu'il était avec moi. Quand vous ouvrirez les yeux demain, vous me verrez probablement à votre chevet.

— Alors, vous n'allez pas m'envoyer à l'hôpital ?

— Sans doute que non. Nous en reparlerons demain matin, ajouta-t-il en sortant une seringue de sa trousse.

— Vous pouvez raconter ce que vous voudrez à ma femme, du moment que vous ne lui parlez pas de la drogue. Laissez-la croire que j'étais ivre, au point de ne plus savoir ce que je faisais. Quoi qu'il arrive, elle doit continuer d'ignorer l'existence de la drogue. Elle n'aimait pas Magnus — le professeur Lane — et si elle était au courant, elle haïrait encore plus sa mémoire.

— Ça, pour sûr ! opina-t-il tout en passant de l'alcool sur mon bras avant d'y enfoncer l'aiguille. Et on ne pourrait guère le lui reprocher !

— Ce qu'il y avait, expliquai-je, c'est qu'elle était jalouse, parce que nous nous connaissions depuis très longtemps, Magnus et moi. Pensez donc : nous étions ensemble ici à Cambridge. A l'époque, je séjournais souvent ici, nous étions toujours ensemble, les mêmes choses nous passionnaient, les mêmes choses nous faisaient rire, Magnus et moi... Magnus et moi... »

Je sombrai dans un profond sommeil dont il m'était indifférent que ce pût être celui de la mort. Cinq heures, cinq mois, cinq années... J'appris par la suite que cela avait duré cinq jours. Le docteur semblait toujours être là quand j'ouvrais les yeux; il me faisait une autre piqûre ou bien, assis au pied du lit et balançant les jambes, il m'écoutait parler. Parfois Vita passait la tête dans l'entrebâillement de la porte, esquissait un sourire mal assuré, puis disparaissait de nouveau. Mrs. Collins et elle avaient dû s'occuper de faire mon lit, me laver, m'alimenter, bien que je n'eusse pas souvenance d'avoir mangé quoi que ce fût. Je ne me rappelais absolument rien de ces cinq jours. J'avais pu aussi bien délirer, me répandre en injures et déchirer mes draps que simplement dormir. J'étais seulement sûr d'avoir dormi, et aussi d'avoir parlé. Pas à Vita ni à Mrs. Collins, mais au docteur. Je n'avais toutefois aucune idée du nombre de fois que cela avait pu se produire entre deux piqûres, ni de ce que j'avais pu dire. Mais je finis par avoir le sentiment que j'avais tout raconté au docteur, de A jusqu'à Z. Vers le milieu de la semaine suivante, quand je pus m'asseoir dans un fauteuil au lieu de rester couché et que mon état fut redevenu à peu près normal, je me sentis le corps et l'esprit non seulement détendus, mais complètement purgés.

Je le dis à Powell tout en dégustant le café apporté par Vita qui était aussitôt redescendue. Il rit en me déclarant qu'un nettoyage de fond en comble n'avait jamais fait de mal à personne, que c'était fou tout ce que les gens pouvaient emmagasiner et oublier dans leurs caves ou leurs greniers, qu'ils auraient gagné à ramener au jour.

« Evidemment, vous, il vous est plus facile de vous purger l'âme parce que vous êtes catholique. »

Je le regardai, sidéré.

« Comment savez-vous que je suis catholique ? lui demandai-je.

— Vous me l'avez dit avec le reste. »

Je fus très choqué de l'apprendre. Je m'étais imaginé lui avoir raconté tout ce qui concernait les expériences avec la drogue et relaté en détail tout ce que j'avais observé dans l'autre monde. Mais le fait d'avoir été élevé dans la religion catholique n'avait rien à voir avec ça.

« Je suis un bien mauvais catholique, dis-je. Cela fait des années que je ne suis allé à la messe. Et pour ce qui est de me confesser...

— Je sais; tout cela était fourré dans le grenier ou la cave, avec votre antipathie pour les moines, les beaux-pères, les veuves qui se remarient et quantité de petites choses du même genre. »

Je nous servis une autre tasse de café, sucrai trop la mienne et remuai avec fureur ma petite cuiller.

« Ce que vous racontez ne tient pas debout, lui lançai-je. Dans ma vie présente, ma vie réelle, je ne me suis jamais soucié de moines, de veuves ni de beaux-pères, sauf, bien sûr, que je me trouve figurer parmi ces derniers. Ces gens-là existaient au XIV⁰ siècle et si je les ai vus, c'est uniquement par le fait de la drogue.

— Oui, acquiesça-t-il, uniquement par le fait de la drogue. »

Il se leva brusquement, selon cette habitude que je commençais à lui connaître, et se mit à marcher autour de la chambre.

« J'ai fait ce que vous auriez dû faire après l'enquête. Ce flacon que vous m'avez remis, je l'ai envoyé au premier assistant de Lane, John Willis, avec un bref message lui expliquant que vous aviez été rendu malade par cette drogue et lui demandant de m'envoyer son rapport le plus rapidement possible. Il a eu l'amabilité de me téléphoner dès qu'il a reçu ma lettre.

— Et alors ? demandai-je.

— Alors, vous avez de la chance d'être encore vivant et qui plus est, vivant dans cette maison alors que vous auriez pu vous retrouver dans un asile de fous. La drogue contenue dans ce flacon renferme le plus puissant hallucinogène qui ait été découvert, et d'autres substances sur lesquelles Willis ne peut pas encore se prononcer. Le professeur Lane travaillait apparemment seul à ces recherches; il n'avait jamais mis Willis totalement dans la confidence. »

De la chance d'être encore vivant, c'était possible. De la chance de n'être pas dans un asile de fous, oui, d'accord. Mais tout cela ou presque, je me l'étais moi-même déjà dit lorsque je m'étais lancé dans cette expérience.

« Voulez-vous me laisser entendre, questionnai-je, que tout ce que j'ai vu relevait de l'hallucination et émanait des boueuses profondeurs de mon inconscient ?

380

— Non. Je pense que le professeur Lane travaillait sur quelque chose qui aurait pu aboutir à une extraordinaire découverte touchant le fonctionnement du cerveau; il vous avait choisi comme cobaye parce qu'il savait que vous feriez tout ce qu'il vous dirait et que, de plus, vous étiez un sujet extrêmement suggestible. »

Il revint vers la table et finit de boire son café.

« Soit dit en passant, tout ce que vous m'avez raconté restera aussi secret que si vous en aviez fait l'aveu dans un confessionnal. Au début, j'ai eu du mal à convaincre votre femme de vous garder ici, au lieu de vous envoyer en ambulance chez un grand spécialiste d'Harley Street, qui vous aurait immédiatement fourré pour six mois dans quelque institut psychiatrique. Mais je crois que, maintenant, elle me fait confiance.

— Que lui avez-vous dit ?

— Je lui ai dit que vous étiez au bord d'une dépression nerveuse à la suite du choc et de la tension causés par la mort soudaine du professeur Lane. Ce qui, vous en conviendrez, est parfaitement vrai. »

Quittant mon fauteuil en me gardant de toute brusquerie, j'allai jusqu'à la fenêtre. Les scouts étaient partis et du bétail paissait de nouveau de l'autre côté de la route. J'entendais les garçons jouer au cricket dans le verger.

« Vous pourrez me raconter ce que vous voudrez, dis-je alors lentement, me parler de suggestivité, de dépression nerveuse, d'éducation catholique et que sais-je encore, il n'en reste pas moins que je suis allé dans cet autre monde, que je l'ai vu, que je le connais. C'était un monde dur, cruel et souvent sanguinaire, tout comme les gens qui y vivaient, à l'exception d'Isolda et, par la suite, de Roger. Mais il n'empêche qu'il exerçait sur moi une fascination dont le monde actuel est totalement dépourvu. »

Il vint me rejoindre près de la fenêtre et m'offrit une cigarette. Nous fumâmes un moment en silence, puis Powell me dit :

« Un autre monde, je suppose que nous en portons tous un en nous, chacun à notre façon. Si vous, le professeur Lane, votre femme et moi-même avions fait le « voyage » ensemble, nous en aurions tous rapporté une impression différente. »

Il sourit et secoua la cendre de sa cigarette par la fenêtre.

« J'ai le sentiment que ma femme aurait une très mauvaise opinion d'une Isolda que je me mettrais à rechercher dans la vallée de Treesmill. Je ne dis pas que cela ne m'est point arrivé, mais je suis beaucoup trop terre à terre pour remonter le cours des siècles dans ce but !

— Mon Isolda a vécu, je vous le répète ! J'ai vu des documents historiques qui l'attestent. Ils ont tous vécu. J'ai en bas, dans la bibliothèque, des papiers qui ne mentent pas !

— Bien sûr qu'elle a vécu, et aussi les deux petites filles, Joanna et Margaret, dont vous m'avez également parlé. Les petites filles sont souvent plus fascinantes que les petits garçons et vous avez deux beaux-fils.

— Que diable cela est-il censé signifier ?

— Rien, c'est une simple remarque. Le monde que nous portons en nous, nous offre parfois l'évasion, le moyen de fuir la réalité. Vous n'aviez pas plus envie de vivre à Londres qu'à New York. Et le XIVe siècle, pour macabre qu'il fût parfois, constituait une sorte d'antidote à l'alternative où l'on voulait vous enfermer. L'ennui c'est qu'il y a accoutumance à certaines drogues, dont les hallucinogènes; en conséquence de quoi, plus nous en prenons, plus il nous en faut et l'on finit dans une cellule capitonnée. »

J'avais l'impression que tout ce qu'il me disait tendait vers quelque chose d'autre, vers le conseil de me ressaisir et de reprendre une occupation, dormir avec Vita, élever des enfants en attendant l'âge de la retraite et de cultiver des cactées dans une serre.

« Que souhaitez-vous que je fasse ? lui demandai-je. Allez, dites-le ! »

Se détournant de la fenêtre, il me regarda bien en face :

« Franchement, ça m'est égal. Ce n'est pas mon affaire. Ayant été votre conseiller médical et votre confesseur pendant ces quelques jours, je serai ravi de vous revoir par ici dans les années à venir, et je vous prescrirai avec joie les antibiotiques de circonstance quand vous aurez la grippe. Mais, pour ce qui est de l'immédiat, je vous conseille de quitter cette maison le plus vite possible, avant que vous éprouviez à nouveau le désir de faire une visite au sous-sol.

— C'est bien ce que je pensais, dis-je. Vous avez parlé avec Vita.

— Evidemment que j'ai parlé avec votre femme ! Et, à part quelques réactions typiquement féminines, j'ai trouvé qu'elle était pleine de bon sens. Quand je vous dis de quitter cette maison, je n'entends pas que ce soit de façon définitive. Mais, durant au moins quelques semaines, il est préférable que vous changiez de cadre; vous devez bien le comprendre. »

Je le comprenais; seulement, tel un renard aux abois, je luttais pour tenter de survivre et cherchais à gagner du temps.

« Soit, fis-je. Où nous conseillez-vous d'aller ? Nous avons ces deux garçons sur les bras.

— Oh ! ils ne vous donnent pas trop de souci, n'est-ce pas ?

— Non... Non, et je les aime bien.

— Peu importe où vous irez, du moment que vous ne serez plus sous l'emprise de Roger Kylmerth.

— Mon *alter ego* ? Lui et moi ne nous ressemblons pas du tout, vous savez !

— Jamais un *alter ego* ne vous ressemble. Le mien est un poète aux longs cheveux, qui ne peut supporter la vue du sang. Il me suit partout depuis que j'ai quitté l'Ecole de médecine. »

Je ris malgré moi. Avec lui, tout paraissait simple.

« Je regrette que vous n'ayez pas connu Magnus. Par un certain côté vous me le rappelez.

— J'aurais bien aimé le connaître. Non, sérieusement, je pense qu'il vous faut partir d'ici. Votre femme a parlé de l'Irlande. C'est un pays de pêche, plein d'agréables promenades...

— Oui, coupai-je, et elle a justement deux de ses compatriotes qui en font le tour en séjournant dans les meilleurs hôtels.

— Elle m'en a parlé, mais j'ai cru comprendre que le temps de là-bas avait fini par les décourager et qu'ils avaient pris l'avion pour l'Espagne. Cela ne doit pas vous tracasser. J'ai trouvé que l'Irlande était une bonne idée, parce qu'il y a seulement trois heures de voiture d'ici Exeter, où vous trouvez des avions directs. Vous n'aurez qu'à louer une voiture sur place.

— Et si je refuse ? Si je préfère me remettre au lit en me cachant la tête sous les draps ?

— Je téléphonerai pour une ambulance et vous expédierai à l'hôpital. L'Irlande m'a paru être une meilleure solution, mais vous avez le choix. »

Il me quitta cinq minutes plus tard et j'entendis sa voiture remonter bruyamment vers la route. Je continuais de me sentir comme vidé. J'avais dû lui raconter bien des choses, mais quoi, au juste ? Probablement un salmigondis de tout ce que j'avais pu faire ou penser depuis l'âge de trois ans et, comme n'importe quel médecin porté à la psychanalyse, il avait rassemblé cela en vrac pour arriver à la conclusion que j'étais le traditionnel refoulé à tendances homosexuelles, souffrant d'un complexe d'Œdipe, éprouvant de l'aversion pour copuler avec ma femme et rêvant de le faire avec une blonde n'ayant jamais existé que dans mon imagination.

Tout cela se tenait, bien sûr. Le couvent, c'était Stonyhurst; frère Jean, mon professeur de français; Joanna, ma mère et la pauvre Vita réunies; Otto Bodrugan, le bel aventurier plein d'allant que j'aurais voulu être. Le fait qu'ils aient tous existé et que j'en eusse la preuve, n'avait aucunement impressionné le docteur Powell. Dommage qu'il n'ait pas essayé lui-même la drogue au lieu d'envoyer le flacon C à John Willis. Cela l'aurait peut-être incité à réviser ses conclusions.

Enfin, maintenant, c'était terminé. Je n'avais qu'à me plier à son diagnostic et ses projets de vacances. C'était bien le moins que je pusse faire, Dieu sait, après avoir failli tuer Vita.

Je trouvais curieux qu'il ne m'ait point parlé des effets postopératoires, ni de l'action à retardement qu'avait eue la drogue C. Peut-être avait-il fait part de ses conclusions à John Willis, qui les avait approuvées. Mais Willis n'était pas au courant de l'œil injecté de sang, des accès de transpiration, des nausées et des tournements de tête. Personne n'en savait rien, bien que Powell ait pu en avoir une vague idée, surtout lors de notre première rencontre. Quoi qu'il en fût, je me sentais de nouveau à peu près normal. Et même, pour tout dire, trop normal. J'étais comme un petit garçon qui a reçu la fessée et promis de se bien conduire à l'avenir.

J'ouvris la porte et appelai Vita. Elle gravit aussitôt l'escalier en courant et j'éprouvai un sentiment de culpabilité, mêlé de honte, en pensant à tout ce qu'elle avait pu endurer au cours de la semaine qui venait de s'écouler. Elle était très pâle et avait maigri. Ses cheveux, d'ordinaire coiffés avec soin, avaient été hâtivement peignés et ramenés derrière les oreilles.

Elle avait un air contraint, malheureux, que je ne lui avais encore jamais vu.

« Le docteur m'a dit que tu étais d'accord pour que nous allions ailleurs. C'est lui qui en a eu l'idée et pas moi, je te l'assure. Moi, je désire uniquement ce qui est le mieux pour toi.

— Je le sais. Et Powell a raison.

— Tu n'es pas en colère, alors ? J'avais tellement peur que cette suggestion te rende furieux. »

Elle s'assit près de moi sur le lit et je la pris par la taille.

« Il faut que tu me promettes une chose, lui dis-je, et c'est d'oublier tout ce qui vient de se passer. Je sais que c'est pratiquement impossible mais je te le demande.

— Tu as été malade. Je sais pour quelle raison, car le docteur m'a tout expliqué. Il l'a dit aussi aux garçons et ils ont compris. Aucun de nous ne te tient rigueur de quoi que ce soit, mon chéri. Tout ce que nous souhaitons, c'est que tu te rétablisses et sois heureux.

— Ils n'ont pas peur de moi ?

— Ciel, non ! Ils sont vraiment très raisonnables et compréhensifs. Ils m'ont beaucoup aidée, surtout Teddy. Et ils te sont très attachés, mon chéri, mais je crois que tu ne t'en rends pas compte.

— Oh ! si, je m'en rends bien compte, et c'est ce qui aggrave encore les choses. Mais ne parlons plus de ça pour l'instant. Quand devons-nous partir ? »

Elle hésita :

« Le docteur Powell m'a dit que tu serais en état de voyager vendredi et m'a engagé à prendre les billets, faire les réservations. »

Vendredi... Après-demain.

« S'il l'a dit, d'accord. Mais je suppose qu'il me faut commencer à remuer un peu pour me remettre en forme. Je vais te préparer des choses à mettre dans les valises.

— Oui, à condition que tu ne te fatigues pas trop. Je vais t'envoyer Teddy pour t'aider. »

Elle m'avait apporté le courrier de la semaine. Je finissais de le parcourir après en avoir jeté la majeure partie dans la corbeille à papiers quand Teddy entra.

« M'man m'a dit que vous aimeriez que je vous aide à faire votre valise, déclara-t-il timidement.

— Oui, tu es très gentil. J'ai appris que tu avais pratiquement dirigé la maison, au cours de la semaine passée, et que tu t'en étais très bien tiré. »

Il rougit de plaisir :

« Oh ! je n'ai pas fait grand-chose... J'ai répondu quelquefois au téléphone. Hier, il y a un monsieur qui a appelé pour savoir si vous alliez mieux, et qui vous envoie ses amitiés. Mr. Willis. Il m'a laissé son numéro, pour le cas où vous voudriez lui donner un coup de fil. Il m'en a indiqué un autre également... Je les ai inscrits tous les deux. »

Il sortit de sa poche un petit carnet à couverture de moleskine dont il détacha une page pour me la tendre. Je reconnus le premier numéro, c'était celui du laboratoire de Magnus, mais l'autre ne me rappelait rien.

« Ce second numéro, est-ce celui de son domicile ou t'a-t-il dit quelque chose à son sujet ?

— Oui, il m'a dit que c'était celui d'un garçon nommé Davies, qui travaille au British Museum. Il a pensé que vous aimeriez peut-être donner un coup de fil à Mr. Davies avant de partir en vacances. »

Je fourrai la feuille de carnet dans ma poche et m'en fus avec Teddy dans la chambre adjacente à la salle de bain. Je vis que le lit-divan ne s'y trouvait plus et compris alors ce que signifiait le bruit de déménagement entendu le soir où j'avais fait venir le docteur : le lit de secours avait été transporté dans la grande chambre et placé sous la fenêtre.

« Micky et moi avons dormi là avec M'man, m'expliqua Teddy. Comme ça, elle s'est sentie moins seule. »

C'était une façon délicate de dire qu'elle avait éprouvé le besoin de se sentir protégée. Tandis qu'il sortait les affaires se trouvant dans la penderie, je décrochai le combiné du téléphone qui était près du lit.

La voix qui me répondit, m'assura que j'avais bien Mr. Davies au bout du fil.

« Ici, Richard Young, lui dis-je, un ami du défunt professeur Lane. Vous êtes au courant, je suppose ?

— Oh ! oui, bien sûr, monsieur Young ! J'espère que vous allez mieux ? J'ai appris par John Willis que vous aviez dû garder le lit ?

— En effet, oui. Ce n'était rien de grave. Mais, comme je m'absente et que vous allez sans doute en faire autant, je voulais savoir si vous aviez du nouveau à me communiquer ?

— Oh ! pas grand-chose malheureusement... Si vous voulez bien m'excuser un instant, je vais chercher mes notes pour vous les lire. »

Il posa le combiné et j'attendis, avec le sentiment désagréable que j'étais en train de tricher et que le docteur Powell eût désapprouvé ce coup de téléphone.

« Vous êtes toujours là, monsieur Young ?

— Oui, oui, je suis là.

— J'espère que vous ne serez pas trop déçu. Il s'agit juste de deux extraits des archives de l'évêque d'Exeter, Mgr. Grandisson, l'un daté de 1334, l'autre de 1335. Le premier concerne la paroisse de Tywardreath, le second, Oliver Carminowe. Le premier est une lettre adressée par l'évêque d'Exeter au père supérieur du couvent d'Angers, dont voici la teneur :

Jean, évêque d'Exeter à son vénérable frère le père abbé de St Serge et St Bacchus salut et dilection en Notre-Seigneur.

Tout ainsi que d'un troupeau on sépare l'ouaille malade de crainte qu'elle n'infecte les autres de sa pestilence, ainsi pour notre frère Jean, dit Méral, moine de votre moûtier, vivant présentement au couvent de l'ordre de St Benoît, à Tywardreath en notre diocèse, avons ordonné qu'il soit réduit en votre paternelle puissance et soumis selon la règle à votre discipline et pénitence, pour cause de ses vergogneuses licences et ce nonobstant nos fréquentes admonitions et remontrances, lesquelles, ce nous peine de le dire, l'ont rencontré encore plus endurci et obstiné en sa mauvaiseté.

Dieu, mon très cher frère, vous garde en vie et santé à la tête de votre troupeau.

Il s'éclaircit la gorge :

« L'original est en latin, vous comprenez, et je vous l'ai traduit. En faisant ce petite travail, je ne pouvais m'empêcher de penser combien cette phraséologie eût ravi le professeur Lane.

— En effet, oui », approuvai-je.

Il se racla de nouveau la gorge :

« Le second document est très court et ne vous intéressera peut-être pas. Il y est dit seulement que, le 21 avril 1335, l'évêque Grandisson a reçu Sir Oliver Carminowe et sa femme Sybell, qui s'étaient mariés clandestinement, sans autorisation ni publication de bans. Ils lui ont assuré avoir agi ainsi par ignorance. L'évêque a mitigé les sentences prononcées contre eux et confirmé le mariage, qui semble avoir eu lieu, à une date non précisée, dans la chapelle privée de Sir Oliver à Carminowe, paroisse de Mawgan-in-Meneage. Des sanctions ont été prises contre le prêtre qui les avait mariés. C'est tout.

— Ce document dit-il ce qu'il est advenu de la précédente épouse, Isolda ?

— Non. Je présume qu'elle a dû mourir, sans

doute peu de temps auparavant, et c'est à cause de sa mort que ce mariage avait eu lieu secrètement. Peut-être Sybell était-elle enceinte et cette cérémonie privée était-elle nécessaire pour sauver les apparences. Je suis désolé, monsieur Young, mais je n'ai rien trouvé d'autre.

— Ne vous faites pas de souci pour ça, je vous en prie ! Ce que vous venez de m'apprendre est très intéressant. Bonnes vacances !

— Merci. Vous aussi. »

Je reposai le combiné sur la fourche du téléphone. J'entendis Teddy m'appeler de l'autre pièce.

« Dick ?

— Oui ? »

Il me rejoignit en traversant la salle de bain, tenant à la main la canne de Magnus.

« Est-ce que vous voulez l'emporter ? me demanda-t-il. Elle est trop longue pour entrer dans la valise. »

Je n'avais pas revu cette canne depuis que j'y avais versé un peu du liquide contenu dans le flacon C, près d'une semaine auparavant. Je l'avais complètement oubliée.

« Si vous n'en avez pas besoin, je vais la remettre dans le placard où je l'ai trouvée.

— Non, dis-je, donne-la-moi. »

Souriant, il fit mine de s'en servir comme d'une sagaie, puis me la lança sans élan, et je l'attrapai vivement entre mes mains.

XXIV

Nous étions assis dans le salon de l'aéroport d'Exeter en attendant qu'on appelle notre vol. Nous décollions à midi trente. La Buick avait été garée derrière l'aéroport jusqu'à notre retour, quelle qu'en fût la date. J'achetai des sandwiches pour tout le monde et, tandis que nous les mangions, je jetai un coup d'œil à nos compagnons de voyage. Cet après-midi-là il y avait des vols aussi bien pour les îles anglo-normandes que pour Dublin, et le salon donnant sur le terrain était plein de gens. Il y avait un certain nombre d'ecclésiastiques revenant de quelque synode, un groupe de collégiens, et pas mal de petites familles comme la nôtre, le tout parsemé des habituels touristes. Il y avait également une demi-douzaine d'hommes hilares qui, d'après leur conversation, devaient se rendre à une noce ou en revenir.

« J'espère, dit Vita, que nous n'allons pas nous retrouver à côté d'eux dans l'avion. »

Les garçons étaient déjà pliés en deux par le rire, car un de ces hommes s'était affublé d'un faux nez et d'une moustache, qu'il trempait dans sa chope de Guinness et ramenait couverts de mousse.

« Ce qu'il nous faut faire, déclarai-je, c'est nous lever dès qu'on appellera notre vol, afin de pouvoir nous installer à l'avant, loin de ces types.

« — Si celui qui a le faux nez fait mine de vouloir s'asseoir près de moi, je hurle ! » dit Vita.

Sa remarque accrut le fou rire des garçons et je me félicitai d'avoir commandé une généreuse tournée de cidre pour eux et de brandy-soda (notre boisson de vacances) pour Vita et moi car, bien plus que les gens de la noce, c'était cela qui faisait pouffer les garçons et loucher légèrement Vita tandis qu'elle se regardait dans le miroir de son poudrier. Je surveillais l'avion sur la piste, qu'on était en train de charger. Je vis que c'était terminé; les chariots à bagages s'éloignaient et une hôtesse se dirigeait vers notre porte.

« Zut ! dis-je. Je savais bien que j'avais tort d'ingurgiter autant de café et de brandy. Chérie, je file au petit coin. S'ils appellent le vol, vas-y et installe-toi à l'avant comme je te l'ai dit. Si je suis pris dans la foule, je m'assiérai à l'arrière et changerai de place après le décollage. L'essentiel est que vous soyez ensemble tous les trois; moi, je me débrouillerai toujours. Voici vos cartes d'embarquement... Je garde la mienne, juste en cas.

— Oh ! Dick, vraiment, tu aurais pu y aller plus tôt ! s'exclama Vita. C'est bien de toi !

— Désolé, mais la nature a ses exigences... »

Tandis que l'hôtesse poussait la porte, je traversai rapidement le salon et attendis à l'intérieur des « Messieurs ». J'entendis le haut-parleur appeler le numéro de notre vol et quand je ressortis, au bout de quelques minutes, notre groupe se dirigeait vers l'avion en compagnie de l'hôtesse; Vita et les garçons marchaient en tête. Je les regardai disparaître à l'intérieur de l'avion, suivis par les collégiens et les prêtres. C'était maintenant ou jamais. Je sortis du bâtiment et gagnai l'endroit où nous avions garé la voiture. Deux minutes plus tard, je quittais l'aéroport au volant de la Buick. Je me rangeai alors sur le côté de la route et attendis. Le vrombissement des moteurs me parvint avant que l'appareil m'apparût roulant sur la piste pour gagner son point de départ, ce qui signifiait que tout le monde était à bord. Si les moteurs s'arrêtaient, c'est que l'hôtesse aurait constaté mon absence. Mais j'entendis le vrombissement s'accroître et quelques minutes plus tard, le cœur battant, n'arrivant pas à y croire, je vis l'éclair argenté de l'avion s'élancer sur la piste d'envol puis décoller, prendre de l'altitude en s'aplatissant et, enfin, disparaître parmi les nuages tandis que je demeurais assis au volant de la Buick, seul et libre.

L'atterrissage à Dublin aurait lieu à treize heures cinquante, et je savais très exactement ce que ferait alors Vita. De l'aéroport, elle téléphonerait au docteur Powell à Fowey, mais la sonnerie retentirait en vain. Le médecin ne serait pas chez lui, car c'était sa demi-journée de repos. Il avait mentionné la chose lorsque je lui avais téléphoné après le petit déjeuner pour lui dire au revoir. Il m'avait précisé que, si le temps se maintenait, il emmènerait sa petite famille faire du surf sur la côte nord. Il penserait à nous, avait-il ajouté, et comptait bien que je lui enverrais une carte postale avec : « Dommage que vous ne soyez pas avec nous. »

En débouchant sur la grand-route, je me mis à chantonner et appuyai sur l'accélérateur. Un malfaiteur devait ressentir la même impression lorsque, après avoir pratiqué un fructueux hold-up dans une banque, il filait avec tout le butin. Dommage que je n'aie pas toute la journée devant moi, ce qui m'eût permis d'aller jusqu'à Bere et de voir peut-être Sir William Ferrers en compagnie de sa femme Matilda. J'avais repéré l'endroit sur la carte — c'était dans le Devon, à peine passé la Tamar — et je me demandais si leur maison existait toujours. Probablement pas, ou alors c'était maintenant une ferme, tout comme Carminowe. J'avais repéré aussi Carminowe sur ma carte, tandis que Teddy était en train de faire ma valise dans l'autre pièce. Je l'avais trouvé également mentionné dans le vieux volume de l'*Histoire paroissiale* qui m'avait renseigné sur Tregesteynton. Carminowe était situé à Mawgan-in-Meneage, près de l'embouchure de la Looe, et l'auteur disait que l'ancien manoir ainsi que la chapelle étaient tombés en ruine sous le règne de Jacques Ier.

Après avoir traversé Okehampton, je pris la route de Launceston car c'était plus court ainsi que par le chemin que nous avions suivi en partant. Quand je passai du Devon en Cornouailles, me dirigeant vers Bodmin à la façon d'un pigeon voyageur, je me mis à chanter encore plus fort car, même si Vita était sur le point d'atterrir à Dublin, je me trouvais maintenant à l'abri de toute poursuite, elle ne pouvait plus me joindre. C'était mon dernier voyage, mon ultime escapade. Et, quoi qu'il pût m'arriver, Vita ni les garçons ne risqueraient d'en pâtir car ils seraient loin de là, en sûreté sur le sol irlandais.

Par une nuit semblable, Didon debout sur le rivage,
Un rameau de saule à la main, rappelait son amour
[vers Carthage.

Malheureusement, celui qu'aimait Isolda était mort dans la crique de Treesmill, et je doutais que la menace du couvent, les sarcasmes de Joanna ou l'équivoque promesse du moine de l'emmener à Angers, aient pu finalement l'inciter à se tourner vers Roger. Six siècles auparavant, l'avenir était bien triste pour une femme ayant quitté son mari, surtout si ce mari convoitait déjà une troisième épouse. Cela eût bien fait l'affaire d'Oliver Carminowe — et aussi des Ferrers — si Isolda avait tout simplement disparu, ce qui aurait bien pu lui arriver si elle s'était fiée à Joanna. Mais, de toute façon, rester sous le toit de Roger ne pouvait être qu'une solution momentanée.

Chaque kilomètre franchi me rapprochait de la maison, mais l'exaltation que j'éprouvais était tempérée par le fait que ç'allait être mon dernier « voyage » et que je n'avais pas la possibilité d'en choisir la date ni même la saison. Peut-être le dégel serait-il arrivé, le carême terminé, et me retrouverais-je en plein été; peut-être Isolda aurait-elle finalement choisi d'aller finir ses jours derrière les murs de ce couvent dans le Devon, auquel cas elle serait sortie de la vie de Roger, et de la mienne du même coup. A supposer que Magnus eût vécu, je me demandai s'il aurait réussi à perfectionner sa découverte, pour donner à celui qui l'utilisait la possibilité de calculer la date où il émergerait dans le passé. Ce qui m'aurait permis maintenant de retrouver, dans le sous-sol de Kylmerth, les protagonistes du drame au point où je les avais laissés. Mais jamais encore cela ne s'était produit. J'avais toujours fait un bond en avant à travers le temps. Le chariot de Joanna ne devait plus l'attendre en haut de la colline; Roger, Isolda et Bess auraient quitté la cuisine de la ferme. L'ultime dose conservée dans le gobelet de la canne me garantissait un nouvel accès à cet autre monde, mais non ce que j'y trouverais.

La vue du « stop » me ramena instantanément sur la route de Lostwithiel à Saint-Blazey. Depuis une trentaine de kilomètres, je conduisais comme un automate et c'était là le chemin qui menait à la vallée de Treesmill en passant par Tregesteynton. Je le pris avec nostalgie. Quand j'atteignis l'actuelle ferme de Strickstenton, un collie noir et blanc se précipita sur la route en aboyant. Cela me rappela Margaret, la plus jeune fille d'Isolda, qui voulait une cravache comme celle de Robbie, et Joanna, l'aînée, faisant des mines devant la glace tandis que son père poursuivait Sybell dans l'escalier en brandissant la patte de loutre.

Lorsque j'atteignis la vallée, je m'étais si bien abstrait dans le passé que je m'étonnai un instant de ne pas voir la rivière et cherchai le cottage de Rosgof de l'autre côté du gué, en face du moulin. Mais, bien sûr, il n'y avait plus ni rivière ni gué, juste la route qui tournait à gauche et quelques vaches en train de paître dans le pré marécageux.

Je regrettai de n'avoir pas la Triumph, au lieu de la Buick, trop grande et trop voyante. Cédant à une impulsion, je la garai près du pont, au-dessous du moulin et, après avoir remonté un peu dans le sentier, j'enjambai la barrière du champ qui menait au Gratten. Je sentais que, avant de regagner la maison, il me fallait aller encore une fois parmi les tertres herbeux. Car j'ignorai ce qu'il adviendrait lorsque je serais de retour à Kilmerth, cette ultime expérience pouvant avoir des conséquences imprévisibles. Je voulais donc emporter avec moi l'image de la vallée de Treesmill, telle que la dorait ce soleil de fin août, laissant ma mémoire et mon imagination faire le reste, y plaçant de nouveau la rivière et la crique, avec le quai en contrebas de la maison depuis longtemps disparue. On avait moissonné les champs du Parc de la Chapelle, derrière le Gratten, mais dans celui où je marchais l'herbe était haute et des vaches broutaient. J'atteignis le premier des buissons d'ajoncs, escaladai le haut talus bordant le site et regardai le tapis d'herbe qui était autrefois le sentier passant sous la fenêtre du hall, où Isolda et Bodrugan étaient assis en se tenant la main.

Un homme était étendu là, qui fumait, la tête appuyée sur sa veste pliée en guise d'oreiller. Je battis des paupières et le regardai à nouveau, incrédule, pensant que mon sentiment de culpabilité et ma mauvaise conscience avaient dû faire surgir son image à mes yeux. Mais non, je ne m'abusais pas. Cet homme était bien réel et c'était le docteur Powell.

Je demeurai un moment à l'observer puis délibérément, sans malice aucune mais en pleine conscience de mon geste, je dévissai le pommeau de la canne pour prendre le gobelet. Je bus ma dernière dose puis, ayant tout remis en place, je contournai le tertre pour rejoindre le médecin.

« Je croyais, lui dis-je, que vous deviez aller faire du surf sur la côte nord ! »

Il se redressa aussitôt et, pour la première fois depuis que je le connaissais, j'eus l'immense satisfaction de constater que je venais de le surprendre, qu'il était tout saisi.

Mais il reprit rapidement le dessus et son air étonné fit place à un sourire engageant :

« J'ai changé d'idée, me dit-il posément, et laissé la petite famille partir sans moi. Vous me semblez avoir fait de même ?

— Ainsi donc Vita a été plus rapide que je ne le pensais. Elle n'a vraiment pas perdu de temps !

— Qu'est-ce que votre femme vient faire là-dedans ?

— Eh bien, elle vous a téléphoné de Dublin, n'est-ce pas ?

— Non. »

Ce fut à mon tour de le regarder avec surprise.

« Mais alors comment étiez-vous ici à m'attendre ?

— Je ne vous attendais pas. Plutôt que d'aller braver les rouleaux de l'Atlantique, j'ai préféré venir explorer ce morceau de votre territoire. Une bonne idée apparemment, puisque vous allez pouvoir me servir de guide. »

Je n'avais pas eu longtemps le dessus et je sentais fondre mon assurance. Powell avait l'air de me battre à mon propre jeu.

« Ecoutez, lui dis-je, voulez-vous savoir ce qui s'est passé à l'aéroport ?

— Pas particulièrement, non, me répondit-il. L'avion est parti, je le sais, car j'ai téléphoné à Exeter pour m'en assurer. Ils n'ont pas été en mesure de me dire si vous étiez à bord ou non, mais je savais que si vous ne l'aviez pas pris, vous reviendriez à Kilmerth et que si je m'y présentais, je vous trouverais dans le sous-sol. Mais la curiosité m'a poussé à venir d'abord passer un moment ici. »

Son petit air très sûr-de-soi me rendait furieux, mais je l'étais encore plus contre moi-même. Si j'avais pris l'autre route, si je n'étais point passé par la vallée de Treesmill où j'avais cédé à un brusque accès de sentimentalité, j'aurais regagné Kilmerth une demi-heure au moins avant que Powell vienne m'y relancer.

« Eh bien, dis-je, j'ai vilainement faussé compagnie à Vita et aux garçons; elle doit être en train de vous appeler depuis l'aéroport de Dublin sans obtenir de réponse. Ce qui me sidère, c'est que vous m'ayez laissé partir tout en sachant ce qui pouvait se produire. Dans le fond, c'est presque autant votre faute que la mienne.

— Oh ! je reconnais que je suis tout aussi coupable que vous; nous présenterons donc tous deux nos excuses à votre femme quand nous l'aurons au bout du fil. Mais, au lieu de m'en tenir aux règles, j'ai voulu vous donner une chance pour voir si vous vous en tireriez seul.

— Quelles sont donc les règles ?

— Quand un drogué a cédé à l'accoutumance, il faut l'envoyer faire sa cure de désintoxication dans une maison spécialisée. »

Je le regardai pensivement en prenant appui sur la canne de Magnus.

« Vous savez très bien que je vous ai remis le flacon C et que c'était le dernier. Et vous avez dû profiter de cette semaine que j'ai passée au lit, pour inspecter la maison de fond en comble.

— C'est exact; j'ai même recommencé aujourd'hui, en racontant à Mrs. Collins que j'étais à la recherche d'un trésor caché. J'ai l'impression qu'elle l'a cru.

— Et vous n'avez rien trouvé, parce qu'il n'y avait rien à trouver.

— Dans ce cas, vous avez tout lieu de vous en féliciter. J'ai dans ma poche le rapport de Willis.

— Que dit-il ?

— Simplement que la drogue contient une substance toxique susceptible d'affecter gravement les centres nerveux.

— Montrez-moi ce rapport. »

Il secoua la tête et, soudain, il disparut; je me retrouvai entouré de murs, dans le hall du manoir de Champernoune, en train de regarder par la fenêtre la pluie qui tombait. Je fus pris de panique, car cela n'aurait pas dû se produire; du moins pas encore. J'avais compté que je serais de retour chez moi derrière mes propres murs, avec Roger pour jouer son habituel rôle de guide et de protecteur. Roger n'était pas là, le hall était désert, et je constatai qu'il avait subi des changements depuis la dernière fois que j'y étais venu. Je voyais davantage de meubles, davantage de tentures, et le rideau masquant le seuil au-delà duquel s'amorçait l'escalier menant à l'étage, était tiré de côté. J'entendais pleurer dans la chambre qui était au-dessus de ma tête et quelqu'un l'arpentait d'un pas pesant. Regardant de nouveau par la fenêtre, je me rendis compte que l'on devait être en automne car, à travers la pluie, je voyais les arbres derrière lesquels Oliver Carminowe s'était dissimulé avec ses hommes pour guetter Bodrugan; leur feuillage était du même brun doré qu'alors. Mais cette fois, il n'y avait pas de vent pour arracher ces feuilles; elles pendaient tristement sous la petite pluie fine, cependant qu'un manteau de brume recouvrait Lanescot et l'embouchure de la rivière.

Les sanglots firent place à un rire suraigu, puis un gobelet et une balle dégringolèrent les marches jusque dans le hall, où le gobelet s'immobilisa tandis que la balle allait lentement rouler sous la table.

J'entendis une voix d'homme s'écrier d'un ton anxieux : « Fais attention de ne pas tomber, Elisabeth ! » tandis que quelqu'un, toujours en riant, descendait les marches pour récupérer son jouet. Un ridicule petit bonnet de travers sur sa tête, sa longue robe traînant sur les dalles, elle se tint un instant en arrêt, les mains jointes. Tout d'abord saisissante, sa ressemblance avec Joanna Champernoune se révélait finalement tragique, car il s'agissait là d'une enfant dégénérée, ayant une douzaine d'années. Elle hochait la tête tout en continuant de rire, puis récupérant le gobelet et la balle, elle les jetait en l'air et les ramassait en poussant des cris de joie. Mais brusquement lasse de ce jeu, elle se mit à tourner en rond jusqu'à ce que, complètement étourdie, elle se laissât tomber par terre où elle demeura immobile à considérer ses chaussures.

En haut, l'homme appela de nouveau : « Elisabeth... Elisabeth ! » Alors, se remettant péniblement debout, la fillette sourit en regardant le plafond. Des pas descendirent lentement l'escalier et l'homme apparut à mes yeux en long vêtement flottant, coiffé d'un bonnet de nuit. L'espace d'un instant, je crus avoir été ramené à l'époque où Henry Champernoune était aux prises avec la maladie qui devait l'emporter et que c'était lui, pâle et amaigri, qui se tenait devant moi. Mais il s'agissait de son fils William, l'adolescent que j'avais vu devenir chef de famille lorsque Roger lui avait annoncé la mort de son père. Il paraissait maintenant avoir dans les trente-cinq ans, sinon plus. En proie à un sentiment de détresse, je compris que j'avais fait un bond d'au moins une douzaine d'années dans le temps et tout ce qui avait été vécu depuis le précédent « voyage » appartenait à un passé que je ne connaîtrais jamais. Le rude hiver de 1335 ne rappelait rien à ce William, qui était alors mineur et pas encore marié. A présent, il était devenu le maître dans sa maison, mais me semblait aux prises avec la maladie aussi bien qu'avec de douloureux problèmes familiaux.

« Viens, ma fille, viens, mon amour », dit-il gentiment en lui tendant les bras.

Elle se mit à sucer son pouce en secouant les épaules puis, changeant à nouveau d'idée, elle se précipita ramasser la balle et le gobelet pour les lui tendre.

« Je vais te lancer la balle, mais en haut, pas ici, lui dit-il. Kathie est malade, elle aussi, et il ne faut pas que je la laisse seule.

— Je veux pas qu'elle ait mon jouet ! déclara Elisabeth en agitant la tête avec vigueur et tentant de le reprendre à son père.

— Quoi ? Tu ne voudrais pas le prêter à ta sœur, alors que c'est elle qui te l'a donné ? Oh ! ça n'est sûrement pas ma Lizzie qui parle comme ça ! Ma Lizzie a dû s'envoler par la cheminée et c'est une vilaine petite fille qui a pris sa place », conclut-il avec un bruit de langue désapprobateur.

En entendant cela, la fillette ouvrit la bouche toute grande, puis, fondant en larmes, elle se jeta contre lui et s'agrippa désespérément à sa longue robe.

« Là... là..., dit-il. Papa ne le pensait pas vraiment, papa aime bien sa Liz, mais il ne faut pas qu'elle le fasse enrager, car il est encore malade et la pauvre Katie aussi. Viens, nous allons remonter. Comme cela, elle pourra nous regarder de son lit et quand tu lanceras la balle bien haut, elle en sera si contente que peut-être elle sourira. »

Il prit la fillette par la main et l'entraîna vers l'escalier. Au même instant, quelqu'un survint par la porte menant aux cuisines. En entendant marcher, William tourna la tête.

« Avant de partir, veillez à ce que toutes les portes soient bien fermées et recommandez aux serviteurs de n'ouvrir à personne. Dieu sait qu'il m'est odieux de donner un pareil ordre, mais je n'ose faire autrement. Il y a des malades qui attendent la nuit pour se risquer au-dehors et aller frapper chez les gens.

— Je le sais. Ils sont plusieurs à Tywardreath qui font ainsi et c'est comme cela que le mal s'est répandu. »

Aucune erreur possible quant à celui qui venait de parler depuis le seuil des cuisines. C'était Robbie, un Robbie plus grand et plus étoffé que le garçon que j'avais connu, et qui portait maintenant la barbe comme son frère.

« Faites bien attention en vous en allant, conseilla William. Les mêmes pauvres déments pourraient vous attaquer, pensant, parce que vous êtes à cheval, que vous possédez quelque don magique de santé qui leur est dénié.

— N'ayez crainte, Sir William, j'ouvrirai l'œil ! Sincèrement, je ne vous quitterais pas ce soir si ce n'était pour Roger. Cela fait cinq jours que je ne suis pas retourné à la maison et il est seul.

— Je sais, je sais. Que Dieu vous garde tous deux et veille sur nous cette nuit. »

William emmena sa fille dans l'escalier et moi, je suivis Robbie vers les cuisines. Trois serviteurs s'y trouvaient, tassés près de l'âtre, dans une attitude d'extrême abattement. L'un avait les yeux clos et la tête appuyée contre le mur. Robbie lui transmit les ordres de Sir William et l'autre acquiesça sans ouvrir les yeux, en disant : « Que Dieu nous garde ! »

Robbie referma la porte derrière lui et traversa la cour de l'écurie. Son poney l'attendait à l'intérieur de cette dernière. Il l'enfourcha et entreprit lentement l'ascension de la colline, à travers la petite pluie fine qui continuait de tomber, passant devant les chaumières qui faisaient partie du domaine. Toutes les portes étaient soigneusement closes et de deux toits seulement s'élevait de la fumée. Les autres maisons semblaient abandonnées. Nous atteignîmes le haut de la colline et Robbie, au lieu de tourner à droite pour prendre la route menant au village, s'arrêta près de la grange-aux-tailles, à gauche. Descendant de sa monture, il attacha le poney au portail avant de gagner la chapelle voisine. Il en ouvrit la porte et j'entrai derrière lui. La chapelle était petite : six mètres de long sur quatre de large environ, avec une seule fenêtre derrière l'autel. Tout en faisant le signe de la croix, Robbie s'agenouilla devant le sanctuaire et, tête baissée, s'absorba dans une prière. Au-dessous de la fenêtre, il y avait une inscription en latin, que je traduisis :

Mathilde Champernoune a fait élever cette chapelle en souvenir de son mari William Champernoune, mort en 1304.

Une dalle, au bas des marches du chœur portait les propres initiales de la veuve et la date de sa mort que je ne pus déchiffrer. A gauche, sur une dalle semblable, étaient gravées les initiales H. C. Il n'y avait pas de vitraux à la fenêtre, pas de statues ni de tombes contre les murs : il s'agissait d'un simple oratoire, d'une chapelle commémorative.

Quand Robbie se remit debout et se détourna de l'autel, il me révéla une autre dalle placée devant les marches du sanctuaire. Deux initiales : I. C. et une date, 1335. En repartant sous la pluie vers le village en compagnie de Robbie, je savais qu'un seul nom pouvait correspondre à ces initiales et qui n'était pas d'un Champernoune.

Tout autour de moi, c'était un spectacle de désolation. Personne sur le communal, aucun animal dehors, pas un aboiement de chien. Les portes des petites maisons qui se serraient autour du communal étaient toutes closes comme celles du couvent lui-même. Je vis juste une chèvre, à demi morte de faim apparemment car ses côtes saillaient sur ses flancs décharnés, attachée par une chaîne près du puits et broutant l'herbe.

Nous gravîmes le sentier qui s'élevait au-dessus du couvent et je pus ainsi plonger mon regard à l'intérieur des murs d'enceinte, mais je n'y distinguai nul signe de vie. Aucune fumée ne s'élevait de la maison du chapitre ni du côté des moines; le monastère semblait abandonné et, dans le verger, les pommiers demeuraient chargés de leurs fruits que l'on n'avait pas cueillis. Quand nous passâmes entre les terrains de culture, je vis que leur sol n'avait pas été labouré. Une partie du blé n'avait même pas été moissonné et pourrissait sur place, comme si quelque cyclone l'avait abattu au cours de la nuit. Dans les pâtures du bas, le bétail du couvent errait en liberté et quelques bêtes vinrent meugler sur notre passage, comme espérant que Robbie, monté sur son poney, pût les conduire à leur étable.

Nous passâmes le gué sans difficulté, car la marée descendait rapidement; les bancs de sable qu'elle laissait à découvert étaient d'un brun sale sous la pluie. Une mince fumée montait du toit de Julian Polpey — celui-là, du moins, semblait avoir survécu à l'épidémie — mais dans la vallée, la maison de Geoffrey Lampetho avait le même air d'abandon que celles du village. Ce n'était plus le monde que j'avais connu, que j'avais appris à aimer, et où j'aspirais à me retrouver parce que le mélange d'amour et de haine qui l'animait tranchait sur la monotonie de ma propre existence. A présent, ce que je voyais avait l'atroce désolation de quelque paysage du xxe siècle ravagé par un cataclysme atomique et d'où tout espoir est banni.

Une fois passé le gué, Robbie monta à travers le petit bois vers le mur qui fermait la cour de Kylmerth.

Là non plus, aucune fumée ne s'élevait de la cheminée. Voyant cela, Robbie sauta vivement à bas de son poney et, le laissant regagner tout seul l'écurie, il courut vers la porte de la maison qu'il ouvrit.

« Roger ! l'entendis-je appeler. Roger ! »

La cuisine était déserte, il n'y avait plus de tourbe en train de brûler dans l'âtre. Des restes d'aliments étaient demeurés sur la table et, tandis que Robbie gravissait l'échelle menant à la soupente, je vis un rat traverser rapidement la pièce pour disparaître dans un trou.

Il ne devait y avoir personne dans la soupente car Robbie en redescendit aussitôt et ouvrit la porte située au-dessous d'elle qui permettait d'accéder à l'étable-écurie, révélant du même coup un étroit couloir aboutissant à un cellier et une resserre. Des sortes de meurtrières aménagées dans l'épaisseur des murs permettaient à des traits lumineux d'en éclairer l'obscurité et constituaient le seul moyen d'aération. Aussi y avait-il peu d'air pour balayer la lourde odeur émanant des pommes qui, soigneusement alignées, pourrissaient le long d'un des murs. De guingois sur ses trois pieds et rouillé, un chaudron de fer se trouvait dans le coin le plus éloigné, avec des pichets, des pots, ainsi qu'une fourchette à trois dents et un soufflet. C'était un bien étrange choix de la part d'un malade que d'avoir élu cette resserre pour y dormir. Il avait dû traîner sa paillasse depuis la soupente et l'avait placée là, près d'une fente du mur; après quoi, par manque de force ou de volonté, il y était demeuré étendu jour et nuit jusqu'à maintenant.

« Roger..., murmura Robbie. Roger ! »

Roger ouvrit les yeux. Je ne le reconnaissais pas. Ses cheveux étaient blancs, ses yeux comme enfoncés dans la tête, ses traits émaciés et tirés. Sous la broussaille blanche de la barbe, la peau apparaissait décolorée, marquée, et Roger avait deux bubons derrière les oreilles. Il murmura quelque chose et je crus comprendre qu'il demandait de l'eau. Robbie le quitta pour courir jusqu'à la cuisine, mais je demeurai agenouillé près de cet homme qui était si robuste et assuré la dernière fois que je l'avais vu.

Robbie revint avec une cruche d'eau et, soutenant son frère, il l'aida à boire. Mais après deux gorgées Roger s'étouffa et se laissa retomber sur sa paillasse, en haletant.

« C'est sans remède, dit-il. L'enflure a gagné ma gorge et m'empêche de respirer. Mouille-moi les lèvres, ce sera suffisant...

— Depuis combien de temps es-tu là ? demanda Robbie.

— Je ne peux pas te dire... Quatre jours et quatre nuits, je pense... C'est peu après ton départ que je me suis senti pris... J'ai mis ma paillasse ici pour que tu puisses dormir tranquille dans la soupente quand tu reviendrais. Comment va Sir William ?

— Il se remet, Dieu merci, et la jeune Katherine aussi. Jusqu'à présent, Elisabeth et les serviteurs ont échappé à la contagion. Mais à Tywardreath, la semaine dernière, il y a eu plus de soixante morts. Le couvent est fermé, comme tu le sais; le prieur et les moines sont partis.

— Ça n'est pas une perte, murmura Roger. Nous pouvons nous passer d'eux. Es-tu allé à la chapelle ?

— Oui, et j'y ai fait la prière habituelle. »

Robbie humecta de nouveau les lèvres de son frère et, maladroitement mais avec tendresse, il essaya d'atténuer l'enflure derrière les oreilles.

« Je te dis qu'il n'y a pas de remède, protesta Roger, c'est la fin. Pas de prêtre pour moi, ni de cimetière. Tu m'enterreras au bord de la falaise, Robbie, pour que je continue de sentir la mer.

— Je vais aller à Polpey chercher Bess. A nous deux nous saurons te soigner et te guérir...

— Non, elle doit maintenant se consacrer à Julian et à ses enfants. Ecoute ma confession, Robbie... Depuis treize ans, j'ai la conscience lourde. »

Il voulut s'asseoir mais n'en eut pas la force. Robbie, le visage ruisselant de larmes, dit en écartant doucement les cheveux emmêlés qui tombaient sur les yeux de son frère :

« Si cela concerne Lady Carminowe et toi, Roger, je n'ai pas besoin de l'entendre. Bess et moi savons que tu l'as aimée, que tu l'aimes toujours. Nous aussi nous l'aimions. Et il n'y avait pas péché en ça.

— Pas péché à l'aimer, non, mais à la tuer, si ! dit Roger.

— La tuer ? »

Agenouillé près de son frère, Robbie le regarda avec stupeur, puis secoua la tête :

« Tu as la fièvre, Roger... Nous savons tous comment elle est morte. Quand elle est arrivée ici, cela faisait déjà plusieurs semaines qu'elle était malade mais elle nous l'a caché. Lorsqu'ils ont voulu l'emmener de force, elle leur a promis de les rejoindre dans une semaine; alors ils l'ont laissée.

— Et elle serait partie, mais je l'en ai empêchée.

— Comment l'en as-tu empêchée ? Elle est morte là-haut, dans la soupente, veillée par Bess et toi, avant même que la semaine se soit écoulée.

— Elle est morte, parce que je n'ai pas voulu qu'elle souffre, dit Roger. Elle est morte parce que, si elle avait tenu sa promesse et était allée à Trelawn, puis dans le Devon, elle aurait enduré pendant des semaines et peut-être des mois, cette même agonie que notre propre mère a connue quand nous étions petits. Alors j'ai voulu qu'elle nous quitte dans son sommeil, sans qu'elle sache ce que j'avais fait... et ni toi, ni Bess non plus. »

Sa main chercha celle de Robbie et l'étreignit :

« Tu ne t'es jamais demandé ce que je faisais, Robbie, lorsque, autrefois, je restais tard le soir au couvent ou quand il m'arrivait d'emmener Méral ici, dans le cellier ?

— Je savais que les bateaux français déchargeaient des marchandises que tu transportais au couvent. Du vin et d'autres choses dont le prieur manquait. Grâce à quoi, les moines menaient bonne vie.

— Ils m'ont aussi appris leurs secrets. Comment faire rêver les hommes, comment leur procurer sur terre un paradis qui ne durait que quelques heures. Comment les faire mourir. C'est seulement après la mort du jeune Bodrugan confié aux soins de Méral que, écœuré, je n'ai plus voulu avoir part à tout cela. Mais je connaissais le secret et j'en ai fait usage le moment venu. Je lui ai donné quelque chose pour soulager sa souffrance et hâter sa fin. C'était un meurtre, Robbie, un péché mortel. Et personne n'en a rien su, que toi... »

L'effort fait par Roger pour parler l'avait épuisé. Robbie, désemparé en présence de la mort, lâcha la main de son frère, se remit debout et s'en fut vers la cuisine en trébuchant comme un aveugle, sans doute à la recherche d'une autre couverture pour son frère. Moi, je demeurai agenouillé dans le cellier et Roger, ouvrant les yeux pour la dernière fois, me regarda. Je pense qu'il implorait l'absolution, mais il n'y avait personne en son temps pour la lui donner. Je me demandai si c'était pour cette raison qu'il continuait d'errer à travers les siècles. Tout comme Robbie, je me sentais impuissant; j'arrivais six cents ans trop tard.

« Quitte ce monde, âme chrétienne, au nom de Dieu le Père Tout-Puissant qui t'a créée; au nom de Jésus-Christ, le Fils du Dieu vivant, qui a souffert pour toi; au nom du Saint-Esprit qui t'a sanctifiée... »

Je ne me rappelai plus la suite, mais c'était sans importance car il avait déjà disparu. Le jour se glis-

sait dans l'ancienne buanderie par les fentes des persiennes, et j'étais agenouillé sur les dalles du laboratoire, au milieu des pots et des flacons vides. Je
n'éprouvai ni nausée ni vertige, mes oreilles ne
sifflaient pas. Je n'avais conscience que d'un profond
silence et d'une grande paix.

Levant la tête, je vis le docteur debout contre le
mur et qui me regardait.

« C'est fini, dis-je. Il est mort, il est libéré. Tout est
terminé. »

Etendant la main, le docteur me prit par le bras et
m'emmena vers l'escalier, au rez-de-chaussée et jusque
dans la bibliothèque, où nous nous assîmes sur la
banquette qui occupait l'embrasure de la fenêtre.

« Racontez-moi, dit-il alors tandis que nous regar-
dions la mer.

— Vous n'êtes donc pas au courant ? »

En le voyant dans le laboratoire, j'avais cru qu'il
avait partagé l'expérience avec moi, mais je me rendais soudain compte que c'était impossible.

« Je suis demeuré avec vous là-bas, près du Gratten, puis j'ai gravi la colline derrière vous et, après,
je vous ai suivi avec la voiture. Vous vous êtes arrêté
un moment dans un champ au-dessus de Tywardreath, près de l'endroit où les deux routes se rejoi-
gnent, puis nous avons traversé le village, emprunté
le chemin de Polmear et sommes arrivés ici. Vous
marchiez normalement, juste un peu plus vite que je
ne l'aurais fait moi-même. Quand je vous ai vu couper à droite pour traverser le petit bois, j'ai tourné
dans le chemin menant ici, car je savais que je vous
retrouverais au sous-sol. »

Me levant, j'allai prendre sur les rayons de la bibliothèque un des volumes de l'Encyclopédie britannique.

« Qu'est-ce que vous cherchez ? me demanda Powell.

— La date de la Peste noire... 1348. Treize ans après la mort d'Isolda, répondis-je en replaçant le volume sur le rayon.

— La peste bubonique. Elle existe toujours à l'état endémique en Extrême-Orient. Une horrible maladie et une très pénible mort.

— Je sais, dis-je. Je viens de voir Roger Kylmerth en mourir, dans l'ancienne buanderie dont Magnus avait fait son laboratoire. »

Retournant m'asseoir sur la banquette, je pris la canne que le médecin avait apportée avec lui.

« Vous avez dû vous demander, lui dis-je, comment j'avais pu entreprendre encore un « voyage »... Voici la réponse. »

Je dévissai le pommeau de la canne et lui montrai le petit gobelet. Il le prit, le retourna, constata qu'il était parfaitement sec.

« Je vous en demande pardon, dis-je, mais lorsque je vous ai vu assis là-bas, près du Gratten, j'ai pensé que c'était ma dernière chance. Et je ne regrette rien, car maintenant tout est fini, terminé. Je n'éprouverai plus de tentation, plus aucun désir de retourner me perdre dans cet autre monde. Je vous ai dit que Roger était libéré, mais moi aussi je le suis. »

Il garda le silence, continuant de regarder le minuscule gobelet.

« Et maintenant, repris-je, avant que vous ne téléphoniez à l'aéroport de Dublin pour demander qu'on fasse appeler Vita, si vous me disiez ce qu'il y avait dans le rapport de John Willis ? »

Me prenant la canne des mains, il y replaça le gobelet puis me la rendit après avoir revissé le pommeau.

« Je l'ai brûlé, à l'aide de mon briquet, pendant que vous étiez à genoux dans le sous-sol, en train de réciter la prière pour les agonisants. Le geste m'a paru convenir au moment, et j'ai préféré détruire ce rapport plutôt que le conserver dans mon fichier.

— Ce n'est pas une réponse, lui fis-je remarquer.

— C'est la seule que vous aurez », me rétorqua-t-il.

Le téléphone se mit à sonner et je me demandai combien de fois déjà il avait dû le faire dans la journée.

« Ce doit être Vita, dis-je, et je ferais bien de me remettre à genoux, pour le compte ! Est-ce que je lui déclare m'être trouvé enfermé dans les W.-C. Messieurs, et que je la rejoindrai demain ?

— Il serait plus sage de lui dire, me conseilla-t-il en choisissant ses mots, que vous espérez pouvoir la rejoindre plus tard, peut-être dans quelques semaines. »

Je fronçai les sourcils :

« Mais c'est absurde ! Il n'y a plus rien qui me retienne ici. Je vous l'ai dit : tout est fini et je suis libéré. »

Il ne répondit rien et demeura assis, à me regarder fixement.

Comme le téléphone continuait de sonner, je traversai la pièce pour aller décrocher, mais il se produisit alors une chose ridicule. Lorsque je saisis le combiné, je ne pus arriver à le tenir convenablement, car mes doigts et la paume de ma main étaient comme engourdis. Il m'échappa et tomba par terre avec fracas.

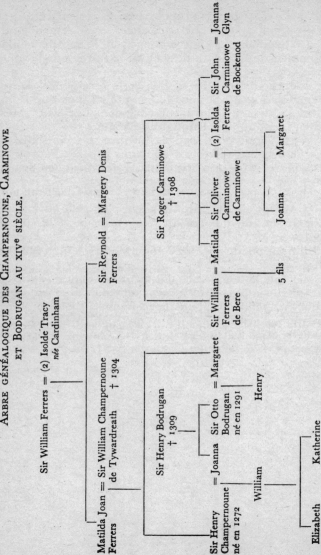

ARBRE GÉNÉALOGIQUE DES CHAMPERNOUNE, CARMINOWE
ET BODRUGAN AU XIVᵉ SIÈCLE.

REMERCIEMENTS

Je tiens à remercier ici Miss Hawkridge, archiviste adjoint principal aux archives du comté, à Truro;

Mr. H. L. Douch, licencié ès lettres, conservateur du musée du comté à Truro;

Mr. R. Blewett, licencié ès lettres, de St Day;

Mrs. St George Saunders;

et les archives nationales;

auxquels je dois de précieux renseignements et la communication de documents originaux.

Je désire exprimer tout particulièrement ma gratitude à Mr. J. R. Thomas, de l'Association pour la Vieille Cornouailles, à Tywardreath, qui, par son inlassable obligeance et grâce au prêt qu'il me fit de ses propres notes touchant l'histoire du manoir et du couvent de Tywardreath, éveilla mon intérêt, m'amenant ainsi à mêler ensuite la fiction à la réalité dans le cadre de la Maison sur le Rivage.

DAPHNÉ DU MAURIER.

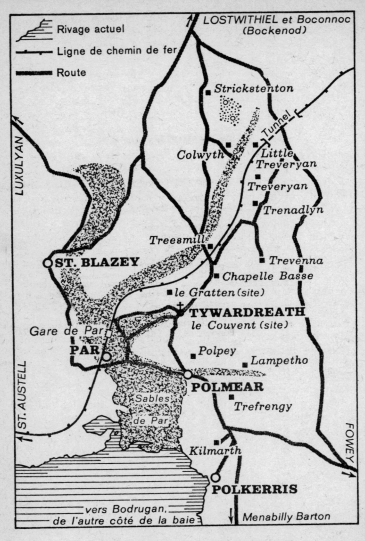

Plan partiel de la paroisse de Tywardreath.
A l'époque où vivait Roger Kylmerth, les eaux de l'estuaire recouvraient la partie en grisé.

ŒUVRES DE DAPHNÉ DU MAURIER

Aux Éditions Albin Michel :

REBECCA.
L'AUBERGE DE LA JAMAÏQUE.
LE GÉNÉRAL DU ROI.
LA CHAÎNE D'AMOUR.
LES DU MAURIER.
JEUNESSE PERDUE.
LES PARASITES.
MA COUSINE RACHEL.
LES OISEAUX, *suivi de* LE POMMIER, ENCORE UN BAISER,
LE VIEUX, MOBILE INCONNU, LE PETIT PHOTOGRAPHE,
UNE SECONDE D'ÉTERNITÉ.
MARY-ANNE.
LE BOUC ÉMISSAIRE.
GÉRALD.
LA FORTUNE DE SIR JULIUS.
LE POINT DE RUPTURE.
LE MONDE INFERNAL DE BRANWELL BRONTË.
CHATEAU DOR.
LES SOUFFLEURS DE VERRE.
LE VOL DU FAUCON.

« Composition réalisée en ordinateur par INFORMATYPE SERVICE »

IMPRIMÉ EN FRANCE PAR BRODARD ET TAUPIN
7, bd Romain-Rolland - Montrouge.
LE LIVRE DE POCHE - 22, avenue Pierre 1er de Serbie - Paris.

ISBN : 2 - 253 - 00762 - 5   30/4157/1